U0136803

黃賓虹全集

《黃賓虹全集》編輯委員會編

10

著述年譜

山東美術出版社·浙江人民美術出版社

主　編・王伯敏
分卷主編・王肇達　毛建波　張學舒

目次

導語·畫之大者

長生之義有二，一種是個人的生命，一種是民族與國家的生命。個人的生命短長，無足重輕，所謂長生者，應注意國族的生命。

藝術就是祛病增壽的良藥，歷史上凡世亂道衰的時候，正是藝術家努力救治的機會。

藝術是最高的養生法，不但足以養我中華民族，且能養成全人類的福祉壽考也。

——黃賓虹《藝術是最高的養生法》

黃賓虹享年九十二歲，親歷兩個世紀、三種社會制度嬗變，成就爲一代畫學宗師，其平生事業，其心路歷程，必不平凡。在此僅略述四端：一是一件早年作品《漁梁圖》；二是一件收藏，族祖黃呂的《潭渡村居圖》；三是兩次演講，《藝術是最高的養生法》與《國畫之民學》；四是與新中國領袖毛澤東的一段對話。由此四則片斷，可稍知黃賓虹其人爲何種性情品格。

今藏浙江省博物館的《漁梁圖》，未署年款，而趙志鈞編《黃賓虹年譜》中記錄：一九〇九年畫有《歙縣漁梁》。返觀浙江省博物館所藏《漁梁圖》筆墨，也當作于這個時期。漁梁，是唐朝歙人在城邊練江上築起的一道營造水位落差的水壩。落差形成的深水塢，即爲停泊舟船的碼頭，而梁上水閘造成的衝擊力又能推動舟船起航。千百年來，練江從徽州日夜奔涌往浙江，是這個皖南山岙小城通往外面世界的重要通道。少年黃賓虹每年省親，赴考，往返于金華、歙縣，漁梁成了他的目的地和出發地。逝者如斯，離愁和別緒，期待與惆悵，悉已付與漁梁壩上的滔滔急流。一九〇七年，黃賓虹爲避禍端出奔上海，從此長別故土。已知的兩幅《漁梁圖》，當是他夢回漁梁的一個寫照。其中一行題款，還記錄了過往與同爲反清謀變志士陳魯得的一段交誼，雖語焉不詳，但隱約可見他在那個風雨如晦歲月裏的半生傳奇。

一八八四年，二十出頭的黃賓虹奉父命游學江淮。民生凋敝觸目可見，書院及文人圈子則瀰漫着詰問與質疑的反叛氣息，這給青年黃賓虹極大觸動。一八九三年，黃賓虹聲明『弃舉業』，決意走一條迥异于歷代文士的人生之路。一八九五年，康有爲發起『公車上書』，黃賓虹通過朋友致信康、梁，亟言『政事不圖革新，國家將有滅亡之禍』。又特地趕赴貴池，與變法風潮的另一領袖譚嗣同會面。席間，黃賓虹與譚嗣同把酒暢談，慷慨國事，論及『五個指頭合攏爲拳頭朝列强打出去』，論及『國要開關，女要放足』，論及借鑒西學以開新學，『他日吾國發達，東學可以西傳』。最後，譚嗣同用對着千人演講的高聲呼喊：『不變法，無以利天下！』三年後，『戊戌變法』失敗，譚嗣同等六人被清廷斬殺。黃賓虹聞之痛哭失聲，所作挽詩中有『千年蒿里頌，不愧道中人』句，透露出他仍將義無返顧的人生抱負。

賓虹畫語*

古人學畫，必有師授，非經五、七年之久，不能卒業。後人購一部《芥子園畫譜》，見時人一二紙畫，隨意塗抹，已覺貌似，作者既自鳴得意，觀者亦欣然許可，相習成風，一往不返。士夫以從師爲可醜，率爾作畫，遂題爲倪雲林、黄子久、白陽、青藤、清湘、八大，太倉之粟，陳陳相因，一丘之貉，夷不爲怪，此畫法之不研究也久矣。要知雲林從荆浩、關仝入手，層岩叠嶂，無所不能。于是吐弃其糟粕，啜其精華，一以天真幽淡爲宗，脱去時下習氣。故其山石用筆，皆多方折，尚見荆關遺意，樹法疏密離合，筆極簡而意極工，惜墨如金，不爲唐宋人之刻畫，亦不作渲染，自成一家。子久生于浙東，久居富春、海虞山水窟中，當朝夕風雨雲霧出没之際，携紙墨摹寫造物之真態，意有不愜，則必裂碎不存，然猶筆法上師董源、巨然，自開新面，以成大家。白陽、青藤，皆有工整精細之作，其少年爲多，見者以爲非其晚年水到渠成之候，或不之重，無甚珍惜，後世因其與習見者不同，悉弃不取，故流傳者得其一二，見以爲名家面目如是而已，即如《芥子園畫譜》是已。自《芥子園畫譜》一出，士夫之能畫者日多，亦自有《芥子園畫譜》出，而中國畫家之矩矱，與歷來師徒授受之精心，漸即澌滅而無餘。

古之師徒授受，學者未曾習畫之先，必令研究設色之顔料，如石青、石緑、朱砂、雄黄之類，由粗而細，漂净合用。約五六月，繼教之以膠礬絹素之法，朽炭摹度之形，出以最粗簡之稿本，人物、山水、花卉，各類勾摹，紈扇、屏風、横直諸軸，無不各有相傳之章法。人物分漁樵耕讀，花卉分春夏秋冬，山水分風晴雨雪，一切名賢故事、勝迹風景，莫不有稿。摹影既久，漸積日多，藏之笥中，供他日之應求。如是者或二三年，然後授以染筆調墨設色種種。其師將作畫，膠礬絹素，學徒任其事。勾勒既成，學徒爲之皴染山巒者有之，點綴樹石者有之。全幅成就，其師略加濃墨之筆，謂之提神。名大家莫不皆然，而惟以畫爲市道者尤甚。其中有名大家之師，所造就之徒，已非盡凡庸，然藍田叔之徒，自囿于田叔，王石谷之徒，自囿于石谷，比比皆然。學乎其上，得乎其次，遞亶遞退，弊習叢生。而後有聰明超越、人力勇鋭之人出，或數十年而一遇，或數百年而一遇。其人必能窮究古今學藝之精深，而又有沉思毅力，其功超出于庸常之上，涵濡之以道德學問之大，參合之于造物變化之奇，青出于藍而勝于藍。古來之顧、陸、張、吴，變而爲荆、關、董、巨，爲劉、李、馬、夏，爲倪、吴、黄、王、沈、文、唐、仇、四王、吴、惲，莫不如是。學者守一先生之言，必有所未足，尋師訪友，不遠千里之外，詳其離合异同之旨，采其涵源派别之微，博覽古今學術變遷之原，遍游寰宇山川奇秀之境，必具此等知識學力。而後造就成一名畫師，豈不難哉！

畫學爲士大夫游藝之一。古之聖哲，用之垂教，以輔經傳，因必有圖。其後高人逸士，寄托情性，寫丘壑之狀，抒曠達之懷，無名與利之見存也。近今歐人某教師嘗謂其學徒曰：『畫工以鬻藝事謀生，每一時，畫得若干筆，心竊計之，可得若干金，必如何而可足吾願，衣食住三者之費用，日必幾何，吾所作畫，所獲之酬金，當必稱是而無或缺。』手中作畫，心實爲利，安得專心致志，審察其筆墨之工拙？惟中國畫家往往不然。其人多志慮恬退，不攖塵網，故其藝事高雅。夫以歐人競存名利之心，于今爲烈，固我國人望塵之所不及，而其服膺中國畫事與中國名畫家之品詣，如此其誠，抑又何故？吾思之，今之歐美，非世界所稱物質文明之極盛者耶？作畫之器具顔色，考求無不精美，畫家之聰明才智，用力無不精深，而且搜羅名迹，上下縱横，博覽參觀，不遺餘力。乃今彼邦人士，咸津津于東方學術，而于畫事，尤深嘆美，幾欲唾弃其所舊習，而思爲之更變，以求合于中國畫家之學説，非必見异思遷、喜新厭舊故也。蓋實見夫人工、天趣之優劣，而知非徒矩矱功力之所能强致，以是求人品之高尚，性靈之孤潔，謂未可于庸衆中期之，有如此耳。

畫者未得名與不獲利，非畫之咎，而急于求名與利，實畫之害。非惟求名與利爲畫者之害，而既得名與利，其爲害于畫者爲尤甚。當未得名之先，人未有不期其技藝之精美者，臨摹古今之名迹，訪求師友之教益，偶作一畫，未愜于心，或弃而勿用，不以視人，復思點染，無所厭倦。至于稍負時名，一倡百和，耳食之徒，聞聲而至，索者接踵，户限爲穿。得之非艱，既不視爲珍异，應之以率，亦無意于研精。始則因時世之厭欣，易平昔之懷抱，繼而任心之放誕，弃古法以矜奇，自欺欺人，不知所止。甚有執贄盈門，輦金載道，人以貨取，我以虚應。倪雲林之畫，江東之家，以有無爲清俗；盛子昭之宅，求其畫者車馬駢闐，既真僞之雜呈，又習非而成是。姚惜抱之論詩文，必其人五十年後，方有真評，以一時之恩怨而毁譽隨之者，實不足憑，至五十年後，私交泯滅，論古者莫不實事求是，無少迴護。惟畫亦然。其一時之名利不足喜者此也。

* 原文一九二三年連載于《民國日報》之國學周刊。本文録自一九九四年人民美術出版社出版《黄賓虹美術文集》。

古文字原始*

世界各國文字，皆原起于象形。未有文字先有圖畫。中國社會進化，原始象形圖畫，以成文字。自上古三代以來，歷千萬年，長生存于宇宙而如新。其與埃及古文，流爲希臘、羅馬。及今歐美諸國不同。歷史學者謂爲有語言而後有文字，有文字而後有文明。繪畫之事，文字之萌芽，亦文明之極盛者也。今中國之獨立語言，爲注音文字；歐美諸國之詰屈語言，爲拼音文字。此兩大系，生存于世界。注音文字，一字一音，能代表古今南北無數語言，爲拼音文字所不及。而且由古代文字，成爲近代文字重要之資料，是于拼音文字外，放一大光彩，爲中外學者所共知。尚冀中國人認識中國字，積極增多，不致讓步于他人，自忽其祖國之偉寶，榮幸莫大焉。

近人孟心史曰：『吾國文字爲剛性，不若拼音字之爲柔性。又爲固定性，不若拼音字之爲流動性……古人之造成我偉大民族者，惟此不受言語轉移。文字，學之時稍難，而效用則極大。今以識字人數之少，恨吾國不出于拼音，其用心與外國人恨其語文之複雜而欲創世界語以齊一之者，無乃相反。外國之世界語各地仍築于拼音之上，是仍無固定之性質。近來學者試由文字，合并文化，各人民之責也。』

* 本文録自手稿。黄賓虹撰于一九二四年。

古畫微*

自序

自來文藝之升降，足覘世運之盛衰。蕭何收秦圖籍而漢以興，閻立本爲右相而唐以治。天寶之亂，明皇幸蜀，圖嘉陵江者，李思訓三月而成，吴道子一日之迹。王維學吴道子，開士夫畫。五季之衰，至于北宋，文治轉隆，藝事甚盛；及其南渡，殘山剩水，馬遠、夏珪，稍稍替矣！惟趙漚波、高房山及元季四家黄、吴、倪、王，集唐宋之大成，追董巨之遺矱，畫學昌明，進于高逸。有明枯硬，而啓禎特超；前清荼靡，而道咸復起。蓋由金石學盛，究極根底，書法詞章，聞見博洽，有以致之，非偶然也。世代遷移，物質改易，丹青水墨，用各不同，優絀低昂，論或偏毗。唐畫刻劃，董玄宰謂不足學；宋人獷悍，米元章云俗未除。要之山林廊廟，往古來今，屢變者面貌，不變者精神，研幾入微，發揮盡致；氣原骨力，韵在涵蓄；氣韵生動，全關筆墨。六法精進，必多讀書行路，遠師古人，近參造化，精神貫注，渾厚華滋；一落時趨，工巧輕秀，浮薄促弱，便無足取。爰本斯旨，著爲淺説。昔劉彦和有言：品列成文，有同乎舊談者，非雷同也，勢不可异也；有异乎前論者，非苟异也，理自不可同也。評文如此，畫亦宜之。道法自然，人與天近；物質有窮，精神無窮。《易》曰：窮則變，變則通，通則久。先儒言：天不變，道亦不變。變者人事。士先志道，據德依仁，歸納游藝，以底于成。時當危亂，抑塞磊落，才智技能，日益發舒，感事興懷，形諸縑楮，守先待後，壽之梨棗。中經禁毁，加以兵燹，既罕儲藏，復多散佚。欲增學識，務尚觀摩，非事搜羅，無由徵集。况若聲華標榜，門户排擠，聞見混淆，是非顛倒，各狃一偏，難祛衆惑。此則審時度勢，略迹原心，前所未言，固嫌觸忌，後之立説，致免滋疑。傳遠垂久，援引論古，闡幽發微，創獲知新。比之稗野遺聞，爲考史者不弃，苔岑契合，尤通人所樂稱。敢云文以致治，感于無形，聊因書此備忘，言之有物云耳。

總論

畫稱藝術，藝本樹藝，術是道路，道形而上，藝成而下。畫之創造，古人經過之路，學者當知有以采擇之，務研究其精神，不徒師法其面貌，以自成家，要有内心之微妙。

自來中國言文藝者，皆謂書畫同源。作書之初，依類象形謂之文。文先有畫。夏商周之畫，著于三代鐘鼎尊彝泉璽甲骨陶瓦之屬，至于近世，出土古物，椎拓精良，影印亦富。周代文盛，宣王時史籀作大篆，文字孳生，書與畫始分。周秦漢魏畫法，石刻圖經，猶文字之不用象形而已，改篆爲隸矣。春秋之前，禮不下庶人，刑不上大夫，學業掌于官守，爲朝廷所專有，定于一尊，人民自足，不相往來，愚民無學，可以治生。東周而後，至于戰國，王室衰微，列國争鬥，時事變遷，民不聊生。文學游説之士標新立异，取重諸侯，其不得志者，聚徒講學，著書立説，以傳道于來世。諸子百家紛紛而起，學術發達，冠絶古今。國運綿長，皆由文化偉大之力。畫即六藝禮、樂、射、御、書、數之中，結繩畫卦其先務也。秦漢魏晋畫法，留傳金石爲多，國體專制，輔佐政教，宗廟、祠堂、道觀、僧寺，咸有圖畫。兩晋六朝顧愷之特重傳神，陸探微、張僧繇、展子虔，其技益工。至于唐代，有吴道子，尤以氣勝。王維畫學吴道子，稱爲南宗。南宗北宗之分，倡于明季。然南宗之畫，常欲溯源書法，合而爲一。宋開院體，畫專尚理。而元人上溯唐宋，兼又尚意，顯有不同。明初沿習宋元，文徵明、沈石田、唐六如、仇十洲，稍變其法。清代士夫，祖述董玄宰，專宗王烟客、石谷、廉州、麓臺及吴漁山、惲壽平，以爲冠絶古今，遂置前人真迹于不講。而清代之畫，遂不及于前人。然學者猶沾沾于形似之間。以論畫家優劣，區别而次第其品格，言神妙能三者之外，而爲逸品。不明畫旨純與書法相通，而其蔽也，不能博綜古今圖畫之源流，與評論優絀之得失。雖皮藏卷軸，不過皮相其縑墨，而于古人之精神微妙，迄無所得，豈不謬哉！故惟深明于六法南齊謝赫言六法，曰氣韵生動，曰骨法用筆，曰應物寫形，曰隨類傳彩，曰經營位置，曰傳摹移寫。上焉者合于神理，純侔化工；下焉者得其形似，亦非庸史。至有狂怪而入于歧途，虚造而近于向壁者，雖或成名，可置弗論。董玄宰謂讀萬卷書，行萬里路，方合作畫。誠哉！聞見不可不廣，而雅俗不可不分也。古今名家，以畫傳者，不啻千萬。然其天資學力，足以轉移末俗，振飭浮靡者，代不數人。兹舉大概，間附己意，次其編第，著爲淺説云。

上古三代圖畫實物之形

上古未有文字之先，人事簡易，大事作大結，小事作小結，僅爲符號而已。伏羲氏出，畫卦之文，云即天地風雷等字。考古者至引巴比侖文字爲證，莫不相合。其象形猶未顯也。又作十言，即一至十等字之古文，已立横綫、縱綫、弧、三角之形式，是爲圖畫之胚胎矣。黄帝之世，倉頡造六書，首曰象形，言製字者先依類而象其形。時有史皇，以作畫著，當爲畫事之始，畫與字其由分也。且上古雲鳥、蝌蚪、蟲魚、倒薤之書多類于畫，其形猶存。有虞氏言欲觀古人之象，曰日月、星辰、山龍、華蟲、宗彝、藻、火、粉、米、黼黻、絺綉十二章，用五彩彰施于五色，是畫用之于服飾矣。夏后氏之遠方圖物，貢金九牧，鑄鼎象形，百物爲之備，使民知神奸，是畫用之于鑄金矣。《史記》稱伊尹從湯言素王及九主之事，謂凡九品，圖畫其形。《尚書·説命篇》言：恭默思道，夢帝畀予良弼，其代予言，乃審厥象，俾以形旁，求于天下，説築傅岩之野，惟肖。是虞夏、殷商之際，民風雖樸，而畫事所著，固綜合天地山水人物禽魚鳥獸神怪百物而兼有之，已開畫故實今稱歷史畫與寫真之先聲矣。至于周代尚文，鬱鬱彬彬，粲然可睹。職官所掌，繪畫攸分。《家語》記孔子觀乎明堂，睹四門墉，有堯舜之容，桀紂之象；又有周公相成王，抱之負斧扆，南面以朝諸侯之圖。《離騷》言楚有先王之廟及公卿祠堂，圖天地山川神靈，奇偉譎詭，與古聖賢怪物行事，是其時畫壁之風，已盛于列國。而旗常所著，如王者畫日月以象天明，諸侯畫交龍，一象其升朝，一象其下復；畫熊虎者，鄉遂出軍賦，象其守，莫敢犯之；鳥隼象其角健，龜蛇象其捍難避害。且雜五色者，青與白相次，玄與黄相次，是名物之各异，布彩之第次，皆有法度，爲繪畫于縑素者之濫觴矣。然後之考古者，僅可徵實于器物，標舉形似，以供衆庶之觀鑒。廊廟典章，亦猶是華飾之用，而未及藝事之工拙也。雖然，古之文學，多列史官，其精意所存，必非尋常所可擬議。而惜乎代遠年湮，近世于金石古物之外，不得而睹之，安能不爲之望古遥集哉！

兩漢圖畫難顯之形

商周邈矣！商周之圖畫，彰于吉金，如鐘彝之屬，不少概見。秦漢之時，有三羊鼎、雙魚洗、龍虎鹿盧之制，形狀精美，反不逮于前古。秦破諸侯，寫放其宫室，作之咸陽北阪上。漢文帝三年，于未央承明殿，畫屈軼草、進善旌、誹謗木、敢諫鼓、獬豸獨角獸，能觸邪佞。宣帝之時，圖畫漢列士；或不在于畫上者，子孫耻之。後漢順烈皇后常以列女置于座右，以自監戒。武帝中，令奉高作《明堂汶上如帶圖》；又作甘泉宫，中爲臺室，畫天地太一諸鬼神，而置其祭具，以致天神。至明帝時，别立畫官，詔博洽之士班固、賈逵輩，取諸經史事，命尚方畫工圖畫之。是畫著爲勸誡之事，舉載籍所不能明者，可圖其形以明之。杜陵毛延壽、安陵陳敞、新豐劉白、洛陽龔寬之徒，并工牛馬飛鳥衆勢，人形好醜老少，爲得其真。畫者僅以姓氏著。今所及見之漢畫，惟以石刻存，傳者猶夥。武帝元狩中，有鳳凰刻石、嵩岳太室、少室、開母廟三闕諸畫。永建中，孝堂山石室畫像，武侯祠堂畫像，李翕黽池《五瑞圖》，朱長舒墓石，諸凡人世可驚可喜之事，狀其難顯之容，一一畢現，此畫之進乎其技矣。今觀石刻筆意，類多粗拙，猶與書法相同，其爲寫意畫之鼻祖耶？然當明帝時，佛教已入中國，莊嚴瑰麗之品飾，其工藝必挾而俱東。近論東方美術者，有謂中國畫事源流，皆出于印度斯坦古代之繪畫雕刻。今考印度古代所遺之美術，多關于宗教鬼神之作。印度國王，于其畫家，每年給俸畀之，甚且免其地租，使得專心于藝術，不以富貴利禄分其心。正如悟道之高僧，避世之隱士，故其技有獨至，而爲古今所共仰。當時中國漢畫，雖有濡染于外域之風，而筆墨精神，保存古法，有可想像于石刻外者。而今之僅存，所可見者，亦徒有石刻而已。

兩晋六朝創始山水畫以神爲重

魏晋六代，名畫家之杰出，初以圖寫人物爲多。如阮諶之《禹貢圖》、王景之《三禮圖》。又有郭璞之圖《爾雅》、衛協之圖《毛詩》。若《周易》《春秋》《孝經》，莫不有圖。然猶意存考證名物，輔翼經傳，取于形似而已。故其山水于群峰之勢，若鈿飾犀櫛，或水不容泛，或人大于山，率皆附以樹石，映帶其地，列植之狀，則若伸臂布指。至吴曹弗興，早有令名，冠絶一時，孫權令畫屏風，誤墨成蠅狀，權疑其真，以手彈之，神其技矣。又嘗見溪中赤龍，寫之以獻孫皓，更假借于神物以明其技。顧愷之以畫自名，丹青亦妙。筆法如春蠶吐絲，初見甚平易，且形似時或有失；細視而六法咸備，傳染以濃色，微加點綴，不求暈飾，人稱『虎頭三絶』，時爲謝安所激賞。在瓦官寺畫壁，閉户往來，月餘成維摩一軀，啓户而光耀一寺。每畫人成，或數年不點目睛，人問其故，答曰四體妍媸，本無闕少，于妙處傳神寫照，正在阿堵中。又圖裴楷像，頰上加三毛，觀者覺神明殊勝。故其得神之妙，亦猶今之稱印度繪畫者，長技在于不寫物質之對象，而象物質内部之情感耶？不然，古稱弗興所畫龍，置之水旁，應時雨足，愷之所畫神佛，特顯靈异，何以故神其説，奇誕若此？蓋畫貴取其神而遺其貌，故未可以迹象求之。深明其傳神之旨者，當自顧愷之始矣。夫畫者既殫精竭神于人物之間，幻而爲圖其神怪。龍與神雖非人所習見，猶易得其神者也。至若含思綿邈，游心于天地草木之華，而使人之神，務與造化爲合。惟兩晋士人性多灑落，崇尚清虛，于是乎創有山水畫之作，以爲中國特出之藝事。時與顧愷之齊名者，有陸探微，宋明帝時，圖畫古聖賢像之外，傳有《春岫歸雲圖》。梁張僧繇所畫釋氏爲多，又嘗于縑素之上，以青緑重色，先圖峰巒泉石，而後染出丘壑巉岩，不以墨筆先勾，謂之没骨皴。展子虔身處隋代，歷北齊、周，去古未遠，嘗畫臺閣，爲江山遠近尤工，咫尺之間，具有千里之勢，爲六朝第一。其源多出于顧愷之、陸探微。而汝南董伯仁，亦以才藝名于時，號爲智海，特長于山水畫，與展子虔齊名。大抵兩晋六朝之畫，每多命意深遠，造景奇崛，尤覺畫外有情，與化同游，頗能不假準繩墨，全趨靈趣。此由得之天性，非學所能，又其不拘形似，能以神行乎其間者也。若鄭法士畫師僧繇，獨步江左，嘗爲顫筆，自詡其妙，而以爲神。其後作者，拘守矩矱，弊以日滋。梁元帝論畫，致有『高嶺最嫌鄰石刻，遠山大忌學圖經』之句。然化板滯刻畫之病，非求其神似，不易爲功。譬善相馬者，常得之于牝牡驪黄之外，蓋所謂老莊告退，山川方滋，其以此也。

唐吴道子畫以氣勝

唐人承六代之餘風，畫家造詣，更爲精進。雖真迹罕傳，至今千數百年，僞托者又多鑿空杜撰，大失本來面目。或謂唐畫皆極粗率，此猶一偏之論，未足以知唐畫之深也。大凡唐代畫法，每多清妍秀潤，時斤斤于規矩，而意趣生動。蓋唐人風氣淳厚，猶爲近古。其筆雖如匠人之刻木鳶，玉工之雕樹葉，數年而成，于畫法緊嚴之中，尤能以氣見勝，此爲獨造。其所最著，惟吴道子。學者展轉揣摹，未易出其範圍。道子初學書于張顛、賀知章，久之不成，去而學畫。見張孝師畫《地獄相》，因效爲《地獄變相》。早年行筆差細，中年行筆磊落，如蒓菜條，非粗率也。沉着之處，不可掩者，其氣盛也。畫人物有八面，生意活動。其傅彩于焦黑痕中，略施微染，自然超出縑素，世稱吴裝。其徒翟琰、楊庭光、盧楞伽，均學于道子，時謂吴生體。吴生之作，獨爲萬世法，號曰畫聖。閻立德、立本昆季畫法，皆純重雅正，不甚露其才氣。所傳有《秦十八學士》《凌烟閣功臣圖》，及爲群僧作《醉道士圖》。貞觀中，畫《東蠻謝元深入朝圖》，儀服莊正恢奇，形神兼備。又號王元鳳射獲猛獸，太宗命圖其真。嘗與侍臣泛春苑池中，有异鳥戲波中，召立本寫之。其畫之表著，皆從生人活物而得者也。張萱畫貴公子，鞍馬屏帷，宫苑仕女，冠冕一時。周古言、周昉諸人，時亦專工人物，或畫歲時行樂之勝，形貌傳神，豐肥穠艷，謂得目睹貴游之盛，腕底具有生氣。至韓幹畫馬，戴嵩畫牛，能盡野性，各極其妙，非元氣淋漓，不能有此。此畫佛道、人物、士女、牛馬之迹，有迥出乎前代者，必非粗率矣。今以唐畫之可寶貴，因其氣韵生動，有合六法。故言畫事者，咸曰法唐，非僅年代久遠，爲其真迹難求而得之也。唐人畫法，上接魏晋六朝，下啓宋元明清，精妍深遠，極其美備。而山水林石，花竹禽魚，尤多窮神盡變，靈氣涌現。唐山水畫，亦當首推道子。當未弱冠，即窮丹青之妙。裴旻將軍爲舞劍，觀其壯氣，可助揮毫，奮筆頃成，有若神助。明皇天寶中，忽思蜀道嘉陵江水，遂假吴道子驛駟，令往寫貌。及回日，帝問其狀，奏曰：臣無粉本，并記在心。後宣令于大同殿圖之，嘉陵三百餘里山水，一日而畢。世徒驚其神速，遂疑道子下筆，多作草草。然道子傳人雖多，惟王陀子尤善。或稱其山水幽致，峰巒極佳，亦非粗率可知。時有楊惠之者，嘗與道子同師張僧繇畫迹，號爲畫友。其後道子獨顯，惠之遂焚筆硯，毅然發憤，專肆塑作，乃與道子爭衡。畫者法既備矣，必求氣至，氣不足而未有能得其韵者。『六法』言氣，必兼言韵者，以此也。

王維畫由氣生韵

士夫畫與作家畫不同，其間師承，遂有或异。畫至唐代，如禪門之南北二宗。世稱北宗首推李思訓，用金碧輝映，爲一家法。後人所畫着色山水，往往師之。明皇亦召思訓與吴道子，同圖嘉陵江水于大同殿壁，纍月方畢。明皇語云：李思訓數月之功，吴道子一日之迹，皆極其妙。思訓子昭道變父之勢，繁巧智惠，抑有過之。南宗首稱王維。維家于藍田玉山，游止輞川。兄弟以科名文學，冠絶當代。其畫踪似吴生，而風標特出，平遠之景，雲峰石色，純乎化機。讀其詩，詩中有畫；觀其畫，畫中有詩。文人之畫，自王維始。論者又謂其畫物多不問四時，如畫《卧雪圖》，有雪中芭蕉，乃爲得心應手，意到便成。故造理入神，迥得天趣，正與規規于繩墨者不同，此難與俗人論也。今觀南北兩宗，雖殊派别，迹其蹊徑，上接顧、陸、張、展，往往以精妍爲尚，深遠爲宗，既以氣行，尤以韵勝。故王維之學道子，較道子之畫爲工，韵已遠過于道子，其氣全也。李思訓之工過于王維，韵亦差似于王維，其氣亦全也。學者求氣韵于畫之中，可不必論工率，不必言宗派矣。王宰之畫《臨江雙樹》，一松一柏，古藤縈繞，上盤下際，千枝萬葉，分布不雜。其山水多畫蜀景，玲瓏嵌空，巉嵯巧峭。張璪手握雙管，一時齊下，一生一枯，隨意縱橫，應手間出。其山水之狀，則高低秀麗，咫尺重深。雖多不尚粗率，而氣亦不弱，匠心獨運，爲可想見。至項容之筆法枯硬，王洽之潑墨淋漓，又其縱筆所如，不求工巧，標新領异，足稱善變。究之古人，筆雖簡而意工，後世畫雖工而意索，此南北宗之所由分。故迅速而非粗率，細謹未爲精深，觀于此，而可知唐畫之可貴已。

五代北宋之尚法

五代創始院體，藝事精能，雖宗唐代，而法益加密。蓋隋唐以前，其善畫者，恒多高人逸士，隨意揮灑，悉見天機，洞壑幽深，直是化工在其掌握。五代兩宋之間，工妍秀潤，斤斤規矩，凡于名手所作，一時畫院諸人争效其法，遂致魚目混珠，每况愈下。故世之目匠筆者，以其爲法所礙；其目文人之筆者，則又爲無法所礙。宋徽宗立畫學，考畫之等，以不仿前人，而善摹萬類之情態形色，俱若自然，筆韵高簡爲工。其上者真能納畫事于軌範之中，而又使之超軼于迹象之外，是最明于畫法者也。

河西荆浩，山水爲唐宋之冠。關仝嘗師之。浩自稱洪谷子，博通經史，善屬文。五季多故，隱于太行之洪谷。善爲雲中山頂，四面峻厚。嘗語人曰：吴道子畫山水，有筆而無墨，項容有墨而無筆。吾當采二子之所長，成一家之體。是浩既師道子，兼學項容，而能不爲古人之法所囿者也。著《山水訣》一卷，爲范寬輩之祖。

關仝師荆浩，所畫山水，脱略毫楮，筆愈簡而氣愈壯，景愈少而意愈長，深造古淡。其畫樹石，又出于畢宏，有枝無幹，喜作秋山寒林，村居野渡，見人如在灞橋風雪中，非碌碌畫工所能知也。當時郭忠恕以師事之。

洛陽郭忠恕，字恕先，善畫屋木林石，格非師授。重樓複閣，間見叠出，木工料之，無一不合規矩。天外數峰，略有筆墨，使人見而心服者在筆墨之外。其法用濃墨汁潑漬縑素，携就澗水滌之，徐以筆隨其濃淡爲山水形勢。論者謂與《封氏聞見》所説江南吴生畫同，但尤怪誕。是恕先之作雖師關仝，而實祖述道子之法，不欲蹈襲其迹者也。

唐之宗室李成，字咸熙，後避地北海，遂爲營丘人。畫法師荆浩，擅有出藍之譽。家世業儒，胸次磊落有大志，寓意于山水。揮毫適志，精通造化，筆盡意在，掃千里于咫尺，寫萬趣于指下，平遠寒林，前所未有。凡稱畫山水者，必以成爲古今第一，至于不名，而曰營丘焉。

長安許道寧學李成畫山水，初買藥都門，以畫聚觀者，故所畫俗惡。至中年脱去舊習，稍自檢束，行筆簡易，風度益著。峰頭直皴而下，林木勁硬，自成一家。體至細微處，始入妙理，評者謂得李成之氣。翟院深，營丘人，師李成，畫山水有疏突之勢。其見浮雲以爲範，而臨摹李成，仿佛亂真，評者謂得李成之風。李成綜合右丞、二李之長，惟不沾沾于古人，而能對景造意，戛然以成其獨至，故氣韵瀟灑，烟林清曠，雖王維、李思訓不能過之。要其『六法』具備，足爲畫苑名程，又未嘗盡弃古人之法而爲之也。

華原范寬，名中正，字仲立，性温厚有大度，故時人目之爲寬。畫師荆浩，又學李成筆，雖得精妙，尚出其下，遂對景寫山之骨，不取繁飾，自爲一家。故其剛古之氣，不犯前輩，由是與李成并行，時人議曰：李成之筆近視如千里之遠，范寬之筆遠望不離坐外，皆所造乎神者也。寬于前人名迹，見無不模，模無不肖，而猶疑繪事之精能，不盡于此也。喟然嘆曰：吾師人曷若師造化！閒終南、太華奇勝，因卜居其間。數年筆大進，名聞天下。

河陽郭熙善山水寒林，亦宗李成法，得雲烟出没、峰巒隱顯之態，布置筆法，獨步一時。早年巧贍工緻，晚年落筆益壯。著《山水論》，言遠近淺深、風雨晦明、四時朝暮之所不同。至于溪谷橋徑、釣舟漁艇、人物樓觀等景，莫不位置得宜，後人遵爲畫式。郭熙之出，後于營丘，當時以李成、郭熙并稱，固已崇重如此。沈石田論營丘云：丹青隱墨墨隱水，其妙貴淡不貴濃。脱去筆墨畦徑，而專趨于平淡古雅。雖層巒叠嶂，縈灘曲瀨，略無痕迹。信乎非熙不能，而真足爲營丘之亞也。李成、郭熙，皆能以丹青水墨合爲一體，特其優長，非馬遠、劉松年輩所能仿佛。

宋初承五代之後，工畫人物者尚多，董源而後，則漸工山水。董源一作董元，字叔達，又字北苑，鍾陵人。事南唐爲後苑副使。山水水墨類王維，着色如李思訓。工秋巒遠景，多寫江南真山，不爲奇峭之筆。皴法用淡墨掃，屈曲爲之，再用淡墨破。其平淡天真多，唐畫無此品格，高莫與比也。先是唐人工畫，多寫蜀中山水，玲瓏嵌空，巉嵯巧峭，高嶺危峰，棧道盤曲。荆浩、關仝，尤多峻厚峭拔之山。至于北苑獨開生面，峰巒出没，雲霧顯晦，嵐色鬱蒼，枝幹勁挺，論者稱爲畫中之龍。

僧巨然、劉道士，皆各得董源之一體。得北苑之正傳者，獨推巨然。劉道士，亦江南人，與巨然同師北苑。巨然畫則僧居主位，劉畫則道士居主位。宋畫尚無款識，二畫如出一手，世人以此辨之。巨然師董源，師其神，不師其迹。少時作礬頭山，老年平淡趣高，野逸之景甚備。大體董源、巨然兩家畫筆，皆宜遠觀。其用筆甚草草，近視之幾不類物象，遠觀則景物粲然，幽情遠思，如睹异境，此其妙處。且宋人院體，皆用圓皴。北苑筆意稍縱，爲一小變，遂開側筆先聲，由有法以化于無法。師其法者，可以悟矣。

雖然，宋人之畫，莫不尚法，而尤貴于變法。古人相師各有不同，然亦可以類及者。黄筌、徐熙，同以花鳥名于時。黄家富貴，徐熙野逸，其顯殊者。黄筌有《春山秋岸》《雲岩汀石》諸圖，所畫山水，咸有足稱，尤多唐人之遺韵。僧惠崇畫《溪山春曉圖》，烘染清麗，筆意秀潤。惠崇以艷冶，巨然以平澹，皆爲高僧，逃入畫禪。

趙伯驌、伯駒多學李思訓，趙大年學王維，畫法悉本唐意，而纖妍淡冶中，更開跌宕超逸之致。錢松壺言趙大年設色絶似馬和之。錢塘馬和之，山水筆法飄逸。蓋皆謹守宋規，而毫無院習者也。

宋道字公達，宋迪字復古，兄弟齊名。所畫山水，多以平素簡淡爲宗，師李成法，復古聲譽嘗過其兄。論畫之法，惟崇天趣。王詵晋卿，畫學李成，着色師李將軍法。其遺迹最煊赫者爲《烟江叠嶂圖》，清潤可愛。燕肅字穆之，益都人。燕文貴一作文季，吴興人。文貴畫《秋山蕭寺圖》，穆之畫《楚江秋曉圖》，皆能師王維、李成，上承唐人墜緒，下開南宋先聲，已離畫工之度數，而得詩人之清麗焉。

南宋士夫與院畫之分

自文湖州畫怪木疏篁，蘇東坡寫枯木竹石，胸次之高，足以冠絶天下，翰墨之妙，足以追配古人。其畫出于一時滑稽詼笑之餘，初不經意，而其傲風霆，閲古今之氣，常可以想見其人。東坡論畫，嘗以人禽、宫室、器用，皆有常形，至于山石、竹木、水波、烟雲，雖無常形而有常理。常形之失，人皆知之。常理之不當，雖曉畫者有不知。故凡可以欺世而取名者，必托于無常形者也。古人亦言：人物難工，鬼魅易畫。畫鬼者同爲無常形之作，後世之貌爲士夫畫者之易以此。東坡又言，常形之失，止于所失，而不能病其全。若常理之不當，則舉廢之矣，以其形之無常，是以其理不可不謹也。世之工人，或能曲盡其形；而至于其理，非高人逸士不能辨。觀于東坡之説，因知拘守于法者，猶不失其常形；而偭規越矩，自以爲古法可盡廢者，必至悖于常理。是無法之礙，既甚于爲法所礙。且惟有法之極，而後可至于無法之妙。南宋畫家劉、李、馬、夏，悉由精能，造于簡略，其神妙于此可見。

宋高宗南渡，萃天下精藝良工。時凡應奉待詔所作，總目爲院畫，而李唐其首選也。李唐字晞古，河陽人，在宣靖間已著名。入院後，乃盡變前人之學而學焉。唐初至杭州，無所知者，貨楮畫以自給，日甚困，有中使識其筆曰：待詔作也。因奏聞。而唐之畫，杭人即貴之。唐有詩曰：雪裏烟村雨裏灘，爲之如易作之難。早知不入時人眼，多買胭脂畫牡丹。概想其人，雖變古法，而不遠于古法，可知也。古人作畫，多尚細潤，唐至北宋皆然。李唐同時，惟劉松年多存唐韵。馬遠、夏珪，用意水墨，任筆粗放，亦存董巨之風。

劉松年，錢塘人，居清波門外，俗呼暗門劉，又呼劉清波。淳熙畫院畫生，紹熙年待詔。山水人物師張敦禮，而神氣過之。敦禮避光宗諱，改名訓禮，宋汴梁人。學李唐山水，人物樹石并仿顧、陸，筆法細緊，神秀如生。李西涯題劉松年畫，言松年畫，考之小説，平生不滿十幅，筆力細密，用心精巧，可謂畫中之聖。所畫《耕織圖》，色新法健，不工不簡，草草而成，多有筆趣。《問道圖》尤其得意之作，畫法全以衛賢《高士圖》爲其矩矱。林木殿宇人物，蒼古精妙，不似南宋人，亦不似畫院人。寧宗當日，特賜之金帶，良有得唐人之氣韵爲多，非但以精巧勝也。

河中馬遠，號欽山，世以畫名，後居錢塘。光、寧朝待詔。畫師李唐，工山水、人物、花鳥，獨步畫院。所畫下筆嚴整，用焦黑作樹石，枝葉夾筆，石皆方硬，以大斧劈帶水墨皴。全境不多，其小幅或峭峰直上而不見其頂，或絶壁直下而不見其脚，或近山參天而遠山則低，或孤舟泛月而一人獨坐，此邊角之景也。間有其峭壁丈障，則主山屹立，浦溆縈回，長林瀑布，互相掩映。且如遠山外低，平處略見水口，蒼茫外微露塔尖，此全境也。畫樹多斜欹偃蹇，松多瘦硬，如屈鐵狀。間作破筆，最有豐致。楊娃字妹子，楊后之妹也。書似寧宗，印章有楊娃者。以藝文供奉内廷，凡遠畫進御，及頒賜貴戚，皆命娃題署云。馬遠畫出新意，極簡淡之趣，號馬半邊，形不足而意有餘。評畫者謂遠多剩水殘山，不過南渡偏安風景，世稱『馬一角』，實不盡然。遠子麟，能世家學，然不逮父。遠愛其子，多于己畫上題麟字，蓋欲其名彰也。

夏珪，字禹玉，寧宗朝待詔，賜金帶。畫師李唐，夾筆作樹，梢間有丁香枝，樹葉間有夾筆，人物面目，點鑿爲之。柳梢間以斷缺，樓閣不用尺界，只信手爲之。筆意精密，奇怪突兀，氣韵尤高，故當爲一代名士。山水布置皴法，與馬遠同。但其意尚蒼古而簡淡，喜用禿筆。馬巧而夏拙，善于用拙者也。夏珪師李唐，更加簡率。其意欲盡去模擬蹊徑，而若滅若没，寓二米墨戲于筆端。他人破觚爲圓，此則琢圓爲觚耳。然其《千岩競秀圖》，岩岫縈回，層見叠出，林木樓觀，深邃清遠。蓋李唐之畫，其源出于范、荆之間，夏珪、馬遠，又法李唐，故形模若此。至其精細之極，非殘山剩水之地，或謂粗而不失于俗，細而不流于媚，有清曠超凡之遠韵，無猥暗蒙塵之鄙格，其推崇有如此者。子森，亦以畫名。

南宋光、寧朝，李唐、劉松年、馬遠、夏珪爲四大家，如宋初之李、范、董、郭。其時濩澤蕭照字東生，畫師李唐。先靖康中，流入太行爲盜。一日掠至李唐，檢其行囊，不過粉奩畫筆而已。雅聞唐名，即隨唐南渡。唐盡以所能授之。知書善畫能詩，有游范羅山句：蘿翠松青護寶幢，烟波萬里送飛艭。真人舊有吹簫事，俱傍明霞照晚江。畫筆瀟灑超逸，妙得李唐之神。李嵩，錢塘人，少爲木工，工人物，尤精界畫，巨幅淺絳，筆法高古，雖出畫院，猶有唐法。此雖暴客賤役，潔身自好，意氣不凡，卒成精詣，其感人深矣。

況若身處世胄之家，志抱堅貞之節，如梁楷者，本東相羲之後。畫院待詔，賜金帶不受，挂于院内，嗜酒自樂，號梁風子，玄之又玄，簡而又簡，傳于世者，皆直草草，謂之『減筆』。人但知其筆勢遒勁，謂爲師法李公麟，而要醞釀于王右丞、李將軍二家，用力既深，由繁而簡，獨出心裁。趙由儁句云：畫法始從梁楷變，觀圖猶喜墨如新。又于劉、李、馬、夏四家之外，能自立幟者矣。其後俞珙、李權輩多師之。權，一作瓘，皆錢塘畫院中人也。

元人寫意之畫倡于蘇米

蘇東坡言，觀士人畫，如閱天下馬，取意氣所到；乃若畫工，往往只取鞭策皮毛、槽櫪芻秣而已，無一點俊發者，看數尺許便倦。此即形似、神似，元人尚意之説也。畫法莫備于宋，至元搜抉其義藴，洗發其精神，實處轉鬆，奇中有淡，以意爲之，而真趣乃出。元代諸君，資性既高，取途復正，往往于唐法中，幻出爲逸格，絶無南宋以下習氣。惟時元運方長，賢人不立其朝，故繪事絶盛，前後莫能比方。夫惟高士遁荒，握筆皆有塵外之想，因之用筆生，用力拙，善藏其器，惟恐以畫名。蓋自唐宋兩朝，畫院中人，規矩準繩，束縛日久，即有嬗變，不過視一二當宁之人，爲之轉移。譬如唐人楷法，非不精工，雖其遒美可觀，而干禄字書既已通行，絶少晋賢瀟灑自如之態。元畫師唐，不襲唐人之貌，兼師北宋之法，筆墨相同，而各有變异，非好學深思，心知其意者，不克臻此。張浦山論畫，謂重氣韵，氣韵有發于墨者，有發于筆者，有發于意者，有發于無意者。發于無意者爲上，發于意者次之，發于筆墨者又次之。墨之渲暈，筆之皴擦，人力可至，走筆運墨，我如是而得如是，無不適當，人力所造，是合天趣矣。若神思所注，妙極自然，不惟人力，純任化工，此氣韵生動，爲元人獨得之秘。宜其空前絶後，下學上達，妙絶今古，而無與等倫者已。然由濃入淡，由俗入雅，開元人之先者，實惟宋之文湖州、蘇東坡、米襄陽諸公之力爲多。

文同，字與可，梓潼人，官湖州，以文學名世，操行高潔，善詩文、篆隸行草飛白，又善畫竹，兼工山水。所畫《晚靄圖》，瀟灑似王摩詰，而工夫不減關仝。東坡稱其下筆能兼衆妙；都穆言，石室先生，人知其妙于墨竹，而不知山水之妙，乃復如是。

蘇軾，字子瞻，眉山人，自號東坡居士。作枯槎壽木，叢篠斷山，筆力跌宕于風烟無人之境。自謂寒林已入神品，用松煤作古木，拙而勁，疏竹老而活，親得文湖州傳法。故湖州嘗云：吾墨竹一派，近在彭城。然東坡實少變其法，老幹磊砢，數葉蕭疏，而其意已足。蓋胸次不凡，落筆便有超妙處。次子過，字叔黨，善作怪石叢篠，咄咄逼東坡。世稱叔黨書畫之勝，克肖其先人。又時出新意，作山水，遠水多紋，依岩多屋木，皆人迹絶處，并以焦墨爲之。此出奇之處，全關用意，有不覺其法之變有如此者。

師東坡之竹石，後有柯九思，字敬仲，號丹丘，台州人，槎丫大樹，枝幹皆以一筆塗抹，不見有痕迹處。自謂寫幹用篆，寫枝用草書，寫葉用八分，或用魯公撇筆，石用折釵股、屋漏痕之遺意云。

李公麟，字伯時，舒州人，宦後歸老于龍眠山。博學精識，用意至到，凡目所睹，即領其要。始學顧、陸、張、吴及前世名手佳本，乃集衆善，以爲己有，更自立意，專爲一家。自作《山莊圖》，爲世寶傳。嘗從蘇東坡、黄山谷游，蓋文與可一等人也。初留意畫馬，有僧勸其不如畫佛。東坡言觀伯時作華嚴相，皆以意造，而與佛合。畫《懸霤山圖》，李廌《畫品》稱其于畫天得也。嘗以筆墨爲游戲，不立守度，放情蕩意，遇物則畫，初不計其妍媸得失，至其成功，則無遺恨毫髮。此殆進技于道，而天機自張，于元畫尚意之説，有可合者，正未可以其白描細筆而歧視之。此善用唐人之法者也。

米芾，字元章，襄陽人，寓居京口，宋宣和立畫學，擢爲博士。初見徽宗，進所畫《楚山清曉圖》，大稱旨。山水人物，自名一家。以李公麟常師吴生，終不能去其習氣，山水古今相師，少有出塵格，因信筆爲之。多以烟雲掩映樹木，不取工細，不作大圖。求者只作横挂三尺，無一筆關仝、李成俗氣。人稱其畫能以古爲今，妙于薰染。所畫山水，其源出于董源。枯木松石，時有新意。又用王洽潑墨，參以破墨、積墨、焦墨，故融厚有味。宋之畫家，俱于實處取氣，惟米元章于虚中取氣。然虚中之實，節節有呼吸，有照應。鄧公壽言李元俊所藏元章畫，松梢横偃，淡墨畫成，針芒千萬，攢簇如鐵。又有梅松蘭菊，交柯互葉而不相亂。項子京藏有青緑山水，明媚工細，沈石田題句云：莫怪濕雲飛不起，米家原自有晴山。而當時翟耆年稱其善畫無根樹，能描朦朧雲，乃其一種，未可以盡海岳。後世俗子點筆，便是稱米家山，豈容開人護短徑路耶！

子友仁，字元暉。言雲山畫者，世稱米氏父子，故曰『二米』。元暉能傳家學，作山水，清致可掬，略變其尊人所爲，成一家法。烟雲變滅，林泉點綴，生意無窮。然其結構，比大米稍可摹擬，古秀之處，别有豐韵，書中羲、獻，正可比倫。黄山谷詩：虎兒筆力能扛鼎，教字元暉繼阿章。虎兒，元暉小字也。元暉墨勾細雲，滿紙浮動，山勢迤邐，隱顯出没，林木蕭疏，屋宇虚曠。山頂浮圖，用墨點成，略不經意。然其水墨，要皆數十百次積纍而成，故能丹碧緋映，墨彩瑩鑒，自當竟究底裏，方見良工苦心。至謂王維之畫，皆如刻畫，爲不足學。惟其着意雲烟，不用粉染，成一家法，不得隨人取去故也。每自題其畫曰『墨戲』，蓋欲淘洗宋時院體，而以造物爲師，可稱北苑嫡家。

二米家法，得其衣鉢者，高尚書克恭，字彦敬，號房山。初寫林巒烟雨，後用李成、董源、巨然法，造詣益精，爲一代奇作。其筆踪嚴重，用墨巒頭樹頂，濃于上而淡于下，爲獨得之法。青山白雲，甚有遠致。趙集賢爲元冠冕，獨推重高彦敬，如後生之事名宿。倪雲林題黄子久畫云：雖不能夢見房山、鷗波，特有筆意。當時推房山、鷗波居四家之右。吴興每遇房山畫，輒題品作勝語，若讓伏不置然。其時士大夫能畫者，高彦敬而外，莫如趙孟頫，字子昂，號松雪。作畫初不經意，對客取紙墨，游戲點染，欲樹即樹，欲石即石。少時學步王摩詰、李營丘、大小李將軍，皆縑素渝染之筆。董玄宰謂其畫法有唐人之致，去其纖；有北宋人之雄，去其獷。嘗入逸品，高者詣神。識者謂子昂裒然冠冕，任意輝煌，非若山林隱逸者惟患人知，故與唐宋名家争雄，不復有所顧慮。然其仕也，未免爲絶藝所累。元代名家，恒多隱逸，于此可見。天真爛熳，脱盡俗氣者，皆從詩文書翰中來，故能絶去筆墨畦徑，蕭然物外，而爲尋常畫史之所不可及。

元季四家之逸品

古人作畫，皆有深意，運思落筆，莫不各有所主。元四家多師法北宋，上溯唐法，筆墨相同，而各有變异，其主意不同也。黄子久師法北苑，汰其繁皴，瘦其形體，巒頂山根，重加礨石，横其平坡，自成一體。王叔明少學松雪，晚法北苑，將北苑之披麻皴，屈曲其筆，名爲解索皴，亦自成一體。倪高士師法關仝，改繁實爲空靈，成一代之逸品。吴仲圭多學巨然，易緊密爲疏落，取法又爲少异。要其以董巨起家，成名後世，尤古今卓立者已。至如朱澤民、唐子華、姚彦卿輩，雖學李成、郭熙，究爲前人蹊徑所壓而胥逐矣。

黄公望，字子久，號一峰，别號大痴，浙江衢州人。生而神童，科通三教，善山水。居富春，領略江山釣灘之概。其畫純以北苑爲宗，而能化身立法，氣清而質實，骨蒼而神腴，淡而彌旨，爲元季四家之冠。寄樂于畫，自子久始開此門庭。山頭多礬石，别有一種風度。往往勾勒楞廓，而不施皴擦，氣韵深沉渾穆。常于道路行吟，見老樹奇石，即囊筆就貌其狀。凡遇景物，輒即模記。後至虞山，見其頗似富春，遂僑寓二十年。湖橋酒瓶，至今猶傳勝事。吾谷楓林，爲秋山之勝，一生筆墨最得意處。至衆山朝暮之變幻，四時陰霽之氣運，得于心而形于筆，千丘萬壑，愈出愈奇，重巒叠嶂，越深越妙。其設色淺絳者爲多，青緑水墨者少。其畫格有二種：作淺絳色者，山頭多礬石，筆勢雄偉；一種作水墨者，皴紋極少，筆意尤爲簡遠。有《論畫》二十則，不出文人之法。但于林下水邊，沙漬木末，極閑中輒加留意，歸于無筆不靈，無筆不趣。于宋法之外，又開生面焉。

王蒙，字叔明，吴興人，趙子昂甥也，號黄鶴山樵。山水得巨然墨法，用筆亦從郭熙捲雲皴中化出，秀潤細密，有一種學堂氣，冠絶古今。穠如王右丞，不涉舅氏鷗波之蹊徑，極重子久，奉爲師範。生平不用絹素，惟于紙上寫之，得意之筆，常用數家皴法。山水多至數十重，樹木不下數十種，徑路紆迴，烟靄微茫，曲盡幽致。自言暇日爲郡曹劉彦敬畫竹趣圖，甫畢，而一峰黄處士見過，僕出此求印正，處士謂可添一遠山并樵徑，天趣迴殊，頓增深峻。可知薰染磋磨之益，增進學識，所關甚大也。

倪瓚，字元鎮，號雲林子，無錫人。性愛潔，不與世合，惟以詩畫自娱。畫師李成、郭熙，平林遠黛，竹石茅亭，筆墨蒼秀，而無市朝塵埃氣。生平不喜作人物，亦罕用圖記，故有迂癖之稱，元季高品第一。所畫山石多從李思訓勾斫中來，特不敷色。其樹謂之減筆李成。家藏古迹成帙，尤好荊關之筆。中年得荊浩《秋山晚翠圖》，如獲至寶，爲建清閟閣懸之，時對之卧游神往，常至忘膳。畫《獅子林》，自謂得荊關遺意。然惜墨如金，至無一筆不從口含濡而出，故能色澤膩潤。江東人家，以有無有爲清俗。其筆疏秀逾常，固非丹青炫耀，人人得而好之。或謂仲圭大有神氣，子久特妙風格，叔明奄有前規，而三家未洗縱橫習氣，獨雲林古淡天然，米顛後一人而已。宋畫易摹，元畫難摹。元人猶可學，獨雲林不可學。其畫正在平淡中，出奇無窮，直使智者息心，力者喪氣，非巧思力索可造也。

吴鎮，字仲圭，號梅花道人，嘉興人。博學多聞，藐薄榮利，村居教學以自娱，參易卜卦以玩世。遇興揮毫，非酬應世法也。故其筆端豪邁，墨汁淋漓，無一點朝市氣。師巨然而能軼出其畦徑，爛熳慘淡，自成名家。蓋心得之妙，殊非易學，北宋高人三昧，惟梅道人得之。與盛子昭同里閈而居，求盛畫者，填門接踵，遠近著聞。仲圭之門，雀羅無問，惟茅屋數椽，閉門静坐。妻孥視其坎壈，而語撩之曰：何如調脂殺粉，效盛氏乎？仲圭莞爾曰：汝曹太俗！後五百年，吾名噪藝林，子昭當入市肆。身後士大人果賢其人，争購其筆墨，其自信有如此者。潑墨之法，學者甚多，皆粗服亂頭，揮灑以鳴其得意，于節節肯綮處，全未夢見，無怪乎有墨猪之誚也。

四家而外，餘若曹知白，號雲西，畫筆韵度，清妙與黄子久、倪雲林相頡頏。方從義，號方壺，畫山水極瀟灑，非世人所能及。蓋學仙之穎然者，由無形而有形，雖有形終歸于無形。雲樹蒸氳，其畫如此。張雨，字貞居，高逸振世，文絶詩清，韜光山水間，默契神會，點染不群，大得北苑之意。徐賁，字幼文，畫亦出自董源，大抵與王孟端、杜東原氣味相類，蓋元人之遺風也。孟端人品特高，能不爲藝事所役，雖片楮尺縑，苟非其人，不可得也。

明畫繁簡之筆

明自宣廟妙于繪事，其時惟戴文進不稱旨歸。邊景昭、吴士英、夏昶輩皆待詔，極被賞遇。孝宗政暇，游筆自娱，點刷精妍，妙得形似。賞畫工吴偉輩彩段。然戴進、吴偉之倫，筆墨粗獷，漸離南宋馬夏諸法。至于張路、鍾欽禮、汪肇、蔣嵩，遂有『野狐禪』之目。徒摹其狀貌，失其神氣，人謂爲『没興馬遠』。至于沈周、唐寅、文徵明輩，遥接董巨薪傳，務以士氣入雅，而畫法爲之一變。高者上師唐宋，近法元人，恒多入于簡易。久之吴浙二派，互相掊擊，太倉、雲間，亦别門户。惟其筆墨修潔，胸次高曠者，乃駸駸于古作者之林，不欲徇于俗好。故已卓然成家，此非習守之所能拘，方隅之可或限者，一代之間，尚不乏人也。

戴進，字文進，號静庵，又號玉泉山人，家錢塘。山水其源出于郭熙、李唐、馬遠、夏珪，而妙處多自發之，俗所謂行家兼利者也。神像、人物、雜畫，無不佳。宣德初，徵入畫院。一日在仁智殿呈畫，遣文進以得意者爲首，乃《秋江獨釣圖》，畫一紅袍人垂釣于江邊。畫家推紅色最難着，文進獨得古法。謝廷詢從旁奏云：畫雖好，但恨鄙野。宣廟詰之，乃曰：大紅是朝官服，釣魚人安得有此。遂探其餘幅，不經御覽。文進寓京大窘，門前冷落，每向諸畫士乞米充口。廷詢則時所崇尚，曾爲閣臣作大畫，遣文進代筆。偶高方穀穀、苗文康衷、陳少保循、張尚書瑛同往其家，見之，怒曰：原命爾爲之，何乃轉托非其人耶？

文進遂辭歸。後復召，潛寺中不赴。嘗自嘆曰：吾胸中頗有許多事業，爭奈世無識者，不能發揚。身後名愈重而畫愈貴。論者謂其畫如玉斗，精理佳妙，復爲巨器，可居畫品第一。文進畫筆，宋之畫院高手或不能過。不但工畫，志行亦復高潔，宜其下視時流，爲庸俗人所齟齬，良可慨已。然文進《東籬秋晚》以爲初閲之極似沈啓南作，蓋其蒼老秀逸，同一師法也。

元四家後，沈石田爲一大宗，董玄宰數言之。王百穀撰《丹青志》，列爲神品，惟沈一人。沈周，字啓南，號石田，自號白石翁。畫學黄子久、吴仲圭、王叔明，皆逼真，獨于倪雲林不甚似。嘗師事趙同魯。同魯每見用仿雲林，輒謂落筆太過。所畫于宋元諸家，皆能變化出入，而獨于董北苑、僧巨然、李營丘，尤得心印。上下千載，縱横百輩，兼綜條貫，莫不攬其精微。每營一幛，則長林巨壑，小市寒墟，高明委曲，風趣泠然，使覽者目想神游，下視衆作，直培塿耳。會郡守某召畫照墻，石田往役。後守入覲，謁李西涯相國，首問『沈先生無恙否』，乃知即畫墻者也。家吴郡之相城里。石田山輿入郭，多主慶雲庵及北寺水閣，掩扉掃榻，揮染不倦。公卿大夫，下逮緇流賤隸，酬給無間。一時名士，如唐寅、文徵明之流，咸出其門。石田少時畫，所謂率盈尺小景；至四十外，始拓爲大幅，粗株大葉，草草而成。有明中葉以後，畫多簡易，悉源于此，蓋所師法者多也。生平雖以畫擅名，而每成一軸，手題數十百言，風流文采，照耀一時。詩文與匏庵并峙。石田詩自芟其少作，海虞瞿氏耕石軒爲鋟版行之。

正嘉中，吴郡多士大夫之畫，而六如第一。唐寅，字子畏，號六如，中南京解元。才藝兼美，風流倜儻。畫山水人物，無不臻妙。原本劉松年、李晞古、馬遠、夏珪四家，而和以天倪，運以書卷之氣。故畫法北宗者，皆不免有作家面目，獨子畏出，而北宗始有雅格。由其筆姿秀逸，純用圓筆，青出藍也。家吴趨里。才雄氣軼，花吐雲飛，先輩名碩，折節相下。坐事就吏，逃禪學佛，任達自放。其論畫曰：工畫如楷書，寫意如草聖，不過執筆轉腕靈妙耳。世之善畫者，多善書，由于轉腕用筆之不滯。又云：作畫破墨，不宜用井水，性冷凝故也，温湯或河水皆可。洗硯磨墨，以墨壓開，飽浸水訖，然後蘸墨，則吸上匀暢。若先蘸墨而後蘸水，冲散不能感動。惟能善用筆墨，故其畫法沉鬱，風骨秀峭，刊落庸瑣，務求深厚，連江叠巘，纚纚不窮。又作《寒林高士》，紙本巨幅，絶似李營丘、范華原法。寫枯樹五株，高二尺許，大如股，用乾筆濕墨，層層皴擦出之，槎丫老幹，墨氣鬱蒼，人物衣冠，神姿閑淡，魄力沉雄，雖石田不能過也。設六如都無才具，孤行其畫，猶自不朽，况文之巨麗，詩之駘宕，又其人之任俠跅弛也乎？晚年漫興生涯，畫筆兼詩筆，踪迹花船與酒船，曠然空一世矣！此其所以能預識宸濠于未叛之先也。

文徵明，名壁，以字行，更字徵仲，長洲人。以世本衡山，號衡山居士。貢至京師，授翰林待詔，三載，謝病歸。父，温州守，宗儒，有名德。吴原博、李貞伯、沈啓南，皆其摯友。徵仲授文法于吴，授書法于李，授畫法于沈。而又與祝希哲、唐六如、徐昌國，切磨爲詩文。其才亞于諸公，而能兼擅其長。當群公凋謝之後，以清名長德，主吴中風雅之盟者三十餘年。文人之休有譽處，壽考令終，未有能及之也。寧庶人宸濠以厚幣招致海内名士，徵仲謝弗往，六如佯狂而返，識者兩高之。生平雅慕趙松雪，每事多師之。詩文書畫，約略似之。所畫山水，松雪而外，又兼王叔明、黄子久之長，頗得董北苑筆意，合作處，神采氣韵俱勝，單行矮幅更佳。晚年師李晞古、吴仲圭，翩翩入室，逍遥林谷，益勤筆硯，小圖大軸，皆有奇致。既臻耄耋，德高行成，宇内望風欽慕，以縑楮求畫者，案几若山積。車馬駢闐，喧溢里門。寸圖才出，承學之士，千臨百摹，家藏而市鬻者，真贋縱横。一時硯食之徒，丐其芳潤，沾濡餘瀝，無不自爲饜足。精巧本之松雪，而出入于南北二宗。翁覃溪特謂粗筆是其少作，老而愈精。今則于其磅礴沉厚之作，謂之粗文，得者尤深寶愛。徵仲生九十年，名播海内。既没而名彌重，藏其畫者，惟求簡筆爲尤難也。

言明畫之工筆者，必稱仇實父。實父仇英，字實甫，號十洲。畫師周東村。所臨小李將軍《海天落照圖》及李龍眠《西園雅集圖》《上林圖》，極爲精妙。人物、鳥獸、山林、臺觀、旗輦、軍容，皆臆寫古賢名筆，斟酌而成。平生雖不能文，而畫有士人氣。仇以不能文，在文、沈、唐三公間，少遜一籌。然于繪事，博精六法深詣，用意處可奪龍眠、伯駒之席。董思翁不耐作工筆畫，而曰：李龍眠、趙松雪之畫極妙，又有士人氣，後世仿得其妙，不能其雅，五百年而有仇實父。實父作畫時，耳不聞鼓吹闐駢之聲，如隔壁釵釧。顧其術近苦，行年五十，方知此一派畫，不可專習。至爲《孤山高士》及《移竹》《煎茶》《卧雪》諸圖，樹石人物，皆蕭疏簡遠，行筆草草。置之六如、衡山之間，幾不可辨。豈可以專事雕繪，絲丹縷素，盡其能哉？是其能畫繁中之簡者也。

明畫之有文、沈、唐、仇，不啻元季四家之有黄、吴、倪、王焉。石田之先人沈貞，字貞吉，號陶庵，世居相城里。工律詩，雅善山水。每賦一詩，營一幛，必纍月閲歲乃出，不可以錢帛購，故尤以少得重。沈恒字恒吉，號同齋，即貞弟，而石田之父也，工詩。兄弟自相倡酬，僕隸皆諳文墨。畫山水師杜瓊，才思溢出，絶類王叔明一派。兩沈并列，壽俱大耋。沈召，字翊南，石田之弟，畫山水有法，惜早逝。與石田先後而爲沈氏師友者，杜瓊，字用嘉，號鹿冠老人，明經博學，貞澹醇和，粹然丘壑之表，山水宗董源，年登上壽，私謚淵孝；趙同魯，字與哲，善詩文，著有《仙華集》，所作山水，涉筆高妙，石田師事之；吴麒，字瑞卿，常熟人，山水仿宋元諸家，筆墨秀朗；史忠，字端本，一字廷直，號痴翁，上元人，山水縱筆揮寫，不拘家數，皆與石田交好。王綸，字理之；杜冀龍，字士良，又師石田者也。

文、沈二氏之門，畫士師法者甚盛，而文氏之學，尤多著于時。衡山之長子彭，字壽承，次子嘉，字休承，季子臺，字允承，皆能畫，尤以休承爲最。休承山水清遠，逸趣得雲林佳境。從子伯仁，字德承，號五峰，山水筆力清勁，時發巧思。其後習者益多，不廢家學。其時師事衡山者尤多。錢穀，字叔寶，讀書多著述，家貧好客，從文衡山游，嘗題其楣爲懸磬室，自號磬室子，山水不名其師學，而自騰踔于梅花、一峰、石田間，爽朗可愛。陸師道，字子傳，號元洲，晚稱五湖道人，工詩，善小楷古隸，從文衡山游，盡得其法。山水澹遠類倪雲林，精麗者不減趙吴興。陸士仁，字文近，號澄湖，師道子也，書畫俱宗衡山，山水雅潔。陳淳，字道復，以字行，號白陽山人，兼工花卉，又文氏之門之特出者也，由是而文氏一派愈趨簡易矣。

繼文、沈之後，爲能崛起不凡、獨樹一幟者，惟董其昌，字玄宰，號思翁，華亭人。官至大宗伯，晋宫保，謚文敏。天才俊逸，善談名理，少好書畫，臨摹真迹，至忘寢食。中年悟入微際，遂自名家。山水宗北苑、巨然，秀潤蒼鬱，超然出塵。自謂好畫有因：其曾祖母，乃高尚書克恭之雲孫女，所由來者有自。早年全學黄子久山水，一仿輒似。嘗言唐人畫法至宋乃暢，至米元章父子乃一變；惟不學米，恐流入率易。晚年之筆，高岳長松，濃墨揮灑，全用董北苑法，絶不蹈元人一筆一畫。故思翁之畫，以臨北苑者爲勝。間仿大米，稱米元章作畫，一正畫家謬習。觀其高自位置，謂無一點吴生習氣。又云王維之迹，殆如刻畫，真可一笑。蓋元章學董北苑，初變其法，思翁欲兼董、巨、二米而又變之。至謂學古人不能變，便是籬堵間物，去之轉遠，乃由絶似故耳。然而閻古古猶曰：黄子久學董北苑，不似而似。思翁筆筆學北苑，似而不似。甚矣！神似之難，難于形似，奚啻萬萬！錢松壺亦謂董思翁畫筆少含蓄，而蒼鬱有致。其當時之卓著者，有陳繼儒，字仲醇，號眉公，爲高才生，與同郡董其昌齊名。年二十九，取儒衣冠焚弃之，結茅昆山之陽，後居東佘山。工詩文，雖短翰小詞，皆極風致。既高隱，屢徵不就。有《晚香堂白石山房稿》。畫山水，涉筆草草，蒼老秀逸，不落吴下畫師甜俗魔境。自言儒家作畫，如范鴟夷三致千金，意不在此，聊示伎倆。又如陶元亮入遠公社，意不在禪，小破俗耳。若色色相當，便與富翁俗僧無异。故其畫皆在畦徑之外。

華亭一派，時有顧正誼，字仲方；莫是龍，字雲卿，山水出入元季大家，無不酷似，而于子久尤爲得力。宋旭，字初暘，善詩，工八分書，所畫山水，高華蒼蔚，名擅一時；游寓多居精舍，世以髮僧高之。孫克弘，字允執，號雪居，仕漢陽太守，山水參馬遠法，而以米元章爲宗，兼花鳥佛像。其從宋旭受業者有宋懋晋，字明之，善詩畫，山水參宋元遺法，自成一家。而趙文度、沈子居，又從學于宋旭與懋晋之門，而爲華亭後起之秀。趙左，字文度，山水與宋懋晋同學于宋旭。懋晋揮灑自得，而左惜墨構思，不輕涉筆，畫宗董北苑，兼得黄、倪兩家之勝。雲山一派，能以己意發之，有似米非米之妙。沈士充，字子居，畫山水，出宋晋懋之門，兼師趙左，清蔚蒼古，運筆流暢。其後學者，務爲凄迷瑣碎，至以華亭習尚，爲世厭薄，不善效法之過也。

明季節義名公之畫

明季士夫，多工翰墨，兼長繪事，足與元人媲美者，恒多節義之倫。黄道周，字幼玄，一字螭若，號石齋，漳浦人，官至禮部尚書。山水人物，長松怪石，極其磊落。真草隸書，自成一家。以文章風節高天下，明亡，殉國難，謚忠端。倪元璐，字玉汝，號鴻寶，上虞人，官至户部尚書。善竹石水雲山草，蒼潤古雅，頗有别致。詩文爲世所重。工行草書。李自成陷京師，自縊死。

祁彪佳，字幼文，山陰人，官至巡撫應天都御史，謝病歸。嘗治别業于寓山，極林壑之勝。乙酉閏月六日，坐園中，題其案曰：圖功爲其難，潔身爲其易。吾爲其易者，聊存潔身志。含筆入九泉，浩然留天地。步放生碣下，投水，昧旦猶整巾帶立水中，因以殉國。畫山水，不多作。其弟豸佳，字止祥，官吏部司務。國亡不仕，隱梅市。山水學思翁，又善花卉。同時抱道自重，甘于韜晦，亮節清風，蓋亦多矣。

清初四王吴惲之摹古

自明代董思翁畫宗北宋，太原王時敏，字遜之，號烟客，家太倉，少時即爲董思翁及陳眉公所深賞。于時思翁綜攬古今，闡發幽奥，自謂畫禪正宗，真源嫡派。烟客實親得之。祖相國文肅公錫爵，以暮年抱孫，鍾愛彌甚，居之别業，以優裕其好古之心。故烟客所得，有深焉者，家本富于收藏，及遇名迹，不惜多金購之。如李營丘《山陰片雪圖》，費至二十鎰。每得一秘軸，閉閣沉思，瞪目不語。遇有賞目會心之處，則繞床大叫，拊掌跳躍，不自知其酣狂。故凡布置設施，勾勒斫拂，水暈墨彰，悉有根柢。早年即窮黄子久之奥窔，作意追摹，筆不妄動，應手之製，實可肖真。用力既深，晚益神化。以蔭官至奉常，而淡于仕進，優游筆墨，嘯吟烟霞，爲清代畫苑領袖。平生愛才若渴，不俯仰世俗，以故四方工畫者，踵接于門，得其指授，無不知名于時，海虞王石谷輩其首也。當烟客家居時，廉州太守王鑒携石谷來謁，即與之論究古人，爲揄揚名公卿間；又憫其貧，周恤亦備至。

時與烟客齊驅，其筆墨亦相近者，王鑒，字玄照，號湘碧，弇州王世貞之孫。精通畫理，摹古尤長。凡唐宋元明四朝名繪，見之輒爲臨摹，務肖其神而止。故其蒼筆破墨，時無敵手，豐韵沉厚，直追古哲。于董北苑、僧巨然兩家，尤爲深造，皴擦爽朗，不求工細。玄照視烟客爲子侄行，而年實相若，互深砥礪，并臻極妙。論六法者，以兩人有開來繼往之功。特玄照所畫，運筆之鋒較烟客稍實。烟客用筆，在着力着不力之間，憑虚取神，蒼潤之中，更能饒秀。玄照總多筆鋒靠實，臨摹神似，或留迹象。然皆古意盎然，爲畫品上乘，無疑也。

尊王石谷者，至稱畫聖，以爲前無古人，後無來者，莫石谷若，殊非實然。王翬，字石谷，號耕烟外史，常熟人，于清代四王之中，最有盛名。王玄照游虞山，石谷以畫扇托人呈玄照，因得見，遂以弟子禮事之。玄照曰：子學當造古人。即載之歸。先命學古法書數月，乃親指授古人名迹稿本，學乃大進。玄照將遠宦，又引謁烟客，挈之游江南北，得盡觀收藏家秘本。石谷既神悟力學，又親炙玄照、烟客之指授，集衆畫之大成，爲一代作家。烟客既得見石谷之畫成，恨不及爲董思翁所及見，嗟嘆不已。康熙南巡，石谷繪圖稱旨，厚幣賜歸。朝貴有額以清暉閣者，因自號清暉主人。嘗曰：以元人筆墨，運宋人丘壑，而澤以唐人之氣韵，乃爲大成。家居三十載，應事之前，筆墨縑素，横積几案。弟子數十人，凡製巨畫，樹石人物，各主一藝。惟于立稿之前，粗具模形，既成之後，略加點染，非必己出，遂爲大觀。其後贋本迭興，妍媸混目。論者每右南田而左石谷，謂惲本天工，王由人力，有仙凡之别。又云：南田胸有卷軸，石谷枵然無有。在南田蕭蕭數筆，石谷極力爲之所不能及。翁覃溪亦言：近日學者于石谷之畫或厭薄不足道，石谷六法到家，處處筋節，畫學之能，當代無出其右；然筆法過于刻露，每易傷韵。石谷之畫，往往有無韵者，學之稍不留神，每易生病。近二百年來，臨摹石谷之畫，日見其多。師石谷而不求石谷之所師，此清代畫學日衰之由也。

石谷弟子，其親炙與私淑之徒，不可僂指計。楊晋，字子鶴，號西亭，常熟人，長于畫牛。蔡遠，字月遠，號天涯，閩人，僑居常熟，畫牛不遜于楊晋。僧上睿，字潯濬，號目存，又號蒲室子，吴人，兼人物花卉。皆得石谷之指授，所畫山水，有名于時，此其尤著。

至與石谷同時，而所畫純仿石谷者，有王犖，字耕南，號稼亭，又號栖嶠，吴人。山水臨模石谷而有不逮，蓋徒貌似耳。恒托其名以專利，石谷雖深恨之，而當時之托名石谷者尤多，其不逮犖筆，而傳後世，非真善鑒者不易爲之辨别。蓋石谷畫有根柢，其摹仿諸家，筆下實有所見，筆姿之嫵媚，又其天性。學者徒恃其稿本，轉輾傳模，元氣盡失，而秀韵清姿，復不能及，流爲匠氣，致引石谷爲戒，非石谷之過也。

傳烟客之家學者，其嫡孫王原祁，字茂京，號麓臺，官司農。童時偶作山水小幅，黏書齋壁，烟客見大奇之。閑與講析六法之要，古今异同之辨。成進士後，專心畫理，筆法大進，于黄子久淺絳山水，尤爲獨絶。熟而不甜，生而不澀，淡而彌厚，實而彌清，書卷之味，盎然楮墨之外。入仕後，供奉内廷，每作畫，必以宣德紙，重毫筆，頂烟墨，曰：三者不備，不足以發古雋深逸之趣。客有舉王石谷畫爲問，曰：太熟。復舉查二瞻爲問，曰：太生。蓋以不生不熟自處。嘗稱筆端有金剛杵，在脱盡習氣。麓臺山石，妙如雲氣騰逸，模糊蓊鬱，一望無際。用筆均極隨意，絶無板滯束縛之態。論者謂其稍有霸悍之氣，非若烟客之冲和自在。後人又因其專師子久，乾墨重筆，皴擦而成，以博渾淪，僅有一種面目；未能如石谷之兼臨各家，格局變化，兼具兩宋名人及元四家之形體，可供摹擬者隨意效法，是以得名亦次于石谷。然海内繪事家，不入石谷牢籠，即爲麓臺械杻。至爲款書，皆求絶肖，陳陳相因，貽誚一丘之貉。故二家之後，非無畫士，徒工其貌而遺其神，遂以宋元古畫皆不足觀，抑亦過矣。

時與石谷同邑而爲復古之畫學者，有吴歷，字漁山。因所居有言子墨井，故又號墨井道人。畫法宋元，多作陰面山，林木蓊翳，溪泉曲折，不僅以仿子久、叔明見長。筆力沉鬱深秀，高閑奇曠，宜在石谷之上。晚年墨法，一變溟溟濛濛，多作雲霧迷漫之景，或謂其爲歐法畫所化。翁覃溪有題吴漁山畫石谷留耕堂小影詩云：意在歐羅西海邊，漁山踪迹等雲烟。題詩豈解留耕趣，荒却桃源數畝田。漁山清潔自好，不諧于世，彈琴咏詩，蕭然高寄。所畫山水，王烟客、錢牧齋皆亟稱之。同時王石谷名滿天下，持縑幣而請者，日塞其門，而不屑與之争名，以跧伏于海上。學者稱其魄力絶大，落墨兀傲不群。山石皴擦，頗極渾古。點苔及横點小樹，用意又與諸家不同，愜心之作，深得唐子畏神髓，尤能擺脱其北宋窠臼，真善于法古者也。六如學李晞古，一變其刻畫之習。漁山學六如，又去其狂縱之容，純任天機，是爲可貴。雲間陸暍，字日爲，傳其法，山水喜爲挑筆，頗有畫痴之目，筆意古拙，稍有不逮。

畫格高于石谷，能于石谷外自闢蹊徑者，有惲壽平，字正叔，初名格，後以字行，武進人，號南田，又號白雲外史，一作雲溪外史。工詩文，所畫山水，力肩復古，以此自負。及見石谷，而改寫生，學爲花卉，斟酌古今，以北宋徐崇嗣爲歸，一洗時習。雖專寫生花卉，山水亦間爲之。如柯丹丘《古木竹石》、趙鷗波《水村圖》，細柳枯楊，皆超逸名貴，深得元人冷淡幽雋之致，而不多作。嘗與石谷書云：格于山水，不免于窘之一字，未能逸出于古人規矩法度所束縛。然南田山水浸淫宋元諸家，得其精蘊，每于荒率中見秀潤之致，逸韵天成，非石谷所能及。又手書屢勸石谷勤學，每見其畫間題語未善，輒反復講論，或致訶斥，務令自愛其畫，勿爲題識所污。蓋由天資超妙，學力醇粹，故其所畫，落筆獨具靈巧秀逸之趣。或謂其小幀山水特工，慮爲石谷所壓，乃以偏師取勝，未必然也。

三高僧之逸筆

三高僧者，曰漸江、石谿、石濤，皆道行堅卓，以畫名于世。明季忠臣義士，韜迹緇流，獨參畫禪，引爲玄悟，濡毫吮筆，實繁有徒；然結藝精通，無以逾此三僧者。新安漸江僧，俗姓江，名韜，字六奇，號鷗盟，晚年空名弘仁，歙人，明諸生。少孤貧，性癖，以鉛槧養母。一日負米行三十里，不逮期，欲赴練江死。母大殯後，不婚不宦，游幔亭，皈報親寺古航師爲圓頂焉。畫法初師宋人。爲僧後，嘗居黄山、齊雲。山水師雲林。王阮亭謂新安畫家多宗倪黄，以漸江開其先路。畫多層巒陡壑，偉峻沉厚，非若世之疏林枯樹，自謂高士者比。以北宋豐骨，蔚元人氣韵，清逸蕭散，在方方壺、唐子華之間。當時士夫以漸江畫比雲林，至以有無爲清俗。既而游廬山歸，即怛化。論者言其詩畫俱得清靈之氣，係從静悟來。與查士標、汪之瑞、孫逸，稱新安四大家。而程功，字又鴻；江家珍，字璧人；凌畹，字又薰；汪靄，字滌崖，山水皆入妙品。

釋髡殘，字介丘，號石谿，又號白秃，自稱殘道人，家武陵。少時自薙其髮，投龍三三家庵。旋游諸名山，參悟後，至金陵受衣鉢于浪杖人，住牛首。工山水，奥境奇闢，綿邈幽深，引人入勝，筆墨高古，設色清湛，誠得元人勝概。自言：庚子秋八月曾來黄山，路中風物森森，真如山陰道上，應接不暇。又言：嘗慚愧兩脚不曾游歷天下名山，又慚眼不能讀萬卷書，閱遍世間廣大境界，兩耳未親智人教誨，縱有三寸舌，開口便秃。今日見衰謝，如老驥伏櫪，奈此筋力何！觀石谿所言，知其題識，固多寓興亡之感。所畫皆由讀書游山兼得良朋益友磋磨而來，故能沉穆幽雅，爲近世不經見之作。施愚山謂石谿和尚蓋爲方外交，而未索其畫，甚爲懊惜。在當時相去未久，已見重若此。此其藝事之方駕古人，有可知已。

釋道濟，字石濤，號清湘，又號大滌子，明楚藩後。畫兼山水人物蘭竹，筆意縱恣，脱盡窠臼。嘗客粤中，所作每多工細，矩矱唐宋。晚游江淮，粗疏簡易，頗近狂怪，而不悖于理法。自言：畫有南北宗，書有二王法。張融謂不恨臣無二王法，恨二王無臣法。今問南北宗，我宗耶？宗我耶？一時捧腹曰：我自用我法。此石濤畫之不囿于古法也。又言：作書畫，無論老手後學，先以氣勝得之者，精神燦爛，出之紙上，意懶則淺薄無神。所著《畫語録》，勾玄抉奥，獨抒胸臆，文乃簡質古峭，直可上擬諸子。識者論其節操人品，履變不移，而精深于藝事，類宋王孫趙彝齋，其知言哉。

隱逸高人之畫

賢哲之士，生值危難，不樂仕進，岩栖谷隱，抱道自尊，雖有時以藝見稱，溷迹塵俗，其不屑不潔之貞志，昭然若揭，有不可僅以畫史目之者。八大山人，江西人，或曰姓朱氏，名耷，字雪个，故石城府王孫。明亡，號八大山人。或曰：山人固高僧，嘗持《八大人覺經》，因以爲號。畫山水花鳥竹木，其最佳者松蓮石三品，筆情縱恣，不拘成法，而蒼勁圓秀，時有逸氣，拙規矩于方圓，鄙精研于彩繪。襟懷浩落，慷慨嘯歌，世目爲狂。及逢知己，十日五日，盡其能，又何專也。釋石濤言：山人花甲七十四五，登山如飛，十年以來，見往來書畫，皆非儕輩可能贊頌得之。其傾倒可想見已。

傅山，字青主，一字公之他，外號甚多。精鑒别。居太原，代有園林之勝。少讀書于石山之虹巢，游迹甚多。浮淮渡江，復過江。嘗登北岳、華岳、岱岳。爲道士裝，以醫爲業。工詩文，善畫山水，皴擦不多，丘壑磊砢以骨勝；墨竹亦有氣。自托繪事寫意，曲盡其妙。

丁元公，字原躬，嘉興布衣。書畫俱逸品，不屑屑庸俗語。性孤潔，寡交游。畫兼山水人物，佛像老而秀，工而不纖。後髡髮爲僧，號曰願庵，名净伊。嘗遍訪歷代佛祖高僧真容，迄明季蓮池大師像，繪爲巨册。周櫟園言其自爲僧後，專畫佛像，而山水筆墨，尤高遠焉。

鄒之麟，字臣虎，號衣白，明官都憲。國破還里，號逸老，又自號昧庵。山水摹法黄子久，用筆圓勁古秀。

徐枋，字昭法，號俟齋，長洲人。父少詹事汧，殉國難。俟齋隱居上沙，土室樹屋，邈與世隔，人莫得見。家極貧，賣畫賣箬以自存，守約固窮，四十年如一日。湯斌撫吴，兩屏騶從來訪，不得一面。山水有巨然法，亦間作倪黄丘壑。用筆整飭，墨氣淹潤，多不設色。江左人得其詩畫，不啻珊瑚鈎也。

程邃，字穆倩，歙人，自號江東布衣，又號垢道人。博學工詩，品行端愨，敦崇氣節。從漳浦黄道周、清江楊廷麟兩公游，名公卿多折節交之。家多收藏金石書畫。山水純用枯筆，寫巨然法，别具神味。人得其片紙，皆珍寶之。

惲本初，字道生，後改名向，號香山，武進人。博學有文名。授中書舍人，不拜。山水學董巨家法，懸筆中鋒，骨力圓勁，而用墨濃濕，縱横淋漓。晚乃斂筆，入于倪黄。宋漫堂言香山畫有二種：氣厚力沉，全學董源，爲早年墨；一種惜墨如金，翛然自遠，晚年筆也。題畫多論古法，著《畫旨》四卷。

張風，字大風，上元人。明諸生，亂後弃去。家極貧。嘗游燕趙間。公卿争迎致之。後歸金陵，寓居精舍。畫山水人物花鳥，早年頗工；晚以己意爲之，有自得之樂，稱爲筆墨中之散仙焉。姜實節，字學在，萊陽人，居吴中。鄭旼，字慕倩，歙人。山水皆超逸，高風亮節，無多愧也。陳洪綬，字章侯；崔子忠，號青蚓，世稱南陳北崔，人物追踪顧、陸、張、吴，出陳枚、禹之鼎諸人之上。山水不多作。

縉紳巨公之畫

自米南宫、趙松雪至董華亭，名位煊赫，文藝兼工，鑒賞既精，收藏亦富，故所作畫，悉有本原。清初顯宦之家，不廢風雅，雍乾而後，作者弗替。程正揆，字端伯，號鞠陵，又號青溪道人，孝感人，官至少司空。山水初師董華亭，得其指授；後則自出機軸，多用禿筆。清勁簡老，設色穠湛，樹石濃淡，極意交插，而疏柯勁幹，意致生拙，脱盡畫習，妙有别趣。青溪論畫，嘗云：北宋人千岩萬壑，無筆不減。元人枯枝瘦石，無筆不繁。其言最精。吴山濤，字塞翁，工書能詩，山水亞于青溪。

王鐸，字覺斯，孟津人，官至尚書。性情高爽，偉軀美髯，見者傾倒。博學好古，工詩古文。山水宗荆關，丘壑偉峻，皴擦不多，以暈染作氣，傅以淡色，沉沉豐蔚，意趣自别。其論畫云：寂寂無餘情，如倪雲林一流，雖略有淡致，不免枯乾，尫羸病夫，奄奄氣息，即謂之輕秀，薄弱甚矣。大家弗然。又云：以境界奇創，然後生以氣韵，乃爲勝可奪造物。其旨趣如此。

吴偉業，字駿公，號梅村，太倉人，官至祭酒。博學工詩，山水得董北苑、黄子久筆法。與董思白、王烟客輩友善，作《畫中九友歌》以紀之。所畫沉厚穠古，雅近陳眉公。論者言其山水清疏韶秀，當别有此一種，已不可見。九友者，董玄宰、王烟客、王元照、李長蘅、楊龍友、程孟陽、張爾唯、卞潤甫、邵僧彌，要皆以華亭爲取法，而能上窺宋元之奥窔者也。

金陵八家之畫

明季金陵，人文特盛，畫士之流寓者恒多名家。山水畫法，首推龔賢，字半千，號柴丈人，家昆山，僑居金陵。爲人有古風，工詩文。善書畫，得董北苑法，沉雄深厚。識者稱其筆意類鄭廣文，意有繁簡。同時有聲者，樊圻，字會公；高岑，字蔚生；鄒喆，典之子，字方魯；吴宏，字遠度；葉欣，字榮木；胡慥，字石公；謝蓀，字未詳。山水師法北宋，各擅所長，能于文、沈、唐、仇、華亭之外，别樹一幟，號爲八家。所惜相傳日久，積弊日滋，流爲板滯甜俗，至人謂之紗燈派，不爲士林所見重。惜哉！

江浙諸省之畫

在昔文藝方技，列于地志，學術淵源，各有所自。方士庶字小師之山水，羅聘字兩峰之人物，華嵒號新羅之花鳥，其特出者。藍瑛，字田叔，號蜨叟，錢塘人，山水法宋元諸家，晚乃行筆細勁，師法北宋者居多，惟枯硬乾燥，殊少蒼潤，難于入雅，不爲世重。

羅牧，字飯牛，寧都人，僑居南昌。山水意在董、黄之間，林壑森秀，墨氣滃然，惟恣肆奇縱，筆少含蓄，世以江西派輕之。

閩之高士，先有許友字介眉、宋珏字比玉，詩文書畫，冠絶常倫，世不多覯。其卓著者，山水人物，聲名藉甚。黄慎，字癭瓢，出其門，僑寓揚州，漸開惡俗。潘恭壽，字慎夫，號蓮巢，丹徒人。山水人物花卉均妙。弟思牧，字樵侶，亦畫山水，師法文衡山。萬上遴，字輞岡，江西南昌人，兼山水，又寫梅及花卉。奚岡，號鐵生，又號蒙泉外史，兼精篆刻。黎簡，字未裁，號二樵，粤人，山水學元四家，盎然書味，布置深穩，皆由胸有卷軸，故能氣息不凡，四方學者，莫不尊之。至其品流，尚未可以方域限之也。

太倉虞山畫學之傳人

清代士夫畫法，多宗石谷、麓臺；而能上追元人，筆墨醇粹，善變家法，不失其正者，四王之後，有稱小四王之號，首推麓臺。是大四王以麓臺爲殿，而小四王又以麓臺爲最也。其族弟王昱，字日初，號東莊，又號雲槎，出麓臺之門，山水淡而不薄，疏而有致。王愫，字素存，號林屋，烟客曾孫，山水用乾墨皴擦，不加渲染，得元人簡淡法。王宸，字子凝，號蓬心，麓臺曾孫，山水稍變家法，蒼古渾厚，深得子久之學。王玖，字次峰，號二痴，翬曾孫，山水亦變家法，胸有丘壑，特饒別趣。餘則王敬銘，字丹思；王詰，字摩也，號心壺；王三錫，字邦懷，皆其秀出者。

華亭沈宗敬，號獅峰，山水師倪黄，兼巨然法，筆力古健。所畫水墨爲多，偶作青緑設色，其布置穩愜，山巒坡岫，深淺得宜。李世倬，號穀齋，三韓人，善畫山水，兼工人物、花鳥果品，各得其妙。與馬退山昂游，昂工青緑山水，故宗傳醇正，而筆亦秀雋，非但得諸舅氏高其佩之指授也。

黄鼎，字尊古，號獨往客，常熟人，山水筆墨蒼勁，氣息醇厚。游梁宋間，所歷名山水，及見古人真迹頗多。張宗蒼，字墨岑，吴縣人，淡墨乾皴，神氣葱蔚。張鵬翀，嘉定人，號南華，長于倪黄法，雲峰高厚，沙水幽深。

唐岱，字静岩，滿洲人，山水布置深穩，著《繪事發微》，自言潛心畫藝三十餘年，塞外游歸，追踪往古，日事翰墨，因舉前人言有未盡者，略抒管見。

董邦達，號東山，富陽人，謚文恪。山水取法元人，善用枯筆。錢維城，號稼軒，丘壑幽深，氣韵沉厚。古人畫山水多濕筆，故云水暈墨章。元季四家，參用乾筆，而仲圭猶重墨法。作者貴知乾濕互用之方，尤以淹潤爲要，所謂『元氣淋漓幛猶濕』，濕非墨猪，是在用筆有力也。

揚州八怪之變體

淮揚畫家，變易江浙之餘習，師法唐宋，工者雅近金陵八家，粗者較率于元明諸人。興化顧符稹，字瑟如，號小痴，能詩善書。少從父宦游，父卒家貧，賣畫自給。山水人物，學小李將軍，工細入毫髮。王阮亭贈詩，有『丹青金碧妙銖黍，近形遠勢工毫芒』之句。袁江，字文濤，江都人，與弟耀，咸善山水，樓閣略近郭忠恕。因購一無名氏所臨古畫稿，效法爲之，遂大進。其工者不讓瑟如，蓋宗唐法也。張崟，字寶岩，號夕庵，宗宋元大家，尤得石田蒼秀渾厚之氣。高郵王雲，字漢藻，號清痴，父斌，畫花卉有黃筌、邊鸞筆意；漢藻樓臺人物山水多工細之作，馳名江淮間。

自僧石濤客居維揚，畫法大變，杭人金農，字壽門，號冬心；閩人華嵒，字秋岳，號新羅山人，相繼而來，畫山水人物花卉，脱去時習，力追古法，學者因師其意。李方膺，字虬仲，號晴江，畫松竹梅蘭。汪士慎，字近人，號巢林，善墨梅。高翔，字鳳岡，號西唐，甘泉人，善山水。邊壽民，字頤公，淮安人，寫蘆雁。鄭燮，號板橋，善書畫，長于蘭竹。李鱓，字宗揚，號復堂，興化人，善花鳥。陳撰，字楞山，號玉几，儀徵人，善寫生。羅聘，號兩峰，歙籍寓邗江，善人物，畫《鬼趣圖》。時有揚州八怪之目。要多宋元家法，縱橫馳騁，不拘繩墨，得于天趣爲多。

金石家之畫

書畫同源，貴在筆法。士夫隸體，有殊衆工。程穆倩以節義見高，丁元公以孤潔自許，人品學問超軼不凡，皆不得徒以篆刻目之。高鳳翰，字西園，號南村，又號南阜，工篆隸鎸刻，山水縱逸，畫以氣勝。宋保淳，號芝山，又號隆陬，山西安邑人，工山水花鳥。丁敬，字敬身，號鈍丁，又號龍泓山人，畫有仙致。巴慰祖，字予藉，歙人，山水似方方壺，筆墨古厚。桂馥，號未谷，山東曲阜人，畫工倪黃。黄易，號秋庵，一號小松，畫訪碑圖，山水淡雅。吴榮光，號荷屋，廣東南海人，畫設色山水，兼寫花卉。吴東發，字侃叔，浙江海鹽人，山水用焦墨。朱爲弼，字右甫，號椒堂，僑浙江之平湖，工山水花卉。趙之謙，字撝叔，會稽人。張度，字和憲，長興人。胡義贊，字石查，河南光州人。山水人物各有專長，能文章，精書法，得金石之氣者也。

湯戴繼響四王之畫

言山水畫者，于清代名家稱四王、吴、惲，又曰四王、湯、戴。惲虚而吴實，猶之湯疏而戴密也。湯貽汾，號雨生，晚號粥翁，武進人，壬子殉難，謚貞愍。畫山水蔬果墨梅，高曠疏爽，筆意簡潔，著《琴隱詩鈔》。

戴熙，字醇士，一號鹿床，錢塘人，庚申殉難，謚文節。山水花木，氣息冲澹深厚，蓋學王廉州。著《習苦齋畫絮》。湯官浙江協副將，以風雅被謗；戴官刑部，以畫忤當道去官，卒因歸田，得以優游畫事，致成令名。

滬上名流之畫

畫士游踪，初多萃聚通都。互市以來，橐筆載硯者，恒紛集于春申江上。南匯馮金伯，字南岑，號墨香，官訓導。山水氣韵生動。寓滬住曹浩修之同蘭館。著《墨香齋畫識》。昭文蔣寶齡，字子延，號霞竹。山水清逸。寓小蓬萊，與諸名流作畫叙，著《墨林今話》。無錫秦炳文，字誼亭，畫師元人。華亭蔣確，字叔堅，號石鶴。山水花卉用焦墨勾勒，再以濕筆渲染，尤精畫梅。客豫園。改琦，字伯蘊，號香白，又號七薌，別號玉壺外史，家松江。李廷敬備兵滬上，主盟風雅，七薌甫弱冠，受知最深，畫學精進，人物仕女，出入龍眠、松雪、六如、老蓮諸家。山水花卉蘭竹小品，妍雅絶俗，世以新羅比之。好倚聲，故題畫之作，以詞爲多。費丹旭，號曉樓，烏程人。工仕女，旁及山水花卉，輕清淡雅。寓滬甚久。中多江浙之士，崇尚四王、吴、惲，參之新羅，而沉着渾厚之致，抑已鮮矣。

沈焯，原名雒，字竹賓，吴江人。初畫人物花卉，後專工山水，以文氏爲宗，參董思翁筆法。胡公壽、楊伯潤輩皆師之。胡公壽，名遠，以字行，華亭人，號横雲山民。畫山水蘭竹花卉。買宅東城，顔所居曰寄鶴軒，與方外虚谷交游。楊伯潤，字佩甫，號南湖，又號茶禪，嘉興人。父韵藏名迹頗多，伯潤幼承家學，臨古不輟。其畫初尚濃厚，中年漸平淡。有《語石齋畫識》。虚谷，姓朱氏，籍本新安，家于廣陵，官至參將，後披薙入山，不禮佛號，以書畫自娱。山水花卉蔬果禽魚，落筆奇肆。有《虚谷詩録》一卷。山陰任氏以畫名者頗多，可比于金陵胡氏，楮筆盈架，不啻滿床笏焉。任熊，字渭長，蕭山人，畫宗陳老蓮。人物花卉山水，結構奇古，畫神仙道佛，別具匠心。寄迹吴門，偶游滬上，求畫者踵接。有《於越先賢傳》《列仙酒牌》等畫譜行世。與姚梅伯燮友善。弟薰，字阜長，以人物花卉擅名。渭長子預，字立凡，工山水，別闢徑蹊，性極疏放，喜畫馬。時與渭長同時同姓者，有山陰任頤，字伯年，筆力超卓，花卉喜學宋人雙鈎法，山水人物，無不兼善，白描傳神，自饒天趣。

吴人顧澐，字若波，山水法古，清麗疏秀。鎮海陳允升，字紉齋，號壺舟，山水生峭幽异，筆力堅凝。秀水張熊，字子祥，別號鴛湖外史，花卉古媚，山水力追四王、吴、惲，筆意老到。吴穀祥，字秋農，山水師文唐，工于畫松，設色穠古。蒲華，字作英，善畫竹兼花卉，皆不愧于老畫師也。

繪事精能，常推軒冕。以其澤古之深，宦游之遠，見聞既廣，筆墨自清也。吴雲，字少甫，號平齋，晚號退樓，又號愉庭，歸安人，官江蘇知府，善山水，兼枯木竹石。吴大澂，字清卿，號恒軒，吴縣人，官至巡撫，山水法古，頗存矩矱。江浙能畫之士，多所汲引，嘗仿吴梅村祭酒作《續畫中九友歌》，亦藝林中足稱好事者已。

通都大邑，冠蓋往來，文節之士，輪蹄必經；然有不必盡寓滬江，而畫事流播、名著遠近者。邇年維揚陳崇光，字若木，畫山水花鳥人物俱工，沉着古厚，力追宋元。懷寧姜筠，字穎生，工山水，中年筆意豪放，晚歲師石谷，名噪京師。沈翰，字韵笙，宦湘中，山水師王蓬心，縱横雅淡。鄭珊，字雪湖，家皖上，山水筆力堅凝，設色静雅。此近古中之尤佼佼者也。

閨媛女史之畫

虞舜之妹，嫘爲畫祖；后嬪賢淑，代有傳人。譜録傳記諸書，别類分門，多所稱述之者。年代綿邈，姑存其略，舉其較著，以見一斑。南唐則江南童氏，學出王齊翰，工道釋人物。宋則仁懷皇后朱氏，學米元暉，着色山水甚精妙。文氏，同第三女，張昌嗣母，嘗手臨父作《黄鶴幛》于屋壁。楊娃，寧宗皇后妹，寫《琴鶴圖》。艷艷，任才仲篷室，善着色山水。金則謝環，小字阿環，山水學李成，竹學王庭筠。元則管道昇，字仲姬，吴興人，趙孟頫室，墨竹蘭梅，筆意清絶，爲後人模範。

明代則有吴娟，字眉生，畫學米元章、倪雲林，竹石墨花，標韵清遠，師汪伯玉，時稱女博士。邢慈静，臨清邢侗字子願之妹，善墨花、白描大士，宗管道昇。仇氏，杜陵内史仇英女，山水人物，綽有父風。李因，字今生，號是庵，會稽人，海寧葛徵奇室，花鳥山水俱擅長。李道坤，姓范氏，東平州人，山水仿倪雲林，亦作竹石花卉。北方學畫，自李夫人始。傅道坤，會稽人，山水摹仿唐宋，筆意清灑。此皆閨秀之選也。至若馬守貞，字湘蘭，小字元兒，又號月嬌，時以善蘭，故湘蘭之名獨著。蘭仿趙子固，竹法管仲姬，俱能襲其餘韵。楊宛，字宛若，亦工寫蘭。雖或寄籍平康，仳離致嘆，要其清淑之氣，固自不凡也。

清初，吴中文俶，字端容，奇花异卉，小蟲怪蝶，信筆而成。海寧徐粲，字湘蘋，號紫管，陳之遴室，仕女得北宋傅色筆意。晚年專畫水墨觀音，間作花草。秀水陳書，號上元弟子，晚年自號南樓老人，花鳥草蟲，筆力老健，渲染妍潤，深得南田没骨遺意，亦畫佛像。胡浄鬘，陳老蓮篷室，善花鳥草蟲。崔青蚓二女皆工畫，見稱于王漁洋。惲冰，字清於，南田之女；馬荃，字江香，元馭之女；花卉皆有父風，妙得家法。蔡含，字女蘿，工山水人物禽魚；金玥，字曉珠，山水摹高房山，亦善水墨花卉，稱爲兩畫史，皆如皋冒辟疆姬人。徐眉本姓顧，字横波，合肥龔鼎孳篷室，山水天然秀絶，蘭竹追摹馬守貞。黄媛介，字皆令，秀水人，畫似吴仲圭。楊芬，字瑶華，吴人，兼工詩畫，仕女秀麗。方畹儀，號白蓮居士。歙人，羅聘室，善梅花蘭竹。董琬貞，字雙湖，武進湯貽汾室，工畫梅。其女嘉名，字碧生，工白描人物，畫法之妙，出自家傳。吴珩，字玉卿，桐城吴廷康女，畫花卉，咸豐中，殉寇難。任雨華，蕭山任伯年之女，工山水，有家法。蓋多收藏繁富，學有淵源，故于耳濡目染之餘，見其妙腕靈心之致，非以調脂抹粉，徒博虚聲已耳。

結　論

學者師今人，不若師古人；師古人，不若師造化。所謂師古人者，非徒工臨摹而已。古人已往，歷代名家，不啻千萬，拘守一二家之陳迹，固不足以發揚一己之技能，即遍習群賢，亦慮泛應而無當。要知古人之畫，其精神在用筆用墨之微，而不專在章法之變换。名家之章法，既有各异，古今學者，無不師之。學之如牛毛，獲者如麟角，一代之中，學畫之人，計有千萬，其成名者或數十人，或數百人，而卓成大家，可爲千古所師法者，不過數人耳。三代秦漢遠矣，如魏晋之顧、陸、張、展，唐之李思訓、吴道子、王維，五代北宋之李成、范寬、郭熙，以及荆、關、董、巨，南宋之劉、李、馬、夏，元明之高房山、趙鷗波，元季之黄、吴、倪、王，以至文、沈、唐、董，明季江浙軒冕隱逸諸賢，落落可數。前清自婁東、虞山，接軌玄宰，畫史益多。其後專尚臨摹，藝事寖焉。惟方小師、羅兩峰、華新羅，温故知新，可稱杰出。蓋師古人，必師古人之精神，不在古人之面貌。面貌有章法格局，人所易知易能。精神在用筆用墨之微，非好學深思不能心知其意。知用筆用墨，古人之意，極其慘淡經營，非學養兼到，不能得之。此古人之寫意，與後世之虛誕不同。虛誕之習，即由膽大妄爲而成。然而開拓萬古之胸襟，推倒一時之豪杰，非從古人精神理會，而徒求于形貌之似，無怪其江河日下，不至淪胥以亡不至。故學古人，重神似不重貌似。面貌隨時可變，精神千古不移。如行路然，昏夜游行，不得途徑，有燈火之明，不患顛踣失路之嘆。古人畫迹之精神，見之記傳著録評論考證，皆後學之燈也。一燈之微，而得康莊之道，由此而馳騁于光天化日之下，爲不難矣。

* 原文一九二五年作爲《小説世界》叢刊之一出版，復于一九三二年和一九三三年作爲國學小叢書之一重刊。在北平藝術專科學校時，黄賓虹重加修訂，作爲國學理論講義。本文録自一九九九年上海書畫出版社出版《黄賓虹文集》。

中國畫學全史序*

夫虞廷作繪，五彩彰施，周代象形，六書俶始，記述圖書，繇來舊已。《易》曰：道形而上，藝成而下。上焉者視道爲高深，口能言而語不詳；下焉者習藝之庸俗，言無文而行不遠。國畫精微，迭經蜕變，若斷若續，綿數千年而弗墜。初非古人立説，代遠年湮，無所徵引，而群言薈萃，支離踳駁，未能芟繁就簡，提要鈎玄，如絲之引緒，如肉之在串者。此誠學者之憂也。方今佉盧梵書，遐陬重譯之藝術，滂溥宇内，英奇才俊之士，將欲舉其殊形异制，曲意附會而溝通之，以爲自古至今，繪事變遷之迹，胥係乎此。不謂新知原于温故，竟委貴于尋源，由契刀而柔毫，分作家與士習，雅格獨創，逸品彌遒。董玄宰所稱讀萬卷書，行萬里路，方可作畫，其旨深矣。蓋畫之有法，肇于古人，著之載籍，非徒誇遠游、務泛覽也。古者方技一門，列于志乘。一都一邑之間，繪事傳世，代有名人，學風所播，成爲流派，畫史姓氏，亦既夥頤。要之大家杰出，詣臻神妙，多師造化，幾于化工。其最著者，如荆浩之寫太行山，董源之寫江南山，米元章寫京口江山，黄子久寫海虞山水。諸如此類，又皆因其所居之地，朝夕目睹，各有不同，一一施之于筆墨，歷世久遠，衣鉢相承，矩步繩趨，墨守家法，古今名流，賴以勿替，直接薪傳，全憑口授而已。廊廟山林，青藍特出，既精鑒别，手摹心追，思兼衆長，獨抒己見，知非閒師之講導與庸史之練習所可窮其奥窔。因稽古訓，載咏篇章，解衣磅礴，識畫者之真；濡筆淋漓，得詩人之意。多文曉畫，論述益繁，所惜窺管一斑，尚非全豹；破壁十丈，詎曰真龍。審擇之精，惟善讀書者心領神會焉。吾友鄭君午昌，工詩文，善繪事，方聞博雅，躒古逴今，閲數寒暑，輯成卷帙，名曰《中國畫學全史》。有條不紊，類聚群分，衆善兼該，爲文之府。行見衣被寰宇，膾炙士林，媲美前徽，嘉惠後學，家珍和璧，人握隋珠，則度世之金針，迷津之寶筏，無以逾此。因書簡端，以志忻幸。戊辰四月，黄賓虹序。

* 一九二八年黄賓虹爲鄭午昌作《中國畫學全史》序。本文録自鄭午昌著《中國畫學全史》。

六法感言*

總論

南齊謝赫云：畫有六法，一曰氣韵生動，二曰骨法用筆，三曰應物象形，四曰隨類傅彩，五曰經營位置，六曰傳摹移寫，是爲畫稱六法之始。歐陽炯《壁畫奇异記》曰：六法之内惟形似、氣韵二者爲先。有氣韵而無形似，則質勝于文；有形似而無氣韵，則華而不實。郭若虚言：六法精論，萬古不移，然而骨法用筆以下五法可學而能，如其氣韵必在生知，固不可以巧密得，復不可以歲月到，默契神會，不期然而然也。宋《宣和畫譜·叙論》：自唐至宋山水得名者，類非畫家者流，然得其氣韵者或乏筆法，或得筆法者多失位置，兼衆妙而有之，亦難其人。董其昌《畫旨》言：氣韵生動不可學，此生而知之，自然天授；然亦有學得處，讀萬卷書，行萬里路，胸中脱去塵俗，自然丘壑内營，成立郛郭，隨手寫出，皆爲山水傳神。古人稱凡學畫入門，必須名師講究指示，誠以古人畫法，詳載古人之書，論記之多，浩如烟海，或有高談玄妙，未易明言，否即修詞混淆，爲難曉悟。兹擇其簡要者，分析而縷述之，俾觀于今者有合于古，進于道者可祛其弊焉，拉雜書之，因爲感言如下。

氣韵生動

何謂氣韵？氣韵之生，由于筆墨。用筆用墨，未得其法，則氣韵無由呈露。論者往往以氣韵爲難言，遂謂氣韵非畫法，氣韵生動，全屬性靈。聰明自用之子，口不誦古人之書，目不睹古人之迹，率爾塗抹，自詡前無古人；或以模糊爲氣韵，參用濕絹濕紙諸惡習，雖得迷離之態，終慮失于晦暗，晦暗則不清；或以刻畫求工，專摹唐畫宋畫之贋迹，雖博精能之致，究恐失之煩瑣，煩瑣亦不清。欲除此二者，莫若顯其骨幹，以破模糊，審其大方，以銷刻畫。沈宗騫芥舟言：昔時嫌筆痕顯露，任意用淡墨之渲染，方自詡能得烟靄依微之致，禾中張瓜田評之爲晦，遂痛自艾，始知清氣；氣清而後可言氣韵。氣韵生動，捨筆墨無由知之矣。

骨法用筆

唐人畫用勾勒，意在筆先，骨法妙處，先立賓主之位，次定遠近之形，然後穿鑿景物，擺布高低，古人運大幅只三四大分合，所以成章，雖其中細碎處，多要以勢爲主，一樹一石必分正背，無一筆苟下，全幅之中有活落處、殘剩處、嫩率處、不緊不要處，皆具深致。明沈灝石天言：近日畫少丘壑，只習得搬前换後法耳。凡畫須遠近都好看。宜近看不宜遠看者，有筆墨無局勢者也。有宜遠看不宜近看者，有局勢而無筆墨者也。骨法用筆，原非兩事。古人論畫有云：下筆便有凹凸之形。此論骨法最得懸解。然筆之嫩與文不同，粗與老不同，指嫩爲文，目粗爲老，只是自然與勉强之分。如寫意之作，意到筆可不到，一寫到便俗。又有欲到而不敢到之筆，不敢到者便稚。惟習學純熟，游戲三昧，而後神行氣至，實處有虚，虚處皆實。一藝之巧，妙合天成，以視貌似神離，自誇高古，其于劉實在石家如厠，便謂走入内室，同爲貽誚大方，何多讓焉？

應物象形

古人稱學花者，以一株花置深坑中，臨其上而瞰之，則花之四面得矣；學畫竹者，取一枝竹，因月夜照其影于素壁之上，則竹之真形出矣。學畫山水者，何以异此！董源以江南真山水爲稿本；黄公望隱虞山，即寫虞山，皴色俱肖，且日囊筆硯，遇雲姿樹態，臨勒不捨；郭河陽至取真雲驚涌作山勢，尤稱巧絶。師古人不若造化，確係名言。然學者苟于用筆用墨之法，研求未深，平時又不究心于古人派别源流，塗抹頻年纍月，即欲放眼江山，恣情花鳥，冀以一一收之腕底，無論章法筆法，出于杜撰，其誤入歧途尤易。宋韓拙謂寡學之士則多性狂，而自蔽者有三，難學者有二，誠慟之也。

隨類傅彩

丹青水墨顯分南北兩宗。文人之畫，自王右丞始，其後董源、巨然、李成、范寬爲嫡子，李龍眠、王晋卿、米南宫及虎兒皆從董巨得來，直至元四大家黄子久、王叔明、倪元鎮、吴仲圭皆其正傳，明之文衡山、沈石田，則又遠接衣鉢。董思翁謂若馬、夏及李唐、劉松年是大李將軍之派，非吾輩所易學。唐之二李父子創爲金碧山水，院畫中人多于青緑山水上加以泥金，俗又謂之金筆。然畫之雅俗，初不以丹青、水墨爲别，然黄子久之用赭石，王叔明之用花青，畫中設色之法，當與用筆無异，全論火候，不在取色，而在取氣。墨中有色，色中有墨，古人眼光，直透紙背，大約在此。若有意而爲丹青、水墨，雖水墨亦俗不可耐矣。

經營位置

經營下筆，必留天地。大痴謂畫須留天地之位，雖落款之處，皆當注意。山水先理會大山，名爲主峰。主峰已定，方作以次近者、遠者、小者，大者以其一境主之于此，故曰主峰。南宋馬遠、夏珪多邊角景，畫人稱馬遠爲馬半角，又謂之爲殘山剩水，以應偏安之局，卷册小幅，僅于几案觀玩，雖局勢位置，未必盡佳，不至觸目。若巨幛大幅，必先斟酌大局，然後再論筆墨。沈石田學力過人，年四十年後方作大幅，可見位置之難。古人嘗于高樓杰閣、崇山峻嶺，俯瞰平疇大阜、遠樹荒村，層出靡窮，無不入畫，非第一樹一石，平視之明晦淺深，遽爲能事。蓋其變换交接，實有與古之作者頡頏上下，中規折矩，無勿愜心，斯爲可耳。

傳模移寫

人之學畫，無异學書。今取鍾、王、虞、柳，久必入其仿佛，至于名家，無不摹擬，兼收并蓄，而後可底于成。若徒守一家之言，務時俗之學，雖極矩步繩趨，篤信謹守，齊魯之士，惟摹李營丘，關陝之士，專習范中立，非不貌似，多近雷同。况乎古人粉本，幾經傳寫，失其本真，優孟衣冠，豈必盡肖！故巨然、元章、子久、雲林，同學北苑，而各各不同，婁江、虞山、金陵、松江，自成派别，而相去不遠，何則？取其神而遺其貌，與膠于見而泥于迹者，當有徑庭之殊。形上形下，是願同學者共勉之也。

＊本文録自一九九九年上海書畫出版社出版《黄賓虹文集》。

畫法要旨*

自來以畫傳世者，代不乏人。筆法、墨法、章法，三者爲要，未有無筆無墨，徒襲章法，而能克自樹立，垂諸久遠者也。不明筆法、墨法，而章法之間力求清新、形似，雖極精能，氣韻難求蒼潤。繩趨矩步，貌合神離，謂之無筆、無墨可也。筆墨之法，授之于師友，證之以詩書；臨摹真迹，以盡其優長；流覽古人，以觀其派別；集衆善之變化，成一己之面目。筆墨既嫻，成爲章法。畫家創造，實承源流；流派繁多，盡歸于法。夫而後山川清麗，花木鮮妍，人物、鳥獸、蟲魚生動之致，得以己意傳寫之。藝有殊科，而道皆一致。否則入于歧異，積爲弊端，黄大痴『邪甜俗賴』之譏，何良俊『謹細巧密』之病，學者差之毫厘，謬以千里，潛心省察，審擇不可不慎也。慎其審擇，造于精進，畫之正傳，約有三類：

一、文人畫　詞章家、金石家；

二、名家畫　南宗派、北宗派；

三、大家畫　不拘家數，不分宗派。

文人畫者，常多誦習古人詩文雜著，遍觀評論畫家記録，筆墨之旨，聞之已稔；雖其辨別宗法，練習家數，具有條理。惟位置取捨，未即安詳，而有識者已諒其浸淫書卷，囂俗盡祛，涵養深醇，題咏風雅，鑒賞之士，不忍斥弃。金石家者，上窺商周彝器，兼工籀篆，又能博覽古今碑帖，得隸草真行之趣，通書法于畫法之中，深厚沉鬱，神與古會，以拙勝巧，以老取妍，絶非描頭畫角之徒所能摹擬。

名家畫者，深明宗派，學有師承。然北宗多作氣，南宗多士氣。士氣易于弱，作氣易于俗，各有偏毗，二者不同。文人得筆墨之真傳，遍覽古今名迹。真積力久，既可臻于深造。作家能與文士薫陶，觀摩集益，亦足以成名家，其歸一也。至于道尚貫通，學貴根柢，用長捨短，器屬大成，如大家畫者，識見既高，品詣尤至，深闡筆墨之奥，創造章法之真，兼文人、名家之畫而有之，故能參贊造化，推陳出新，力矯時流，救其偏毗，學古而不泥古。上下千年，縱横萬里，一代之中，曾不數人。揆之畫史，特分四品：

一、能品；

二、妙品；

三、神品；

四、逸品。

古人有置逸品于神、妙、能三品之外者，亦有躋逸品于神、妙、能三品之上者。神、妙、能三品，名家之中，時或有之。越于神、妙、能而爲逸品者，非大家與文人不能及。雖然，一藝之成，良工心苦，豈易言哉！倪雲林法荊浩、關仝，極能槃礴，而其蕭疏高致，獨以天真幽淡見稱。二米父子，承學董源、巨然，勾雲畫山，曲盡精微。而論者謂其元氣淋漓，用筆草草，如不經意。是宋元之逸品畫，可居神、妙、能三品之上者也。元明以後，文人偶而涉筆，務爲高古。其實空疏無具，輕秀促弱，未窺名大家之奧竅，而未由深造其極，以視前修，誠有未逮，其外于神、妙、能三品也亦宜。

文人之畫，雖多逸品，而造乎神、妙、能三品者，要以文人爲可貴。大家、名家之畫，未有不出于文人之造作，而克臻于神、妙、能者也。畫者常求筆墨之法，又習章法，其或拘于見聞，墨守陳言，門區户别，不出樊籬，僅成能品。能品之作，雖屬凡近，苟磋磨有得，猶可日進于高明，其詣力所至，未可限量。而故步自封，或且以能品止也，此庸史之畫也。名手用筆、用墨，兼考源派别，諳練各家，以求章法，曲傳神趣，雖由人力，實本天機，是爲妙品。此名家之畫也。窮筆墨之微奥，博通古今，師法古人，兼師造物，不僅貌似，而盡變化，繼古人墜絶之緒，挽時俗頹放之習，是爲神品。此大家之畫也。綜神、妙、能之長，擅詩、書、畫之美，情思淡宕；不以絢爛爲工，卷軸紛披，盡脱縱横之習，甚至潦草而成，形貌有失，解人難索，世俗見訾，有真精神，是爲逸品。大家不世出，名家或數十年而一遇，或百年而後遇。其并世而生，百里之近，分道揚鑣，各極其致，而若斷若續，畸重畸輕，歷世久遠，綿綿而不絶者，則文人之畫居多。古人論吴道子有筆無墨，項容有墨無筆，筆墨有失，識者嗤之。文人之畫，長于筆墨。畫法專精，先在用筆。用筆之法，書畫同源。言其簡要，蓋有五焉。

筆法之要：

一、曰平；

二、曰留；

三、曰圓；

四、曰重；

五、曰變。

用筆言如錐畫沙者，平是也。平非板實。畫山切忌圖經，久爲古訓所深戒。畫又何取乎平也？夫天地間之至平者莫如水，澄空如鑒，千里一碧，平之至矣。乃若大波爲瀾，小波爲淪，奔流澎湃，其勢汹涌而不可遏者，豈猶得謂之平乎？雖然，其至平者，水之性；時有不平，或因風回石沮，有激之者使然。故洪濤上下，横衝直蕩，莫不隨其流之所向。終不能離其至平之性，而成爲波折。水有波折，固不害其爲平；筆有波折，更足形其姿媚。筆法之妙，起訖分明，此之謂平；平，非板也。

用筆言如屋漏痕者，留是也。留易入于粘滯，毫端迂緩，而神氣已鮮舒和；腕下遲疑，則精采爲之疲苶。筆意貴留，似碍流動，不知用筆之法，最忌浮忌滑。浮乃飄忽不遒，滑乃柔軟無勁。古之畫者多用牙竹器爲擱臂，亦稱閣秘。右手運筆，恒以左手扶之。勢欲向左，抗之使右，欲右，掣之使左。南唐李後主用金錯刀法作顫筆；元鮮于伯機悟筆法于車行泥淖中；算法由積點而成綫，畫家由起點而成綫條，皆可參『留』字訣也。粘滯何有也！

用筆言如折釵股者，圓是也。妄生圭角，則獰惡可憎，專事嶔崎，尤險怪易厭。董北苑寫江南山，僧巨然師之，純用圓筆中鋒，勾勒皴染，遂爲南宗開山祖師。其上者取法籀篆行草，或磊磊落落，如蒓菜條，或連綿不絕，如游絲之細，盤旋曲折，純任自然，圓之至矣。否則一寸之直，皆成瑕疵；纍月之工，專精塗飾；目獷悍以爲才氣，每習于浮囂；捨剛勁而言婀娜，多失之柔媚，皆未足語圓也。乃知點睛破壁，着聖手之龍頭；吐氣成虹，寫靈光于佛頂；轉圜如意，纖鉅咸宜，而豈專事摹擬爲乎？

用筆之法，有云如枯藤、如墜石者，重是也。藤多糾纏，石本峥嶸，其狀可想。況乎蟉形屈曲，非同輕拂之條；虎蹲雄奇，忽躍層岩之麓，可云重矣。然重易多濁，濁則混淆而不清。重尤多粗，粗則頑笨而難轉。善用筆者，何取乎此？要知世間最重之物，莫金與鐵若也。言用筆者，當知如金之重，而有其柔；如鐵之重，而有其秀。此善用重者，不失其爲重。故金之重，而以柔見珍；鐵之重，而以秀爲貴。米元暉之力能扛鼎者，重也；而倪雲林之如不着紙，亦未爲輕。揚之爲華，按之沉實，同一重也。而非然者，誤入輕鬆，如隨風飄蕩，務爲輕淡，或碎景凄迷，其不用重實之耳。

唐李陽冰論篆書曰：『點不變，謂之布棋；畫不變，謂之布算。』蓋畫者之用筆，何獨不然？變，非徒憑臆造與事巧飾也。中鋒、側鋒，藏與露分。篆圓隸方，心宜手應，轉換不滯，順逆兼施。其顯著者，山有脉絡，石有棱角，勾斫之筆必變。水有渟逝，木有枯榮，渲淡之筆又變。郭河陽以水墨丹青爲合體，董玄宰稱董、巨、二米爲一家，用筆如古名人，無一而非變也。蓋不變者古人之法，惟能變者不囿于法。不囿于法者，必先深入于法之中，而惟能變者，得超于法之外。用筆貴變，變，豈可忽哉！

初學作畫，先講執筆。執筆之法，虛掌實指，平腕竪鋒，詳于古人之論書法中，善書者必善畫。筆用中鋒，非徒執筆端正也。鋒者，筆尖之謂。能用筆鋒，萬毫齊力，端正固佳；偶取側鋒，仍是毫端着力。倪雲林仿關仝，不用正鋒，乃更秀潤。關仝實正鋒也。知用正鋒，即稍有偏倚，皆落筆圓渾，秀勁有力。否則橫卧紙上，拖沓成章，非失混濁，即蹈躁易。或有一挑半剔，自詡靈秀，浮光掠影，百弊叢生，皆由不用筆鋒，徒取貌似之過也。

古人畫法，多由口授。學者見聞真實，功力精深。其有未至，往往易流板刻結澀之病。故言六法者，首先氣韵。後世急求氣韵，臨摹日少，一知半解，率趨得易，故纖巧明秀之習多，而沉雄深厚之氣少。承先啓後，惟元季四家爲得其宜。乾濕互施，粗細折中，皆是筆妙。筆有工處，有亂頭粗服處。正鋒、側鋒，各有家數。倪雲林、黄大痴多用側鋒，王黄鶴、吴仲圭多用正鋒。然用側者亦間用正，用正者亦間用側。錢叔美稱雲林折帶皴皆中鋒，至明之啓、禎間，側鋒盛行，易于取姿，而古法全失，即是此意。後世所謂側鋒，全非用鋒，乃用副毫。惟善用筆者，當如春蠶吐絲，全憑筆鋒皴擦而成。初見甚平易，諦視六法皆備，此所謂成如容易却艱辛也。元人好處，純乎如此，所由化宋人刻畫之迹，而實得六朝、唐人之意多矣。雖然，觀古人用筆之法，非深知學古者之流弊，烏足以明古人之法哉？用筆之病，先祛四端，又其要也。

祛筆之病：

一、釘頭；

二、鼠尾；

三、蜂腰；

四、鶴膝。

何謂釘頭？類似秃筆，起處不明，率爾塗鴉，毫乏意味，名之爲亂。古人用筆，逆來順受，藏鋒露鋒，起訖有法。若其任情輕意，直下如槌，無俯仰向背之容，作鹵莽滅裂之態，不知將軍盤馬彎弓，引而不發，非故示弱，正以養其全神，一發貫的，與臨事之先，手忙脚亂，全無設備者不同。

何謂鼠尾？收筆尖鋭，放發無餘。要知筆勢回環，顧視深穩，無往不復、無垂不縮之妙，故取形鼠尾，硬斷有力，提筆向上，益見高超。而市井俗筆，悉以慌忙輕躁之氣乘之，如烟絲風草，披靡不堪，徒形其浮薄而已。

何謂蜂腰？書家飛而不白，白而不飛，各有優絀。名人作畫，貴有金剛杵法。用筆能毛，點畫中有飛白之處，細者如沙如石，如蟲嚙木，自然成文。或旁有鋸齒，間露黑綫如劍脊，皆屬筆妙；即容筆有不到，意相聯屬，神理既足，無害于法。淺學之子，未明筆法，一畫一竪，兩端着力，中多輕細，筆不經意，何能力透紙背？又皴法有游絲、鐵綫、大蘭葉、小蘭葉，皆于用筆中間功力有關，宜加細參也。

何謂鶴膝？筆畫停匀，圓轉如意，此爲臨池有得之候。若枝枝節節，一筆之中，忽爾拳曲臃腫，如木之垂癭，繩之纍結，狀態艱澀，未易暢遂，致令觀者爲之不怡，甚或轉折之處，積成墨團。筆滯之因，由于腕弱。凡此諸弊，皆其易知者耳。

欲祛四弊，宜先明乎執筆之法，用筆無不如意。宋黄山谷言：『心能轉腕，手能轉筆，書字便如人意。』古人工書畫者無他异，但能用筆耳。唐宋絹粗紙澀，墨濃彩重，用筆極難，全憑指上之力，沉着而不浮滑。明初吴小仙、郭清狂、張平山、蔣三松，皆入邪魔，戾于正軌。陸暠係吴漁山高足，不能紹其傳者，正以挑筆之故，入于浮滑，由不用中鋒之弊也。筆有巧拙互用，虚實兼到。巧則靈變，拙則渾古，合而參之，可無輕佻溷濁之習。憑虚取神，跖實取力，未可偏廢，乃得清奇渾厚之全。實乃貴虚，巧不忘拙。若虚與拙，人所難知；而實與巧，衆易爲力，行其所易，而勉其所難，思過半矣。

論用筆法，必兼用墨；墨法之妙，全從筆出。明止仲題畫詩云：『北苑貌山水，見墨不見筆。繼者惟巨然，筆從墨間出。』論用墨者，固非兼言用筆無以明之；而言墨法者，不能詳用墨之要，亦不足明斯旨也。清湘有言：『筆與墨會，是爲絪緼。絪緼不分，是爲混沌。闢混沌者，捨一畫而誰耶？』由一畫開先，至于千萬筆，其用墨處，當無一筆無分曉，故看畫曰讀畫。如讀書然，必一字一句，分段分章而詳究之，方能得其全篇之要領。看畫如此，畫之優劣，無所遁形。即臨摹古人，可以知其精神之所屬，不至爲優孟衣冠，徒取其形似。久之混沌鑿開，自成一家。

墨法分明，其要有七：

一、濃墨；

二、淡墨；

三、破墨；

四、積墨；

五、潑墨；

六、焦墨；

七、宿墨。

晉魏六朝，專用濃墨，書畫一致。東坡云：『世人論墨，多貴其黑而不取其光。光而不黑，固爲弃物；若黑而不光，索然無神。要使其光清而不浮，精湛如小兒目睛。』古人用墨，必擇精品，蓋不特藉美于今，更得傳美于後。晉唐之書、宋元之畫，皆垂數百年，墨色如漆，神氣賴之以全。若墨之下者，用濃見水，則沁散湮污，未及數年，墨迹以脱。蓄古精品之墨，以備隨時致用，或參合上等清膠新墨研之，是亦用濃墨之一法。

用淡墨法，或言始于李營丘。董北苑平淡天真，在畢宏上。峰巒出没，雲霧顯晦，嵐色鬱蒼，咸有生意。溪橋漁浦，洲渚掩映，善用淡墨爲多。黄子久畫山水，先從淡墨落筆，學者以爲可改可救。倪雲林多作平遠景，似用淡墨而非淡墨。顧謹中題倪畫云：『初學董源，及乎晚年，畫益精詣，一變古法，以天真幽淡爲宗，要亦所謂漸老漸熟。不從北苑築基，不容易到耳。縱横習氣，即黄子久未能斷。幽淡二字，則吴興猶遜迂翁。』蓋其胸次自别，非謂墨色之淡，頓分優絀。後有全用淡墨作畫者，偶然游戲，未可奉爲正式。至有以重膠和墨，支離臃腫，遂入惡俗，爲可厭矣。

《山水松石格》，傳梁元帝撰，其書真贋，姑可勿論；然文字相承，其來已舊。中言：或難合于破墨，體尚异于丹青。破墨之名，又爲詩文所習見。元人商琦，善用破墨，倪雲林嘗稱之。以淡墨潤濃墨，則晦而鈍；以濃墨破淡墨，則鮮而靈。或言破墨，破其界限輪廓，作疏苔細草于界處，南宋人多用之，至元其法大備。董源坡脚下多碎石，乃畫建康山勢。先向筆畫邊皴起，然後用淡墨破其凹處。着色不離乎此。石之着色重，山石礬頭中有雲氣，皴法滲軟；下有沙地，用淡掃屈曲爲之，再用淡墨破，是重潤渲染，亦即破墨法之一要，以能融洽，能分明，自爲得之。米元章傳有紙本小幅，藏張芑堂家，幅首大行書『芾岷江舟還』三十六字，其畫老筆破墨，鋒鍔四出，實書法溢而爲畫。可知破墨之妙，全非模糊。

積墨法以米元章爲最備。渾點叢樹，自淡增濃，墨氣爽朗。思陵嘗題其畫端云：『天降時雨，山川出雲。』董思翁書《雲起樓圖》。謂元章多勾雲，以積墨輔其雲氣，至虎兒全用積墨法畫雲。王東莊謂：『作水墨畫，墨不礙墨；作没骨法，色不礙色，自然色中有色，墨中有墨。』此善言積墨法者也。至若張彦遠所謂畫雲未得臻妙，若沾濕絹素，點綴輕粉，從口吹之，謂之吹雲。郭忠恕作畫，常以墨漬縑絹，徐就水滌，想像其餘迹；朱象先畫，以落墨絹素後復拭去，再次就其痕迹而圖之，皆屬文人游戲，未可奉爲法則。否則易入魔障，不自知之。

唐王洽性疏野，好酒醺酣後，以墨潑紙素，或吟或嘯，脚蹴手抹，隨其形狀，爲石、爲雲、爲水，應手隨意，倏若造化，圖出雲霞，染成風雨，宛若神巧，俯觀不見其墨污之迹，時人稱曰『王墨』。米元章用王洽之潑墨，參以破墨、積墨、焦墨，故融厚有味。南宋馬遠、夏珪，皆以潑墨法作樹石，尚存古法。其墨法之中，運有筆法。吴小仙輩，筆法既失，承訛習謬，而墨法不存，漸入江湖市井之習，論者弗重。董玄宰評古今畫法，尤深痛惡之。惟善用潑墨者，貴有筆法，多施于遠山平沙等處，若隱若見，濃淡渾成，斯爲妙手。後世没興馬遠之目，與李竹嬾所謂潑墨之濁者如塗鬼，誠恐學者墮入惡道耳。

明顧凝遠謂：『筆墨以枯澀爲基，而點染蒙昧，則無墨而無筆；以堆砌爲基，而洗發不出，則無墨而無筆。』又言：『筆太枯則無氣韵，墨太潤則無文理。用焦墨與宿墨者，最易蹈枯澀之弊。』然古人有專用焦墨或宿墨作畫者。戴鹿床稱程穆倩畫『乾裂秋風，潤含春雨』，乾而以潤出之，斯善用焦墨矣。

古人用宿墨者，莫如倪雲林，以其胸次高曠，手腕簡潔，其用宿墨重厚處，正與青緑相同。水墨之中，含帶粗滓，不見污濁，益顯清華，後惟僧漸江能得其妙。郭忠恕言運墨，于濃墨之外，有時而用焦墨，有時而用宿墨，是畫家墨法，不可不求其備。而焦墨、宿墨，尤以樹石陰處用之爲多。古人言有筆有墨，雖是分説，然非筆不能運墨，非墨無以見筆，故曰：『但有輪廓而無皴法，即謂之無筆；有皴法而不分輕重、向背、明晦，即謂之無墨。』墨中用法，分此數端，神而明之，存乎其人而已。

沈顥言：『筆與墨全在皴法。皴之清濁在筆，有皴而勢之隱現在墨。』米元章言：『王維畫見之最多，皆如刻畫，不足學，惟以雲山爲戲，是其所長。』此唐宋人偏于用筆、用墨之所攸分。元季四家，得筆墨之法，大稱完備。明自沈石田、文徵明而後，多尚用筆；後人枯硬乾燥一流，索然無味。董玄宰出，其畫前摹董、巨，後法倪、黄，墨法之妙，尤爲獨得。隨手拈來，氣韵生動，墨之鮮彩，一片清光，奕然宜人，海内翕然從之，文、沈一派遂塞。婁東、虞山，奉玄宰爲開堂説法祖師，藩衍至今，宗風未没。然董畫墨法，多作兼皴帶染，已非宋元名人之舊。至僧介丘、釋清湘，稍稍志于復古，上師梅道人，而溯源于董、巨，南宗一派，神氣爲之一振。旨哉！清湘謂爲畫受墨，墨受筆，筆受腕，腕受心，如天之造生，地之造成。筆墨之功，先師古人，又師造化，以成大家，爲不難矣。

* 原文一九三四年連載于《國畫月刊》。本文録自一九九四年人民美術出版社出版《黄賓虹美術文集》。

論中國藝術之將來*

歐風墨雨，西化東漸，習佉盧蟹行之書者，幾謂中國文字可以盡廢。古來圖籍，久矣束之高閣，將與土苴芻狗委弃無遺；即前哲之工巧伎能，皆目爲不逮今人，而惟歐日之風是尚。乃自歐戰而後，人類感受痛苦，因悟物質文明悉由人造，非如精神文明多得天趣，從事搜羅，不遺餘力。無如機械發達，不能遽遏，貨物充斥，供過于求，人民因之乏困不能自存者，不可億萬計。何則？前古一藝之成，集合千百人之聰明材力爲之，力猶虞不足。方今機器造作，一日之間，生産千百萬而有餘。況乎工商競争，流爲投機事業，贏輸晌息，尤足引起人欲之奢望，影響不和平之氣象。故有心世道者，咸欲扶偏救弊，孳孳于東方文化，而思所以補益之。國有豸乎，意良美也。

夫中國文藝，肇端圖畫。象形爲六書之一，模形尤百工之母。人生童而習之，及其壯也，觀摩而善，至老弗衰，優焉游焉，葳焉修焉，不敢躐等，幾勿以躁妄進。故言爲學者，必貴乎静；非静無以成學。國家培養人材，士氣尤宜静不宜動。七國暴亂，極于嬴秦。漢之初興，有蕭何以收圖籍，而後叔孫通、董仲舒之倫，得以儒術飾吏治，致西京于郅隆。至于東漢，抑有盛焉。六朝既衰，唐之太宗，文治武功，彪炳千古。當時治績，有『左相宣威沙漠，右相馳譽丹青』之美。圖籍，微物也，干戈擾攘，不使與鐘鐻同銷；丹青，末技也，廊廟登庸，可以并圭璋特達。蓋遏亂以武，平治以文，發舉世危亂之秋，有一二扶維大雅者，斡旋其間，雖經殘暴廢弃之餘，而文藝振興，得有所施設。故稱太平之治者，咸曰漢唐。宋初取士，謂天下豪杰盡入彀中，無他，能令士子共安于學業，消彌其躁動之氣于無形，斯治術也。嗟乎！漢唐有宋之學，君學而已。畫院待詔之臣，一代之間，恒千百計，含毫吮墨，匍伏而前，奔走駭汗，惟一人之愛憎是視，豈不可興浩嘆！

漢武創置秘閣，以聚圖書。明帝雅好丹青，别開畫室，又創立鴻都學，以集奇藝，天下之藝雲集。毛延壽、陳敞、劉白、龔寬畫人物鳥獸，陽望、樊育兼工布色，是爲丹青畫之萌芽。後漢張衡、蔡邕、趙岐、劉褒，皆文學中人，可爲士夫畫之首倡者也。而劉旦、楊魯，值光和中，待詔尚方，畫于鴻都學，是即院畫派之創始。晋魏六朝，顧愷之、陸探微、張僧繇、展子虔，雖多畫人物，而張僧繇畫没骨山水，展子虔寫江山遠近之勢，是爲山水畫之先聲，其人皆士夫，未得稱爲院派。唐初閻立德、立本兄弟，以畫齊名，俱登顯位。吴道子供奉時爲内教博士，非有詔不得畫。至李思訓、王維，遂開南北兩宗，而北宗獨爲院畫所師法。宋宣和中，建五岳觀，大集天下畫史，如進士科，下題掄選，應詔者至數百人，多不稱旨。夫以數百人之學詣，持衡于一人意旨之間，則倖進者必多阿諛取容，恬不爲耻，無怪乎院畫之不足爲人珍重之也。

昔米元章論畫，嘗引杜工部詩謂薛少保稷云：『惜哉功名忤，但見書畫傳。』杜甫老儒，汲汲于功名，豈不知有時命，殆是平生寂寥所慕。嗟乎！五王之功業，尋爲女子笑。而少保之筆精墨妙，摹印亦廣，石泐則重刻，絹破則重補，又假以行者，何可數也。然則才子鑒士，寶鈿瑞錦，纅襲數千，以爲珍玩，視五王之煒煒，皆糠粃埃壒，奚足道哉！夫閻立本之丹青，尚足與『宣威沙漠』者并重，固已甚奇，而薛稷之筆墨，至視五王之功業，尤爲可貴。雖米氏特高其位置，然則畫者之人品，不可輕自菲薄，于此可知矣。畫之優劣，關于人品，見其高下。文徵明有自題其米山曰：人品不高，用墨無法。乃知點墨落紙，大非細事。必須胸中廓然無物，然後烟雲秀色，與天地自然湊合。若是營營世念，澡雪未盡，即日對丘壑，日摹妙迹，到頭只與圬墁之工争巧拙于毫厘。急于沽名嗜利，其胸襟必不能寬廣，又安得有超逸之筆墨哉？

然品之高，先貴有學。李竹嬾言：學畫必在能書，方知用筆。其學書又須胸中先有古今；欲博古今，作淹通之儒，非忠信篤敬，植立根本，則枝葉不附。斯言也，學畫者當學書，尤不可不先讀古今之書。善讀書者，恒多高風峻節，睥睨一世，有可慕而不可追；使其少貶尋尺，俯眉承睫之間，立可致身通顯。惟以孤芳自賞，偃蹇爲高，磊落英彦，懷才不遇，甘蜷伏于丘園，徒弦誦歌咏以適志，或抒寫其胸懷抑鬱之氣，作爲人物山水花鳥，聊以寓興托意，清畏人知，雖湮没于深山窮谷之中，常遁世而無悶。後之稱中國畫者，每薄院體而重士習，非以此耶？

善哉！蒙莊之言曰：宋元君有畫者，解衣槃礴，旁若無人，是真畫者。世有庸俗之子，徒知有人之見存，于是欺人與媚人之心勃然而生。彼欺人者，謂爲人世代謝，吾當應運而興，開拓高古胸襟，推倒一時之豪杰，前無古人，功在開創。充其積 弊，勢必任情塗抹，膽大妄爲。其高造者，不過如蔣三松、郭清狂、張平山之流，入于野狐禪而不覺，當時雖博盛名，而有識者訾議之。彼媚人者，逢迎時俗，塗澤爲工，假細謹爲精能，冒輕浮爲生動，習之既久，罔不加察。其尤甚者，至如雲間派之流于凄迷瑣碎，吴門派之入于邪甜俗賴，真賞之士，皆不欲觀，無識之徒，徒嘖嘖稱道。筆墨無取，果何益哉！所以爲人爲己，儒者必分，宜古宜今，學所不廢，藝之貴精，法其要也。清湘老人有言：古人未立法以前，不知古人用何法；古人既立法以後，後人即不能出古人之法。法莫先于臨摹，然臨畫得其意而位置不工，摹畫存其貌而神氣或失。人既不能捨臨摹而别求急進之方，則古今名賢之真迹，遍覽與研求，尤不容緩。采菽中原，勤而多穫，不可信乎？

雖然，時至今日，雖言之矣。古者公私收藏，傳諸載籍，指不勝僂。廊廟山林，士習作家，巨細穠纖，各極其勝。多文曉畫者，形之于詩歌，筆之爲記述，偏長薄技，爲至道所關。如韓昌黎、杜少陵、蘇東坡等詩文集，皆能以詞章發揚藝事。而名工哲匠，又往往得與文人學士薰陶，以深造其技能，窮畢生之專精，垂百世而不朽。其成之者，非易易也。自歐美諸邦，羡艶于東方文化，歷數十年來，中國古物，經舟車轉運，捆載而去。其人皆能辨别以真贋與工藝之優劣。故家舊族，罔識寶愛，至飄零异域，不知凡幾。習藝之士，悉多向壁虚造，先民矩矱，無由率循。甚或用夷變夏，侈胡服爲識時，襲謬承訛，飲狂泉者舉國。此則嚴怪、陸痴，共肆其狂誕，閔貞、黄慎，適流爲惡俗而已。滔滔不返，寧有底止？挽回積習，責無旁貸，是在有志者努力爲之耳。

自古南宗，祖述王維，畫用水墨，一變丹青之舊，肇自然之性，成造化之功，六法之中，此爲最上。李成、郭熙、范寬、荆浩、關仝遞爲丹青水墨合體，畫又一變。董源、巨然作水墨雲山，開元季黄子久、倪雲林、吴仲圭、王山樵四家，又一變也。學者傳摹移寫，善寫貌者貴得其神，工彩色者宜兼其韵，要之皆重于筆墨。筆墨歷古今而不變，所變者，形貌體格之不同耳。知用筆用墨之法，再求章法。章法可以研究歷代藝術之遷移，而筆法墨法，非心領神悟于古人之言論，及其真迹之留傳，必不易得。荆浩言：吴道子有筆無墨，項容有墨無筆。董玄宰言：一種使筆，不可反爲筆使；一種用墨，不可反爲墨用。筆以立其形質，墨以分其陰陽。圖畫悉從筆墨而成，格清意古，墨妙筆精，有實則名自得，否則一時雖獲美名，久則漸銷。所謂譽過其實者，不揣其本而齊其末，徒斤斤于形象位置彩色，至于奥理冥造，妙化入神，全不之講，豈不陋哉！况夫進契刀爲柔毫，易竹帛而楮素，彩繪金碧，水暈墨彰，中國圖畫又因時代嬗變，藝有特長，各擅其勝。至于丹青設色，或油或漆，漢晋以前，已見記載。界尺朽炭，矩矱所在，俱有師承，往籍可稽，無容贅述。泰西繪事，亦由印象而談抽象，因積點而事綫條。藝力既臻，漸與東方契合。惟一從機器攝影而入，偏拘理法，得于物質文明居多；一從詩文書法而來，專重筆墨，得于精神文明尤備。此科學、哲學之攸分，即士習、作家之各判。技進乎道，人與天近。世有聰明才智之士，駸駸漸進，取法乎上，可毋勉旃。

* 原文一九三四年載于《美術雜志》。本文録自一九九九年上海書畫出版社出版《黄賓虹文集》。

致治以文説*

古者圖畫之作，所以明政教、覘風化也。七國戰亂，終誅暴秦。漢興，蕭何收秦圖籍，以成兩京之盛。唐承六代，統一區宇，時用姜恪、閻立本，有『左相威宣沙漠，右相馳譽丹青』之謡。至今言隆平之世者，號稱漢唐。夫戡亂以武，致治以文，文治之興，莫先圖畫。聖賢仙釋，河岳宫室，靡不有圖；草木蔬果，蟲魚鳥獸，悉形諸畫。宋圖《流民》之軸，元畫《豳風》之詩，貢之朝廷，因知民間疾苦。是故廟堂之上，獎勵藝事，設畫院以試士。士大夫之蓄道德、能文章者，如韓昌黎、杜少陵、蘇東坡諸公，無不曉畫。元季倪雲林幽淡天真，脱去縱横習氣，江東之家以有無爲清俗；黄大痴稱董北苑無半點李成、范寬俗氣。至米南宫父子，始有雅格。畫有雅俗之分，在筆墨，不在章法；章法可以臨摹，筆墨不能强勉。畫中筆墨，本源書法，篆隸真行，各有師授。書法精妙，彰于金石，彝器碑碣，神采斐然，古人詳諸記載，發爲文辭。道形而上，藝成而下。兼該并舉，悉悉相通，書味盎然，是謂文人之畫。身居市朝，志樂林泉，而後知以道義爲高，貪污可耻，人人有止足之心。前清叔季，使臣駐節各國，遇有畫會展覽之舉，嘗不過問，歐美記者，刊登報章，以爲顯貴仁宦，猶無愛美觀念，衆所不齒，可爲浩嘆。今則東方文化，駸駸西漸，而中國學者不深猛省，怵他人之我先，將自封其故步，非確加誠實之研究，無以保固有之榮光。凡我同志，盍興乎來！

* 原文一九三四年載于《國畫月刊》創刊號。本文録自一九九九年上海書畫出版社出版《黄賓虹文集》。

國畫理論講義*

緒言

人之初生，在襁褓中，未能言語，先有啼笑。見燈日光，啞啞以喜，置之暗室，呱呱而泣，晦明既辨，即分黑白。黑白者，色相之本真，其他不過日光之變化，皆僞幻耳。圖畫丹青，本原天造。準繩規矩，類屬人爲。人與天近，天真發露，極乎文明，畫事爲最。古人小學，初言灑掃，畫沙漏痕之妙，寓乎其間，因開書畫之法。從事學畫，研磨丹墨，懸肘中鋒之力，習于平時，用明筆墨之法。六書假借，隸變古籀，諧聲會意，漸廢象形。畫論貌似神似，作家士習，由此而分。寫實摹虚，以備章法。專言章法，不求筆墨，派别門户，由此歧分。教者畫成，各有面貌，筆墨章法，自必完全。學畫之先，筆法易明，稍加用功，即可貌似。徒求貌似，不明筆墨，徒習何益？畫之要旨，人巧天工而已。老子言『道法自然』，莊子云『技進乎道』。論者謂孔孟悲天憫人，一車兩馬僕僕諸侯，徒勞無益，因激忿而爲離世樂天之語，所謂『老莊告退，山水方滋』者也。晉代王羲之書，謝靈運之詩，多托情于山水，當代士大夫能畫者已衆。唐畫分十三科，山水爲首，界畫打底。畫言立法，事雖勉强，辛勤勞苦，功在力行，行之有得，樂在其中。古來爲聖爲賢，成仙成佛，其先習苦，莫不憂勤惕慮，朝夕孜孜，及其道成，皆有優游自得之樂。莊子云栩栩之蝶，蝶之爲蟻，繼而化蛹，終而成蝶飛去凡三時期。學畫者師今人、師古人、師造化，亦當分三時期。師今人者，練習技術方法；師古人者，考證古今源流；師造化者，融合今人古人，參悟自然真趣。如此有得，始克成家。古今畫評，皆論賞鑒古今藝成之作，非示初學途徑。學者初師今人，授以口訣；繼師古人，重在鑒别；終師造化，窮極變化，循序而進，以底于成。吴道子初師從張旭，學書不成，去而學畫。楊惠之學畫不成，去而學塑，亦可成名。成與不成，全關功候，昔人造就，確有平衡。否則欲速成名，未盡研求，徒憑臆説，離經叛道，不學無術，妄議是非，識者嗤之。

道在上古，結繩畫卦，書畫同源。兩漢三唐，貴族薦紳莫不曉畫。趙宋而後，文武分途，人罕識字，畫多獷悍，遂流江湖。宣和院體，專事細謹，又淪市井。蘇、米崛起，書法入畫，士夫之學，始有雅格。淺人膚學，廢弃名作，非謂鑒賞，玩物喪志，即言畫事，是文人游戲。米元章亦云人物花鳥，貴族玩賞，爲不重視。而《北風》《雲漢》，有關人心世道，宜有真知，但喜人物花鳥，不明山水畫之陰陽顯晦能合變化虚靈，無以悟名理之妙，與宙合之觀。筆墨流美，遠追金石篆隸。然非研幾，優絀不分，世好多殊，畫事以墜。自李漁刻《芥子園畫譜》，筆墨之法，學無師承。歐化影印盛行，人事機巧，過于發露，而天然古拙，無復領悟，聰明自逞，愈工愈遠。或有時代性者如芻狗，無時代性者爲道母；道之所在，循流溯源，史傳記載，古今品評，貫徹會通，庶可論畫。筆墨章法，先從矩矱，由生而熟，歸于變化，學期有成，成爲自然，可勉而至。若有未成，互相勸戒，精益求精，不自滿足。此師儒之責，亦學者宜勉也。

本源

自來書畫同源。書是文字，單體爲文，孳生爲字，以加偏旁。文字所不能形容者，有圖畫以形容之，尤易明曉。故圖畫者，文字之餘，百工之母也。今求學畫之途徑，非討論文字，無以明畫之理，非研究習字，無以得畫之法。畫家古今之史傳，真迹之記載，名人之品評，天地人物，巨細兼該，皆詳于文字。學畫之用筆、用墨、章法，皆原于書法。捨文字書法，而徒沾沾于縑墨朱粉中以尋生活，適成其爲拙工而已，未可以語國畫者也。

精神

人生事業，出于精神，先于立志，務争上流。學乎其上，得乎其次。有志者事竟成。語云：天下無難事，只怕用心人。專心練習，不入歧途，前程遠大，無不可到。古代名手，朝斯夕斯，功無間斷，必爲真知篤好。百折不撓之人，雖或至于世俗之所訕笑，而不之顧。學以爲己，非以爲人。一存枉己徇人之見，急于功利，廢自半途；往往聰明才智之士，敏捷過人，而多蹈此迷誤，終身門外，豈不可惜。昔吴道子學書不成，去而學畫。楊惠之學畫不成，去而學塑。立志爲學，務底于成，量力而行，不爲廢弃，方可不負一生事業。此精神之宜振作，尤當善爲愛護其精神，慎不鄰于誤用也。

品格

以畫傳名，重在人品。古今技能優异，稱譽當時者，代不乏人，而姓氏無聞，不必傳于後世。以其一藝之外，别無所長，庸史之多，不爲世重，如朝市江湖之輩，水墨丹青，非不悦俗，而鑒賞精確者，恒唾弃之。古有蘇東坡、米海岳、趙松雪、徐天池，詩文書畫，莫不兼長，墨迹流傳，爲世寶貴。又若忠臣義士、高風亮節之士尤爲足珍。此論畫者固以人重，而其人之畫，亦必深明于理法之中，故能超出乎理法之外，面目精神自然與庸衆殊异。特淺人皮相，不點俗目，往往見之駭詫，以爲文人之游戲如此，心不之喜。而不學之文人，又藉此以爲欺世盗名，極其卑下，可勝慨哉！

學識

古人立言垂教，傳于後世。口所難狀，手畫其形，圖寫丹青，其功與文字并重。人非生知，皆宜有學，成己仁也，成物智也。《大學》言：格物致知。《中庸》曰：好學近乎智。《説苑》亦云：以學愈愚。學問日深，則知識日廣，故孔子論爲學之序，必先智者不惑，而仁勇之事，尤非智者不能爲。孔子又曰：好智不好學，其蔽也蕩。子貢曰：學不厭智也。人生于世，惟學可以化爲智，而智者更當好學而無疑矣。

立志

學以求知，先别品流。志道據德，依仁游藝，成于自修。出而用世，可以正人心，端風化，功參造化，兼善天下，此其上也。博綜古今，師友賢哲，狂狷自喜，淡泊可安，不阿時以取容，無矯奇而立异，窮居野處，獨善其身，此其次也。至若聲華標榜，利禄馳驅，憑榮辱于毁譽，泯専壹之趣向，觀乎流品，畫已可知。是以畫分三品，曰神，曰妙，曰能。三品之上，逸品尤高。有品有學者爲士夫畫，浮薄入雅者爲文人畫，纖巧求工者爲院體畫。其他詭誕争奇，與夫謹愿近俗者，皆江湖、朝市之亞，不足齒于藝林者也。此立志不可不堅也。

練習

釋清湘云：古人未立法以前，不知古人用何法；古人既立法以後，學者不能離其法。畫之法有三：曰筆法，曰墨法，曰章法。初由勉强，成乎自然。老子言：聖人法天，天法地，地法道，道法自然。因天地之自然，施人力之造作，應有盡有，應無盡無，如錦綉然，必加剪裁，而後可成黻冕。語曰『江山如畫』，正謂江山本不如畫，得有人工之采擇，審辨其入畫之處而裁成之。此畫之所由寶貴也。

涵養

董玄宰言：讀萬卷書，行萬里路，乃可作畫。畫學之成，包涵廣大。聖經賢傳，諸子百家，九流雜技，至繁且賾，無不相通。日月經天，江河行地，以及立身處世，一事一物，莫不有畫；非方聞博洽，無以周知，非寂静通玄，無由感悟。而况乾坤演易，理貫天人。書畫同源，探本金石，取法乎上，立道之中，循平實而進虚靈，遵準繩以臻超軼，學古而不泥古，神似而非形似，以其積之有素，故能處之裕如焉。

成就

古人爲聖爲賢，成仙成佛，其先習苦，莫不有憂勤惕厲之思。及至道成，又自有其掉臂游行之樂。莊子云：栩栩然之蝶。蝶之爲蟻，繼而化蛹，終而成蛾飛去，凡三時期。學畫者師今人不若師古人，師古人不若師造化。師今人者，食葉之時代；师古人者，化蛹之時代；師造化者，由三眠三起，成蛾飛去之時代也。當其志道之初，朝斯夕斯，軋軋終日，不遑少息，藏焉修焉，優焉游焉，無人而自得，以至于成功，其與聖賢仙佛無异。雖然，君子擇術，慎于始基。昔趙子昂畫馬，中峰大師勸其學爲畫佛。此則據德依仁，亦立言垂教之微旨也。游藝之士，可忽乎哉！

* 原文爲國立北平藝術學校講義稿。本文録自一九九九年上海書畫出版社出版《黄賓虹文集》。

畫學南北宗之辨似*

中國畫藝，興盛唐宋，至元代而極神明。明初朝野從風，士夫崇尚翰墨，莫不通曉六法。寖臻二百餘年，能事輩出，而趨向愈歧。自董玄宰推尚南宗，斥黜馬夏，于是言畫者不事北宗而稱董巨。及元季四家以南宗爲中正而無弊。南宗固爲中正，苟吾人之心，于辨似有未明，則不學南宗而弊，即學南宗而亦弊。華亭而後，婁東、虞山，積習相沿，日益靡蒽，淺嘗者不研求其所以然，以爲南宗固如此也，至使才高意曠之輩，隘視前哲，庸史俗目，輒相誹笑，而浮弱空疏之士，又從而争托之。在學南宗者，既以門外嫚罵北宗爲叛道，漫不自省，而門以内又各挾其偏近之見，自成流派，滔滔不已，江河日下。今欲爲畫學振興宗法，必當先袪吾心之蔽，即由南北二宗神似貌似而先辨之。

唐宋畫家分南北二宗之旨

南北分宗之説，時賢皆信爲起于明季，具有確證。明人謂畫之南北二宗，唐時始分，王維、李思訓，各爲鼻祖。初不過欲爲水墨，丹青分派。丹青有迹象，水墨多脱化，以比禪宗之神秀、慧能。此董玄宰所稱書畫禪之旨。先是王鏊題右丞畫詩云：『吳生落筆風雨快，坡公第一推神怪。猶于維也無間言，閑遠當求之象外。』蓋以東坡推重道子，不及崇尚右丞。唐之王維，似已在吳道子畫聖之上。北宋李成畫寒林霽雪諸圖，皆師右丞。李成師王維，猶關仝師荆浩，巨然師董源，無以异之。王蒙題范寬《烟嵐秋曉》詩云：『范寬墨法似營丘。』《書畫舫》言：郭熙《溪山行旅圖》畫法，源出李成。宋人學李成，已有范寬、郭熙。學李成即宗王維也。襄陽《畫史》言：李成師荆浩，未見一筆相似。又云范寬師荆浩，乃是少年所作。論李成、范寬亦師荆浩，意猶有未足。《畫鑒》云：荆浩山水爲唐末之冠，關仝嘗師事之。關仝工于枯木，用粗筆。李成妙于寒林，用細筆。李成、郭熙能以丹青水墨爲合體，不少露痕迹。凡此數家，皆犖犖其大者。觀其异同之大端，而師法未嘗不合矣。自沈括言董源多寫江南真山，不爲奇峭之筆，其後僧巨然祖述源法，皆臻妙理。米元章議論唐畫山水，至宋始備，如源又在諸公之上。由是宋人多祧荆關而祖董巨，惟董源、李成、范寬，三家鼎立，各有入室弟子。董玄宰酷好北苑畫迹，嘗因顧仲方言，得董源《溪山行旅圖》，又得莫雲卿故物郭熙《溪山秋霽圖》。玄宰之尚南宗，實顧、莫二君爲開之先，玄宰因而稱述之。至于李思訓金碧山水，爲一家法，丹青之妙，尤爲獨步。宋王詵、趙伯駒輩師法之者，咸以着色山水擅名于時。其後畫院中人展轉臨摹，尤易逼肖。有明中葉，吴門、浙西，畫史紛紜，多蹈斯習，成爲流弊。華亭崛起，而思有以救正之，遂以北宗稱庸手，南宗號士夫，類爲區别。其初無南北宗之分，可斷言已。

神似貌似分南北宗派之非

薪非火不燃，火非薪無附。古迹之留傳，皆後學之模楷。要其精神所寄，綿綿不絶，經千百載，楮素可弊，而精神不磨。有精神而後氣韵可生動。畫者以理法爲鞏固精神之本，以情意爲運行精神之用，以氣力爲通變精神之權。理法當兼情意與氣力而言。理法似當，而情意不順，氣力不行，其理法猶未足也。削方竹杖，漆斷紋琴，非無理法，而情意乖矣。斷鶴項長，續鳧頸短，非無氣力，而理法蔑矣。法在理之中，意在情之中，力在氣之中，含剛勁于婀娜，化腐敗爲神奇，可以守經，可以達權。晋顧愷之博學有才氣，丹青亦造其妙，筆法如春蠶吐絲，初見甚平易，且形似時或有失，細視之六法兼備。隋董展與展子虔齊名，以才藝稱鄉里，號爲智海，曾作道經變相，爲時所稱，論者謂非畫外有情，參靈酌妙，入華胥之夢，與化人同游，何以臻此。此唐以前畫家，已不斤斤于形似，而以畫外有情爲高。故王維之雪裏芭蕉，李思訓之烟霞縹緲，在精神而不在迹象。畫之貴于神似者以此。

畫由形似進于神似而後可不求形似

東坡詩曰：作畫以形似，見與兒童鄰。原謂畫不徒貴有其形似，而尤貴神似。不求形似，而形自具，非謂形似之可廢，而空言精神，亦非置神似于不顧，而專工形貌。夫學有取于今人者，繪畫相傳，本由口授。芥子園、十竹齋之畫譜行，而口授諸法，因之失傳，點石、金縮、珂珞諸印刷行，而按譜分功之法亦廢。誠以進業有步驟，不容躐等于其間。筆法墨法，詳于書法評論之中。書畫同源，功在隅反。有文人之畫，貴其能讀古今評論書畫諸編也。有畫家之畫，貴其明點畫波磔、古今相傳秘鑰也。有金石家之畫，貴其探源籀古篆隸之迹，取法高遠也。無論縉紳廊廟、山林隱逸，必以多見公私收藏，遠涉山川奇險，師古人兼師造化，是爲得之。至若畫家之畫布置工穩，設色鮮明，極意臨摹，非無酷肖，苟能與文人學士薰陶砥礪磋磨，不難駸駸而及乎古。否則太倉之粟，陳陳相因，黄茅白葦，一望皆是，專存皮相，奚區優劣！古人所謂學者如牛毛，獲之如麟角。才藝出衆之士，代不數人。顧、陸、張、展而下，王維、李思訓分宗，五代北宋，李成、郭熙、范寬、荆浩、關仝、董源、巨然 凡七家，南宋劉、李、馬、夏，元之房山、漚波、倪、黄、吴、王，皆能神似古人，不爲形似，卓然大家。明之沈周，師法吴沙彌，文徵明師法趙松雪，上窺唐宋奥窔，唐寅師法李晞古，仇英師法劉松年，雅有筆墨圓潤。董玄宰師法董源，樹石幽閑，峰巒清勝，力挽吴門板刻、浙水霸悍之習，排斥畫工院體，力主南北二宗之説，提倡中正無弊之學，所惜雲間一派，適有所偏，凄迷瑣碎，不爲世重。清暉、清湘，真贋莫辨，傳摹移寫，相習成風，閭閻之子，易于摹仿，遂令董巨筆墨，渾厚華滋，畫學正傳，廢置不講。即如毗陵鄒衣白、惲香山，晚明遺逸，新安四家真迹，見者猶罕。揚州流寓，有華新羅、方循遠、羅兩峰，頗爲近古。其餘記傳著録，姓氏雖繁，詩文之士，偶一涉獵，率加評語，疵謬叢出，不圖振刷，今猶墨守南北分宗之説，議論妍媸，不亦顛乎！

* 原文一九三九年載于《中國文藝》，署名向予。本文録自一九九九年上海書畫出版社出版《黄賓虹文集》。

論道咸畫學*

天地大自然之間，生有人類。凡有機物、無機物，皆爲人用；有綜合以總其成，有分析以窺其微，而補天地之缺陷。剪裁工作，盡于善矣，繪畫之事，此其先務。

人生未能言語，知有明暗，上古深居穴處，在森林岩洞中，昏暗不明，鑽燧取火，可代日月星辰。漁獵時代茹毛飲血，丹青二色，用之記數。河圖洛書，一爲起點，三五錯綜，以生變化，積點成綫，有綫條美。文字孳生，原形聲誼，書法藝成，有真内美。繪畫之工，屬于書、數。六藝之中，書、數二者，是爲民學；封建時代，禮、樂、射、御，天子之事，各有職官。繪畫丹青，用于器物，鑄金刻玉，陶瓦泥封，類爲圖騰，國邑氏族，職工人名，假借標幟，詼奇瑰异，易于辨别；不盡神話，山海圖經，羽翼經史，著之竹帛。設官分職，時有不同。春秋戰國，史既有闕。周秦諸事，學有專師，咸陽一炬，百無一存。兩漢諸儒，微言大義，集公羊傳。至清道咸，其學大昌。金石之學，始于宣和，歐、趙爲著；道咸之間，考核精確，遠勝前人。中國畫者亦于此際復興，如包慎伯、姚元之、胡石查、張鞠如、翁松禪、吴荷屋、張叔憲、趙撝叔，得有百人，皆以博洽群書，融貫今古，其尤顯者，畫用水墨。自北宋人言六法，而墨法始備，至南宋衰微，元人復起，不久澌滅。楊保緒濟言：『明文、沈無筆，玄宰無墨。』著述于書，識者韙之。誠以其能窺北宋畫家墨妙，得其秘鑰，雖明猶有未盡。然而明至啓禎，師北宋畫，筆遒法勁，多未易及，而墨法亦有合者；但未若道咸時學者之精到。國畫民族性，非筆墨之中無所見，北宋畫『渾厚華滋』四字可以該之。深明其意，觀坡公詩，與米自稱其畫語可知矣。

* 本文録自一九九四年人民美術出版社出版《黃賓虹美術文集》。

文字書畫之新證*

中西學術溝通，近數十年，中國文物發現前古，裨益世界文化，不爲不多。有如洹水甲骨，西陲簡牘，以及周秦漢魏陶瓦髹漆、泉幣古印；六朝三唐寫經佛像、書畫雜器，椎拓影印，工技精良。歐美學者，若法蘭西之拉克伯里，著解《易經》，有《説離卦》；近人劉氏師培試用其例，以解坤、屯二卦，著《小學發微》。英吉利之考齡，美利堅之查爾，所得甲骨文字殘片，藏于英美博物院；坎拿大之明義士，有自述篇文。海外名人輩起，一時中國碩儒俊彦，若孫詒讓、羅振玉、王國維、郭沫若諸氏，俱多著作，先後響應，班班可考，何其盛也。文字圖畫，初非有二，六藝之中，分言書數，支流派别，實爲同源。金文亞形，陽款陰識，古之國族，今稱圖騰。璽印出土，文字繁多，書畫錯綜，合于一器，詼奇瑋异，不減卜辭。蝌蚪蟲魚，實侔孔壁，經傳諸子，可資佐證，前人未睹，誠爲缺憾。昔謂蠻夷，亦言戎殷，方國都邑，移易姓氏，垂諸後世，有迹可尋，似宜紬繹，廣爲傳古。春秋戰國，此數百年，關係學術，尤屬重要。文藝流美，非徒見三代圖畫而已。

夏禹九鼎，圖形魑魅；屈原《天問》，畫壁祠堂；老莊告退，山水方滋；蘇、米以來，士夫甚盛。分朝、夕、午三時山，即歐畫之言光綫焦點，猶中國畫之論筆墨。米虎兒筆力扛鼎，作《突鶻圖》；黄大痴墨法華滋，烟雲供養，無非心師造化，寄情毫素，不屑巧合時趨，求悦俗目也。

古之論畫者，必超然物外，稱爲逸品。作畫言理法，已非上乘，故曰『從門入者，不是家珍』。畫者處處講法門，竭畢生之力，兀兀窮年，極意細謹，臨摹逼真，不過一畫工耳。唐宋以前，上溯三代，古之君相，至卿大夫，莫不推崇技能，深明六藝，道形而上，藝成而下，學者志道據德，依仁游藝，通古而不泥古，非徒拘守矩矱，致爲藝事所縛束，人人得其性靈之趣，無矯揉造作之譏。韓非子言畫篋者，其虛空之處望之如成龍蛇。莊子云：宋元君畫者，解衣槃礴，旁若無人。其氣概自异于庸常。而上焉者，好善而忘勢，下焉者，安貧而樂道，豈不懿歟！未易幾也。

雖然，藝術特出之人材，尤多造就于世運顛連之際，而非成于世宇全盛之時。唐之天寶，王維、李思訓、吴道子，皆杰起之大家，五季有荆、關、董、巨，元季有倪、吴、黄、王，明代啓禎忠節高隱之士，實繁有徒。清室咸同，金石學盛，畫事中興，名賢輩出，垂譽藝林，後先濟美。今之學者，雖際時艱，宜加奮發。况乎畫傳、畫評、畫考諸書，著作如林，膚雜濫竽，恒多偏毗，舛謬相仍，亟應糾正。邪甜俗賴，趨向末端。直諒多聞，集思廣益，尤望博雅君子，儒林文人，進而教之，歸于一是。將見喬光异彩，照耀今古，繼往開來，振興邦國，而無難已，可不勉哉！

* 本文録自一九九四年人民美術出版社出版《黄賓虹美術文集》。

說蝶*

自來言文藝之美善，輒云妙極自然，功參造化，而于卑卑無甚高論者，譏之曰『夏蟲不可以語冰』。夫以天地之大，萬匯之衆，一事一物，觀乎其微，周旋動作，而至道存焉。今當三月之辰，嚴寒已過，時漸晴和，小步庭除，百卉草木，萌芽甲坼，轉眴之間，水涘山陬，千紅萬紫，繽紛掩映，鳥語花香，無非圖畫。文人墨客，命儔嘯侶，著爲詞翰，形于丹青，對此韶光，良可興感。吾方蜷伏蘧廬，雜蒔花竹，琴書几榻，生趣盎然。際兹春暖，有蝶栩栩而來，勝于名園淥水，流覽籠中鸚鵡，沼上鴛鴦，攘攘熙熙，更覺幽静。緬懷莊周，手携《南華》一卷，固天壤之奇文，亦藝圃之先導也。

《莊子》：莊周夢爲蝴蝶，栩栩然蝴蝶也，自喻適志歟，不知周也。俄而覺則蘧然周也，不知周之夢爲蝴蝶歟，蝴蝶之夢爲周歟？周與蝴蝶則必有分矣，此之謂物化。

劉宋謝逸有蝶詩三百首極佳，時稱謝蝴蝶。唐滕王元嬰畫《蛺蝶圖》，有江夏斑、大海眼、小海眼、農村來、菜花子諸名目。宋鄧椿嘗言：多文曉畫。是古人深明畫旨者，宜莫蒙莊若也。其夢爲蝴蝶，讀其文，不啻爲畫中人也。蝶之爲物，自蟻而蛹，及于成蛾，凡三時期。學畫者必當先師今人，繼師古人，終師造化，亦分三時期。溯自負笈從師，藝術法門，筆墨多方，均由口授，猶蝶之爲蟻孵化之時期也。選種擇良，資尚聰强，獲益師友，宜師今人，此其初步。進于高遠，臨摹真迹，博通名論，以擴其聞知，猶蝶之爲蛹，三眠三起，食葉成繭之時期也。雖或不免規矩準繩，苦于自縛，學之有成，漸能脱化，宜師古人，此其深造。學由人力，妙合天工，入乎理法之中，超乎迹象之外，游行掉臂，瀟灑自如，猶蝶之蜕化，栩栩欲仙之時期也。畫有縱横萬里，上下千年，全師造化，自成一家。如宋元君之畫者，解衣槃礴，旁若無人，不枉己以徇人，而復可抱道自重。如楚郢大匠，運斤成風，斫堊而不傷鼻，而後可一氣呵成，不爲枝節之學。技進乎道，豈徒繪事然耶！否則師心是用，矜誇創作，聲華相尚，意甚自豪，比之魏收之作魏書，乃云何物小子，敢與老夫作對，揚之則升天，抑之則下地，非不得意一時，而後世目爲穢史。井蛙自大，徒貽驚蛺蝶之譏，是則士者之所羞稱，學者所當深戒也。抑又聞之羅浮香雪海，常有仙蝶，耐兹歲寒，往來于千百梅花樹下，致與白猿、玄鶴争年壽之久長，是蝶之不獨飛揚于春光明媚之時。容或寓物適志，澄懷觀化，其小喻大，知豈有涯哉！

* 本文録自一九九九年上海書畫出版社出版《黄賓虹文集》。

弈通略説*

民族精神，關係文化，依仁游藝，至與天地合德。弈之爲數，本周天三百六十度，畫爲方格，棋子用圓，而格用方。繪畫柔毫，筆管用圓，縑楮用方，同法天地，當無以异。棋子黑白二色，畫言丹青，其實黑白爲真，五色七色，不過借太陽之光，以成色彩，入夜星月燦爛，天地之間，只黑白耳。用是畫理弈理，可合參焉。

一　布局

黑白先後，繪事後素，宜從古訓，後于素非。弈先點子，力争扼要，羅羅清疏，不數十着，勝負即分。畫先勾勒，一開一闔，形勢高下，層次已顯。唐吴道子寫嘉陵江山水，三百里一日而成；蘇東坡言文與可畫竹，胸有成竹，不事枝枝節節而爲之。古人粉本，當由此出，徒工臨摹者未足語此。

二　師法

弈有棋譜，多算者勝，常理所在，千古不易，習而用之，變化萬端。唐畫之初，丹青穠古，矩矱森嚴，板實太過，失之刻劃，明董其昌至謂唐畫不足學。習棋譜而不善于用變，毋乃類此。五代北宋，畫于實中求虚，變爲水墨丹青合體，實處多活。韓非子言畫篋，虚處皆成龍蛇，黄山谷論筆法，謂爲如蟲嚙木。弈理云『國手脱七，方知死活』，虚豈易言！

三　變易

南宋立畫院，罷斥臨摹，偏重寫實。馬遠用巧，常于曉霧明星之下，描寫動物，狀奇新奇，然多邊角，有近無遠，時人稱爲馬一角，偏而不全，識者病之。明初吴偉、張路、郭詡、蔣三松輩學之，指爲野狐禪。元季四家，綜合唐宋，取長捨短，變實爲虚，多作陽面山水風景，少畫人物。其實倪黄俱能寫真細筆，所惜吴門文沈，畫入正軌，而猶有未足。明季雖極盛，師法北宋，駕元季而上之，學者非失之枯硬，即流于柔靡，而畫事替矣。棋争一角，當非中鋒，堂堂之陣，正正之旗，中國有人，决不讓步，有可知也。

四 結論

棋逢敵手，黑白之中，略分上下，全局生活，籌劃均勻，中有氣勢，有聯絡，有却有補，有雙關、硬斷等法，全于畫理處處相關。宋鄧椿言：『多文曉畫。』陰陽剛柔，天地之道，弈理該其必有扶助于繪事者，請高明條舉縷述，匡所不逮，幸甚幸甚。

此稿删繁就簡，脱略舛誤，均多不免。融會貫通，萬殊一本，學術爲公，如荷指示，心感不既。黄賓虹拜上。

* 本文録自一九九九年上海書畫出版社出版《黄賓虹文集》。

藝術是最高的養生法*

長生之義有二，一種是個人的生命，一種是民族與國家的生命。個人的生命短長，無足重輕，所謂長生者，應注意國族的生命。

世界國族的生命最長者，莫過于中華。這在後進國家自然是不可及，即與中國同時立國者亦多衰頽滅亡，不如中華之繁衍與永久。這原因是在于中華民族所遺教訓與德澤，都極其樸厚，而其表現的事實，即爲藝術。古聖賢書中所遺留下來的教化自不待言，即三代以前，至今在地下發掘出來的石器、陶器上，都有藝術的表現，證明我國民族在文化道德上的優秀與堅實，非淺薄浮誇者流所可比擬。日本藝術，西洋人評爲浮薄，故不是壽相。

中國的道德文章，可以不死。『天法道，道法自然』。國家的壽，就是從效法自然得來。西洋人對于醫學有精深的發明，如德國醫藥曾可推爲世界第一，但這不免是個人的，不能救治其國家的疾病。中國亦有早起節食等等養生之道，但這是爲普通人設法。中國理論，精神勝過物質，不但能以精神醫個人的病，還能防止國家民族的病症。

藝術就是祛病增壽的良藥，歷史上凡世亂道衰的時候，正是藝術家努力救治的機會。現在以地下發掘的看來，殷代的文化不比周代爲低。周以文化較低之民族，掀起戰爭，原是阻礙文化的發展，幸而學術家力求進步，從變亂中産生諸子百家。其各家學説，不但今日歐美學者多所契合，而與其不同者至今富有研究的價值。道光間洪楊革命，對當時文化與民生，有所影響，因此産生晚清理學、文藝的興盛，尤于此戰亂後産生了强昂蓬勃的民主與革命的政治思潮，亦因此而得學術文化的一切革新運動。

軍事一時失利，不足爲慮；倘若政治失敗，則不可挽回。試看對日抗戰，戰事失敗而猶勝。蒙滿入主中原，其氣焰何等强悍，終至爲我族同化。

現在，多少人均抱悲觀，實在正可樂觀。尤其在文化藝術上大有努力的餘地。高劍父先生大書『藝術救國』，其實惟藝術方能救國。今日各國均知注重藝術與文化。我國文化自有特長，開門迎客，主客均樂，以此可以免去戰爭，不必殘殺了。所以説，藝術是最高的養生法，不但足以養我中華民族，且能養成全人類的福祉壽考也。

* 原文爲黄賓虹演講記録稿。一九四八年載于《民報》副刊。本文録自一九九四年人民美術出版社出版《黄賓虹美術文集》。

國畫之民學*

——一九四八年八月十五日在杭州美術學會上的講話

我國號稱『民國』，現在又爲民主時代，所以説：『民爲邦本。』今天我便同諸位談談『國畫之民學』。所謂『民學』，乃是對『君學』以及宗教而言。

在最早的時候，繪畫以宗教畫居多，如漢魏六朝以及唐宋畫的聖賢、仙釋，繪畫的人多少要受宗教的暗示或束縛，不能自由選擇題材。在宗教畫以前，也大半都是神話圖畫。如『舜目重瞳』『伏羲蛇身』之類。再後，君學統治一切，繪畫必須爲宗廟朝廷服務，以爲政治作宣揚，又有旗幟衣冠上的繪彩，和後來的朝臣院體畫之類。

君學自黄帝起以至于三代；民學則自東周孔子時代始。君位在于傳賢的時代，不乏仁聖之君；西周一變而爲傳子，封建制度成立。自後天子諸侯叔侄兄弟之間，覬覦君位，便戰亂相尋，幾無寧日。春秋戰國時代，貴族封建政治和爲他們製定的禮樂崩壞，諸子百家著書立説，競相辯難，遂有了各人自己的學説，蔚爲大觀。要之，『三代而上，君相有學，道在君相；三代而下，君相失學，道在師儒』。自後文藝勃興，學問便不爲貴族所獨有。師儒們傳道設教，平民乃有自由學習和自由發揮言論的機會。這種精神，便是民學的精神，其結果遂造成中國文化史上最光輝燦爛的一頁。諸如農田水利、通工易事、居商行賈、九流雜技，都有所發明和很大的進展。這些除已見于經籍紀載以外，從出土的銅器、陶器、兵器上的古文字上看到，也都有確切的證據。

中國藝術本是無不相通的。先有金石雕刻，後有絹紙筆墨。書與畫也是一本同源，理法一貫。雖音樂、博弈，也有與圖畫相通之處。六朝宗少文氏曾經遨游五岳，歸來即將所見山水，繪于四壁，儼如置身于山水之間，時或撫琴震弦，竟能够使墻壁上的山水，好像也自錚然有聲，所謂『撫琴動操，欲令衆山皆響』，音樂和圖畫便完全融和在一起了。宗氏自稱『卧游』，後來人們所説的『卧游』便是本此。張大風論博弈，説：『善弈者落落初布數子，而全局已定，即畫家之位置章法。』這又是博弈與繪畫相通的地方。

春秋時孔子論畫，《論語》所記『宰予晝寢』，其實爲『畫寢』之誤。晝與畫本易混淆，便爲宋人所誤。『宰予晝寢』，乃是宰予要在他的寢室四壁繪上圖畫，但因房子破舊，不甚相宜，孔子見到，就認爲是『朽木不可雕也，糞土之墻不可圬也』，勸他不必把圖畫繪在那樣不堪的地方。假如仍然照『晝寢』解釋，以宰予既爲孔門弟子之賢，何至如此不濟？或者僅僅一下午睡而已，老夫子又何至于立即斥之爲『朽木』『糞土』呢？未免太不在情理了。

又如孔子所説的『繪事後素』，也是講繪畫方法的。宋人解釋爲先有素而後有繪，以爲彩色還在素絹之後。這也是一種誤解。

實際上那時代有色的絹居多，而且沒有純白色的絹，後來直到唐代，紙都還是淡黄色。『繪事後素』的意思，乃是先繪彩色，然後再加上一種白粉，這和西洋畫法相同，日本畫也是如此。

中國除了儒家而外，還有道家、佛家的傳説，對于繪畫自各有其影響。孔孟講現在，老子講未來，佛家講過去和未來。比較起來，中國畫受老子的影響較大。老子是一個講民學的人，他反對帝王，主張『無爲而治』，也就是讓大家自由發展的意思。他説：『聖人法地，地法天，天法道，道法自然。』聖人是一種聰明的人，也得法乎自然的。自然就是法。中國畫講師法造化，即是此意。歐美人以自然爲美，同出一理。不過就作畫講，有法業已低了一格，要透過法而没有法，不可拘于法，要得無法之法，方有天趣，然後就可以出神入化了。

近代中國在科學上雖然落後，但我們向來不主張單純以物勝人。物質文明當然重要，而中華民族所賴以生存，歷久不滅的，更是精神文明。藝術便是精神文明的結晶。現時世界所染的病症，也正是精神文明衰落的原因。要拯救世界，必須從此着手。所以，歐美人近來對于中國藝術漸漸注意起來，我們也應該趁此努力振作才是。

這裏，我講一講某歐洲女士來到中國研究中國畫的故事。她研究中國畫的理論，并有著作在商務印書館出版。在她未到中國以前，曾經先到歐洲各國的博物館，看遍了各國所存的中國畫，然後來到中國，希望能够看到更重要的東西。于是先到北平看古畫，看過故宫畫之後，經人介紹，又看了北平畫家的收藏，然後回到上海，又得機會看過一位聞人的收藏。結果，她表示并不滿意，她還没有看到她想看的東西。原來她所要看的畫，是要能够代表中華民族的畫，是屬于民學的；而她所見到的，則以宫廷院體畫居多，没有看到真正民間的畫。這些畫和她研究的中國畫的理論，不甚符合，所以她不滿意。從這個故事裏，我們可看出歐美人努力的方向，而同時也正是我們自己應該特别致力的地方。

當我在北京的時候，一次另外一位歐洲人來訪問我，曾經談起『美術』兩個字來。我問他什麼東西最美，他説『不齊之弧三角』最美。這是很有道理的。我們知道桌子是方的，茶杯是圓的，它們雖很實用，但因爲是人工做的，方就止于方，圓就止于圓，没有變化，所以談不上美。凡是天生的東西，没有絶對的方或圓，拆開來看，都是由許多不齊的弧三角合成的。三角的形狀多，變化大，所以美；一個整整齊齊的三角形，也不會美。天生的東西絶不會都是整齊的，所以要不齊，要不齊之齊，齊而不齊，才是美。《易》云：『可觀莫如木。』樹木的花葉枝幹，正合以上所説的標準，所以可觀。這在中國很早的時候，便有這種認識了。

君學重在外表，在于迎合人。民學重在精神，在于發揮自己。所以，君學的美術，只講外表整齊好看，民學則在骨子裏求精神和個性的美，涵而不露，才有深長的意味。就字來説，大篆外表不齊，而骨子裏有精神，齊在骨子裏。自秦始皇以後，一變而爲小篆，外表齊了，却失掉了骨子裏的精神。西漢的無波隸，外表也是不齊，却有一種内在的美。經王莽之後，東漢時改成有波隸，又只講外表的整齊。六朝字外表不求其整齊，所以六朝字美。唐太宗以後又一變而爲整齊的外貌了。根據此等變化，正可以看出君學與民學的分别。

近幾十年來，我們出土的東西實在不少，這些東西都是前人所不曾見到過的，也可以説我們生在後世的人最爲幸福。有些出土的東西，如帶鈎、銅鏡之類，上面都有極美極複雜的圖案。日本人曾將這些圖案加以分析，著有專書，每一個圖案，都可以分析出多少層不同的幾何圖形來，歐美人見了也大爲驚服。大體中國圖畫文字在六朝時代，最爲發達，到六朝以後就完全兩樣了，大多死守書本，即有著作，也都是東抄西抄，很少自闢蹊徑。日本人没有什麽成就，也就在于缺乏自己的東西，跟在人家後面跑。現在我們應該自己站起來，發揚我們民學的精神，向世界伸開臂膀，準備着和任何來者握手！

最後，還希望我們自己的精神先要一致，將來的世界，一定無所謂中畫、西畫之别的。各人作品盡有不同，精神都是一致的。正如各人穿衣，雖有長短、大小、顔色、質料的不同，而其穿衣服的意義，都毫無一點差别。願大家多多研究，如果我有什麽新的消息或新的意見，也很願意隨時報告。

* 原文爲黄賓虹演講詞記録，趙志鈞記。一九四八年載于《民報》副刊《藝風》。本文録自一九九四年人民美術出版社出版《黄賓虹美術文集》。

九十雜述*

一

丙戌後返歙應試，改名質。旋食干禄。奉父母大人返歙。應紫陽、問政諸書院課，受知于浙杭譚仲修山長。從鄉父老游，知汪容甫《述學》、洪北江《更生齋》諸集，學爲駢儷文，并金石書畫譜録。得汪容甫所藏漢印、黄山名畫真迹。著《畫談》《印述》，另詳雜著中。娶洪氏來歸余，北江之族裔也。

戊子游金陵，識甘叟元焕、楊叟長年及儀徵劉氏諸學長，知有東漢、西漢之學。游維揚，知族祖白山公生《字詁》《義府》，確夫公《廣陽雜記》爲顔、李之學，旁及繪畫，于黄山諸家，尤篤好之。晤楊仁山居士，窺佛學及輿地之學。

甲午丁外艱，奔喪返歙。喪事畢，族中父老來告窶乏，無業資生，舊業鹽商及游宦，旋以兵亂廢業歸。聞有荒田數百畝在歙東，數十里河溪淤塞，墟里無炊烟，惟楚、越流民棚居耳，栖止無常，不獲耕種。余憫之，爲築堨導流，詳余《任耕感言》中，幾十年，成熟田數千畝，交族衆及地方自治會。邑中許疑庵太史辦中學，招余聘教授，時余往來蕪湖，任安徽公學；偕陳巢南諸教授入歙中年餘。有以革命黨訟余于省，聞訊出走申滬。時鄧秋枚、黄晦聞諸友，創爲《政藝報》及《國粹學報》，留與議辦『國光社』，及《神州》《時報》諸編輯。居滬卅年。粤友集資議擴充，因有蜀游，盡付王理燮君出刊。年餘，余返滬，聞虧纍甚巨，不能支。余有集存刊，不及裝訂而經理易人矣。

申滬米珠薪桂，不易支持，平時所蓄長物，劫餘售千金。偕友至貴池，邑西烏渡湖、興漁湖、秋浦、齊山，江上風景甚佳，擬卜居。時頻逢水灾，屢修皆廢弃。友招入北京藝術學校任教，居年餘，被陷困燕京。前五年應浙杭藝專之聘來西湖，學識淺薄，無可貢獻，自引爲耻耳。

二

辛亥革命前，余屢至金陵。兩江師範監督李梅庵瑞清、蒯理卿觀察光典約我興學。余任滬留美預備校文科。聘德國人阿特梅氏。

三

葉遐庵先生招辦文藝學院。上海博物館主席聘余理事，余捐古銅器、明人書畫十件存其中。

四

南社成立，余與去病赴蘇州出席與會，柳亞子賦詩記其事，有『寂寞湖山歌舞盡，無端豪俊又重來』句，内多寓意。時宣統元年十月初一日，今以陽曆計，即十一月十三日也。

五

余曾任商務印書館美術編輯主任。又曾應聘廣西暑期講學及四川成都大學講師。

六

杭戰期内，屋宇焚毁，田地被人强霸冒收。流亡异鄉，久已放弃。現今妻女子媳五口，依賴薪水度活。惟是抱殘守闕，積有考古文字、畫稿十餘簍。自恨返老還童無八公術，力懼爲世用……（以下字迹不清）

七

余誕生于同治三年甲子之冬，實乙丑正月朔，距立春尚先十餘日，應增一歲計也。世籍江南省。唐初居歙之潭渡村，先人遇洪楊之亂，避居金華縣東南五十里之三白山。祖母殁，殯于是山之麓。後二年事平，移居郡城之鐵嶺，又遷尊賢坊。是時大難初平，余在襁褓中，聞父老談往事。

八

我年七歲，識字千餘，從蒙師讀四子書。父執義烏陳春帆畫師年七十餘，客我家中，畫我父母兄弟四人、妹二人小照，形貌逼真，純粹中國勾勒筆法，設色濃厚，裝裱爲横軸。南北遷移，保護如頭目，今七十年，光潔如新，每年歲前懸挂一次。

九

我于十四離金華返歙應考試，弱冠游學金陵。

十

甲午年以後，内憂外患，相繼交迫。我奔父喪歸歙。世交戚好，青年子弟，紛紛出國留學。我先聘同邑師範畢業生汪毓英、汪印泉等創立敦愫小學。繼任新安中學講師。地方原有祖遺義田三百餘畝，在邑東豐堨，經前董汪本熹支借積穀錢款七百餘元，修浚未成，僅種一百餘畝。

十一

予向原名質，江南歙縣籍，前廩貢生。及年三十弃舉業。力墾荒，嗜金石書畫，好游山水。慕向子平、惲香山之爲人，易今名。

十二

余曾游粤、桂、浙、閩、燕、趙、齊、魯、楚、蜀諸山。老猶讀書、識字、作畫爲卧游。

十三

近二十年比利時百年紀念，（開）國際博覽會，友人携拙畫參加，獲奬評，至今猶汗顔。

十四

古文字研究，自道咸中陳簠齋《印舉》，吴平齋、窓齋考證古印，有《説文古籀補》及《三補》。作《古文奇字輯》，为增廣日本《古籀篇》諸書所未見，以補殷契、周金所未足，尚未計卷，分考釋、存疑、正誤三類。昭明曹箘之帝號，或引他人，待查。

十五

游覽寫實。東南：浙、贛、閩、粤、桂林、陽朔、灕江、潯江；一再溯回：新安山水，淮陽京口，大江流域；上至巴蜀，登青城、峨嵋，經嘉陵、渠河、嘉州；出巫峽、荊楚，以及匡廬、九華諸山。寫稿圖形，江南名勝，如五湖、三江、金焦、海虞、天台、雁蕩、蘭亭、禹陵、虎丘、鍾阜，風晴雨雪，四時不同，齊、魯、燕、趙，萬里而遥，黄河流域，游迹所到，收入畫囊，足供卧游，不易勝述。

十六

畫談、畫史軼聞，已成四十餘册，如文徵明衡山集外編、僧弘仁漸江上人遺迹、程邃垢道人、鄭旼慕道人，已刊布者十餘種外，釋石谿等稿，有待謄清者三十餘種，分時代、州縣、畫派，綜前人論説，擇其精者，參以己見，辨其純駁。

十七

《古畫微》原稿四册，經商館『小叢書』篇幅所限，前六篇存原，餘多删減，非完本。

十八

《庚辰降生之畫家》僅就待刊之《畫史年考》全编之中摘出刊入雜志；仍有依甲子編年等。考分徵引，舊説訂誤，無生殁可考者，據前人所載，有時代可稽者參附之。

十九

《黄山畫家源流考》，一名《新安畫派列傳》，有分有合，在畫談中一類。如吴門、雲間、金陵，總名江南，分郎廟、山林，以有關民族文藝列首，而朝臣、院體、市井、江湖、文人，論其品詣高下分論。

二十

《美術叢書》第一次刊印中國綫裝本一百二十本，與鄧秋枚同編；第二次綫裝一百六十本，補四十本；第三次洋裝二十本。三次校對排比中有舛誤，因司事印刷遺漏誤入，仍未改正。

二十一

前人鑒别書畫，信古疑古，各有偏毗，載籍固未可全信爲實，疑之太苛，亦傷忠厚；存大醇小疵，斷不能無，惟不可不糾正之。宋、元、明、清畫傳、畫評，記録之本，不勝縷析，庸有徇己徇人之弊，論斷未醇。因觀察古今繪畫筆、墨、章法三者，得一即是模範。如吴道子有筆無墨，亦稱畫聖；大小李將軍金碧樓臺，只是單純金彩，一色配合，厚而不渾，無墨即不華滋；王維水墨，全是濃墨，只用清水，以水破墨，以墨破水。破墨之法，上古三代、魏晋六朝畫家，有法而不言法，在乎學者觀察之下，心領神會；雖有授受口訣，必待升堂而後可言入室。若徘徊岐路，一門外漢爲何能識公私收藏、古今真贋？故辨别之法，言『道法自然』。『道』是道路，本非高深玄妙，然有路方可入門，再言升堂入室，窺見珍奇瑰寶。而後珷玞似玉、魚目混珠者，尤須細心用法參考，不能信口雌黄；抑或存而不論，虚心請問，仍未全明。書畫同源，求之書法；文藝同科，證之詩文；王維『詩中有畫，畫中有詩』，得六朝人破墨法。唐人不見六朝人畫，如閻立本見張僧繇畫二次，且不知其法，無法，即不知畫，焉知其法。五代、北宋人言『六法』，畫者拘泥于法，又成泥弊。宋徽宗誠畫院中人，如果守死法作畫，丕不欲觀；馬遠、夏珪寫生于臨安山水之間，爲之一變。至明初學馬、夏者，成爲野狐禪。此論畫者言畫禪毋參死禪。所以元人學六朝、北宋，能變實爲虛，即是活禪；吴偉、張路、郭詡、蔣三松學南宋，而成野禪。畫家激悟以入玄妙，畫之玄妙，在真内美，元人得之。雖沈石田、文徵明尚不爲趙同魯、周保緒稱可，况文人之無實學者，宜顔習齋斥爲『四蠹』，不齒于益友之類。因此昕夕陳皇，不自懈怠，以爲學無止境，未可自囿。近時觀人作畫，于筆、墨、章法三者得一，津津有味，言不弃口；否則，如明有畫狀元，近代有畫聖，垂之史傳，吾甚耻焉。

二十二

祖國疆界，時代沿革，江河陵谷，今古改易。取前哲之真迹，合造化之自然，用長捨短。古人言『江山如畫』，正是不如畫。畫有人工之剪裁，可成盡美盡善。天地之陰陽剛柔，生長萬物，均有不齊，常待人力補助之。此物質文明不若精神文明，所由判斷。而空言道經，侈談釋典，以視孔門四科，畫屬文字。唐畫院體分十三科。科學言分析，哲學言綜合。陳簠齋謂：『非漢儒無以見古聖之製作，非宋儒格致無以識先賢之身心。』依仁游藝，司馬遷、李白、杜甫，文得江山之助；學畫者徒以調脂抹粉尋生活，不能投師訪友、讀萬卷書、行萬里路，宜其閉户自封，恬不爲怪，吾爲此懼。方當弱冠，隨舅氏方公至永康縣，游讀書岩，有宋五峰書院，澗水奔流，懸瀑千尺，奇峰峻嶺，峭拔紆回，松林稠密，村落田舍，多蓋以松，俗有『白蟻不食永康松』之謡；聞當時經雨雹，山林爆火，今見高松虬枝，枯赤近百里許，細草皆焦灼，傳言『麒麟趕龍』，爲之一笑，寫其山水實景而還。又訪憩園，所居有獅山龍洞之水流。居人多蒔蘭蕙、栽佛手爲業。因游鹿田村，探金華三洞；經智者寺，觀陸放翁碑；繞北山，游赤松宫，觀黄初平『叱石成羊』處，别有圖記，不録。又偕同學游縉雲。入閩訪家次蓀太史于汀洲，經行道中日記，未檢出。

二十三

畫重蒼潤，蒼是筆力，潤是墨采，筆墨功深，氣韵生動。講求章法，唐王維、李思訓、吴道子，曾畫嘉陵江山水；五代范寬、郭熙、李成、荆浩、關仝，畫西北黄河流域；董源、巨然，南宋劉、李、馬、夏、二米；元高房山、趙孟頫、倪、吴、黄、王，畫江南山。章法有殊，其法有三：

一曰山有脉絡——高低起伏，賓主得宜；

一曰水有源流——雲泉稠叠，曲折迴環；

一曰路有出入——交通往來，若隱若現。

山則一本萬殊，水則萬殊一本。天傾西北，地陷東南，高下不同。運河灌輸，長城捍衛，舟楫車馬，夷夏雜居。古物出土，晚近爲多。部落酋長，國族圖騰。虞夏商周，甲骨繒帛。書畫兼備，始于象形。證據説明，重之文物。古今沿革，有時代性。山川渾厚，有民族性。陰陽剛柔，從容中道，邪甜俗賴，習氣盡除，是在明于抉擇，多研練可耳。

二十四

筆法起源于鑽燧取火。歐人言起點，言光綫，言透視；中國畫有三時山，曰朝陽，曰夕陽，曰午時山。分別陰陽反正，其法在筆鋒向背順逆兼用，用中鋒、側鋒，俱關毫端。書法中謂爲萬毫齊力，力中行氣，積點成綫，歐人言綫條美。繪畫之初，全用點法，橫直竪側，藏鋒露鋒，一波三折，如積字成句，一句之中，詞分動静，積而成文；作文之法，起承轉合。用筆之法，其要有五：

一曰平，如錐畫沙；

二曰圓，如折釵股；

三曰留，如屋漏痕；

四曰重，如高山墮石；

五曰變，參差離合，大小糾正，俯仰斷續，肥瘦短長，齊而不齊，是爲内美。

二十五

作畫當以大自然爲師，若胸有丘壑，運筆便自如暢達矣。

同畫一座山，彼此所畫不同，非山有不同，乃畫者用心有不同。六朝宗少文炳論畫謂『以形寫形，以色貌色』，意義深透。吾人用色，應貌山水之色，此是隨類賦彩，然各有不同貌法，故馬、夏與千里不同，石田與十洲又不同。吾人可以用水墨寫青山紅樹，西人就不如此畫法，此民族性不同故也。

今人生于古人之後，若欲形神俱肖古人，此必不可能之事。畫家臨摹古人，其初惟恐不肖，積有年歲，步亦步，趨亦趨，終身行之，有終身不能脱其樊籠者。此非臨摹之過，因臨摹其貌似，而不能得其神似之過也。貌似者可以欺俗目，而不能邀真賞。

古人評畫事優劣，有左文人而右作家，亦有左作家而右文人者。余以作家不易變，而文人多善變。變者生，不變者淘汰，此是歷史變遷之理，非僅以優劣衡之也。

古有『斫堊不傷鼻』事，此是心到、手到，作畫亦須如此。

筆墨之妙，尤在疏密。密不容針，疏可行舟。然要密不相犯，疏而不離。

二十六

墨爲黑色，故呼之爲墨黑。用之得當，變黑爲亮，可稱之爲『亮墨』。

每于畫中之濃黑處，再積染一層墨，或點之以極濃宿墨，乾後，此處極黑，與白處對照，尤見其黑，是爲亮墨。『亮墨』妙用，一局畫之精神，或可賴之而焕發。

二十七

倪迂渴筆，墨無渣滓，精潔不污，厚若丹青。其後惟僧漸江，爲得斯趣。

唐畫丹青，元人水墨淋漓，此是畫法之進步，并非丹青淘汰。繪事須重丹青，然水墨自有其作用，非丹青可以替代。兩者皆有足取，重此輕彼，皆非的論也。

* 本文録自一九九四年人民美術出版社出版《黄賓虹美術文集》。

畫學篇釋義*

上古三代，漢魏六朝，畫先象形，本原有法而不言法。故老子曰『聖人法天』。燧人氏鑽木取火，畫有起點，始言光綫，以開文明。燈火爐火，皆具五色，女媧氏煉石補天，彩繪五色，今之顔料，如丹砂、石青之類。《虞書》十二章，山、龍、華、蟲，分山水、人物、花卉、鳥獸、鱗介，藻、火、粉米，分青、黄、黑、白；黼黻絺綉，分别疏密，筆墨章法，法已完備。鳳苞五彩，合于樂舞；龍馬河圖，合于算數。三代金石，鍥刀雕刻，即有柔毫；國族標幟，今稱圖騰。春秋而後，封建破壞，君相失學，道在師儒，六藝之文，禮、樂、射、御，是爲君學，書、數二者，是爲民學；畫學爲書、數之餘事，人民共習，宜必修科。唐畫十三科，雖祖唐、虞，崇尚丹青，專重外美，已失古法。漢、魏、六朝，顧愷之、陸探微、張僧繇、展子虔，畫與書法合，是重内美。唐畫十三科，山水打頭，界畫打底；界畫雖亦言丈山尺樹、寸馬豆人，然偏重儀器；失自然生動，此明董其昌所謂唐畫刻劃不足學也。

唐太宗改晋、魏書體，務在均匀，爲『干禄書』，又名『算子書』『抄寫文字書』，便于胥隸，又稱『奴書』。畫拜閻立本爲右相，而閻初不識張僧繇之壁畫。大小李將軍金碧之畫，王維以粉塗爲雪景，吴道子時稱『畫聖』，宋米元章自稱無一筆吴生習氣。太宗嘗與諸兄弟王侯妃嬪宴飲，魏徵侍座賦詩，而閻立本跪而寫圖，駭汗不已，此唐人尚外美。而惟鄭虔、王維作水墨畫，合之于詩，詩中有畫，畫中有詩。及至唐末五代，荆浩、關仝、范寬、郭熙、李成、董源、巨然，俱以文學博雅之士，追究六法，寫大江黄河流域之名山真迹，各具面貌，兼得情趣，又合米元章、元暉父子爲一家法，是能山川渾厚，草木華滋，爲唐人所不及。

宋末、元朝，高房山、趙子昂、柯丹丘、方方壺、黄大痴、吴仲圭、倪雲林、王叔明，崇尚北宋。明初雖不爲作者所喜，如吴偉、張路輩起，識者號爲『野狐禪』，賴有文、沈、唐、仇糾正之，尚猶不足。

萬曆間有董玄宰師法董、巨。天啓、崇禎士大夫學人，如黄道周、倪元璐，俱多杰作。毗陵鄒之麟、惲道生，涇陽張恂，萊陽姜實節，黄山李永昌，程嘉燧、李流芳，新安四家僧弘仁、查士標、汪之瑞、孫逸，秀水項元汴、子德純，均收藏豐富，評論精確。潤州笪重光，刻郁岡齋帖，著《書筏》《畫筌》。嘉興朱彝尊，著述宏多，詩、書、畫三絶。清代宫室收藏朝臣院體畫，以《石渠寶笈》爲宗，漸由市井以開江湖，積習既深，淪于甜賴，因而民族性畫，不可多見。婁東王時敏、王鑒，虞山王石谷，聲名藉甚，而風骨柔靡。雲間凄迷瑣碎；浙、閩粗惡；金陵、揚州流派，皆有偏散，雖或詩勝于畫，畫非其至。及道、咸間，金石學盛，畫藝復興，涇縣包慎伯，著有《藝舟雙楫》，古來筆墨口訣，昭然大明于世；吴讓之先得其傳。趙撝叔與戴望字子高，同習『公羊學』，倡言排滿革命，著《鶴齋叢書》，善畫山水，亦寫花卉，是其詼諧游戲之筆而已；河南胡義贊字石查，精古泉學，畫法玄宰，提倡筆墨古法甚力。

近二十年來，良渚夏玉、長沙周繒，古物出土，可見古人精神文明。學者取長捨短，師古人，尤貴師造化。卷軸流傳，俱供參考。見大理石斑斕五色，用作水彩、水墨法，可改變前明兼皴帶染之習。今之人，應力追魏、晋、六朝、唐、宋、元、明筆墨精神，創空前絶藝，是在立志奮發有爲。況今時代日新，更無所難也。

* 本文録自一九九四年人民美術出版社出版《黄賓虹美術文集》。

畫語輯録

畫語輯録

唯審于畫，造乎理者，能盡物之妙；昧乎理者，則失物之真。

——《濱虹論畫》

莽莽神皋，自喜馬拉雅山以東，太平洋以西，綿亘數萬里，積閲四千年，聲明文物之盛，焜耀寰宇，古今史册流傳，美且備矣。聖作巧述，學術相承，授受心源，雖或有時代之變遷，支派之區别，忽顯忽晦，爲异爲同，不可殫究，而窮源竟委，各有端緒，其精思奥義，皆自卓立不群，足以留垂萬世，厘然昭晰，而未可以或廢也。

——《論上古三代圖畫之本原》

繪畫常因文化爲轉移，名家即由時世而特起。

——《中國畫史馨香録》

畫分三品，氣韵行動，出于天成，人莫窺其巧者，謂之神品；運墨超純，傅染得宜，意趣有餘者，謂之妙品；得其形似，而不失規矩者，謂之能品。能品者，衆工之事也；至于妙品，非畫者人力之所能爲也；若夫才識清高，揮毫自逸，生而知之，不假形似，豈非天乎？

——《中國畫史馨香録》

畫豈無筆墨而能成耶？惟但有輪廓而無皴法，即謂之無筆；有皴法而無輕重向背、雲影明晦，即謂之無墨。既就輪廓，以墨點染渲暈而成者，謂之發于墨；乾筆皴擦，力透而光自浮，謂之發于筆。筆墨之秘，自（荆）浩發之。

——《中國畫史馨香録》

宋元名家，俱以實處取氣；惟米家于虚中取氣。然虚中之實，節節有呼吸、有照應，靈機活潑，全要于筆墨之外，有餘不盡，方無挂礙。

畫爲無聲之詩，詩即有聲之畫。語所難顯，則以畫形之；圖有見窮，則以詩足之。筆擅雙管之美，碑無没字之譏，則觀于論畫之詩與題畫之句，有可知也。

——《中國畫史馨香録》

范寬畫山水，初師李成，又師荆浩。既而嘆曰：『與其師人，不若師諸造化。』乃脱盡舊習。游京中，遍觀奇勝，落筆雄偉老硬，真得山水景法。

——《鑒古名畫論略》

元季四家之有黄、吴、倪、王，高尚其志，栖息林泉，揮毫拂素，不過寫其胸中逸氣而已。當時作家，極力臨仿，已難夢見。語云『宋人易摹，元人難摹』，不其然歟？

——《鑒古名畫論略》

新安古人名作，獨于吴門、雲間、婁東各派以外，自樹標幟。良由藏庋豐富，得瞻精美，時多高人逸士，勝游名山，博覽群籍，生當危亂，初無所用其力，退而一一寄之于畫，如唐末之有荆浩、關仝，元季之有雲林、子久，胸次奇曠，故非庸史可及。

——《黄山畫苑論略》

玄宰自謂開華亭一派，獨宗董北苑。黄山畫家，俱不爲其籠罩。蓋當時宣歙舊族，收藏宋元明畫，既精且富，晨夕觀摩，咸志法古，非因時習轉移。自此新安一派，遂能高自位置，絶去攀附，不隨吴門、華亭末流歸于澌滅。品貴自立，其在斯乎！

——《黄山畫苑論略》

圖畫肇興，本原文字。三代而上，形狀難分，筆法所存，著于古玉甲骨銅器。昔者圭璧琮璜，方圓規矩，俱有尺寸，或製龍虎之文，或刻蒲穀之屬，畫之最古，莫過于此。

——《國畫分期學法》

明筆法者，一見古人之迹，凝目静視，初不問其姓氏款識、時代遠近之若何，雖玩其一樹一石，即可審定品格，辨别真贋，不待迴環再四，反覆詳視，瞭然心胸，已無疑慮。蓋神妙能逸，點拂之間，美無不具，尋常之人，固不能動一筆，否則反是。若徒于絹素之上、鈐記之間，考其新舊，明其誠僞，尚屬皮相，未爲賞真。

從來筆法，宋人之畫不同三唐；唐代之畫，亦异六朝。古之作家士習，藝事如林；而獨闢蹊徑，足爲後世楷模，一代之中，亦屬寥寥可數。蓋學派沿習，積久弊生，經百餘年，無不變易。

——《國畫分期學法》

清湘老人（石濤），早年極能工細，凡人物鳥獸花卉，時有所見。生平所畫山水，屢變屢奇。晚年自署耕心草堂之作，多粗枝大葉，多用拖泥帶水皴，實乃師法古人積墨、破墨之秘。

——一九二九年《虹廬畫談》稿

石濤專用拖泥帶水皴，實乃師法古人積墨、破墨之秘。從來墨法之妙，自董北苑、僧巨然開其先，米元章父子繼之，至梅道人守而弗失，石濤全在墨法力争上游。

——一九二九年《虹廬畫談》稿

圖畫之事，肇始人爲，終侔天造。藝成勉强，道合自然。悦有涯之生，致無窮之樂。

——一九三四年《國畫非無益》

古之畫家，不盡顯貴；人之絶藝，恒出時艱。唐末之亂，逮于北宋，有荆浩、關仝、郭熙、范寬、李成，號稱大家，董元、巨然崛起，蔚爲同宗。元季有黄子久、吴仲圭、倪雲林、王叔明，畫學極盛。明社已屋，太倉、虞山、金陵、新安諸派以興，士夫畫者，不可勝紀，皆能殫精六法，各成一家；其人又多忠臣義士、孝悌狷介之倫，懲于世道污濁，政紀紊亂，不欲仕于其朝，甘退居于寂寞，而惟林泉岩谷以自適。游覽之暇，或寫其胸中逸氣，留傳縑楮，不朽千古。

——一九三四年《國畫非無益》

《易》曰：『道成而上，藝成而下。』道成藝成 ，猶今所謂精神文明與物質文明也。中華四千年來，爲文化開化最早之國。古之製作，皆古之聖賢，政教一致，初無道與藝之分。

——一九三四年《精神重于物質説》

古人用筆之妙，有用禿筆見纖細者；有用尖筆見禿勢者。以禿筆見纖細，二石（石濤、石谿）之畫，每每如是；以尖筆寫禿勢，則八大山人之畫是也。

董玄宰（其昌）記述董源用筆極妙。嘗見董畫中偶有一段，近看只覺無數筆痕，及懸諸壁間，自遠望之，則山石林木屋宇，歷歷分明，層次不亂，無一敗筆，洵妙品也。

用筆如刀，須留意筆鋒。筆鋒觸處，即光芒銛利。側鋒出筆，則一邊光一邊毛也，寫樹枝幹不能毛，毛則氣索，非活樹也。山石則不妨毛，以顯離披姿勢。

用筆有度，皴與皴相錯而不相亂，皴與皴相讓而不相碰。古人言書法，嘗有擔夫争道之喻。蓋擔夫膊能承物，即有其力，即數十擔夫相遇于途，或讓左，或讓右，雖彼來此往，前趨後繼，不致相碰。此用筆之妙契也。

破墨即潑墨法，然亦有不盡同之處。東坡、大小米（米元章、米元暉）俱深得其秘。明代畫家，已不講求，畫沙畫坡，用淡墨皴之，常以濃墨畫草于淡墨未乾之際。此即破墨一例。後人偶然得之，多未明其破墨法。

破墨之法，淡以濃破，濕以乾破。皴染之法，雖有不同，因時制宜可耳。

古人書畫，墨色靈活，濃不凝滯，淡不浮薄，亦自有術。其法先以筆蘸濃墨，墨倘過豐，宜于硯臺略爲揩拭，然後將筆略蘸清水，則作書作畫，墨色自然滋潤靈活。縱有水墨旁沁，終見行筆之迹，與世稱肥鈍墨猪有别。

——節自一九三五年張虹所編《賓虹畫語録》初稿本

宇區之内，大氣磅礴，川亭山峙，蔚爲巨觀，雖曰天造，恒以得人而靈。

——一九三五年《黄山析覽》

古來畫品之高，無過元季，吴梅盦之沉酣，黄大痴之深厚，倪雲林之幽澹，王黄鶴之深秀，踔躒今古，世罕其匹。明代沈石田、文徵明、唐子畏、仇十洲開吴門派；董玄宰、陳麋公、趙文度、沈子居開華亭派；龔半千、樊會公開金陵派；王烟客、王廉州開婁東派；吴漁山、王石谷開虞山派；其後積習相仍，淪于甜俗，論者獨以新安派爲近雅。

——一九三五年《新安派論略》

藝術流傳，在精神不在形貌，貌可學而至，精神由領悟而生。

——一九三五年《論畫宜取所長》

貌似者，可以欺俗目，而不能邀真賞；而神似者所以貴獲知音，非因以阿時好。

——《國畫變遷史》殘稿

二米之畫，最爲善變。元之趙鷗波、高房山，及其叔季，有黄子久、吴仲圭、倪雲林、王叔明，皆師唐、宋之精神，不徒襲其體貌，所爲可貴。

捨置理法，必鄰于妄；拘守理法，又近乎迂；寧迂毋妄，庶可論畫史變遷已。

——一九三五年《中國山水畫今昔之變遷》

屢變者體貌，不變者精神。精神所到，氣韵以生。

——一九三五年《中國山水畫今昔之變遷》

後世學者師古人，不若師造化，有師古人而不知師造化者，未有知師造化而不知師古人者也。

——一九三八年《梁元帝松石格詮解》稿

古言山水畫無定形，而有定理，理之既失，雖有奇巧，皆無足取，故山有脉絡，水有來源，路有宛轉，樹有根柢。凡陰陽向背，俯仰離合之際，必先明其位置，運以神思。長短高下，如人之有四肢，無不各得其宜，而後血脉貫通，精神焕發，初未可以輕舉妄動，偭規蔑矩爲之。今以師心自用，不求理法爲先，不可以言畫。

——一九三八年《梁元帝松石格詮解》稿

丹青之畫，有張僧繇没骨山水法。唐以前畫，多用濃墨，李成兼用淡墨，董北苑、釋巨然墨法益精。蓋畫法先有丹青，後有水墨，故謂丹青先于水墨。丹青水墨之法，古用點染，習忌縱横，因有丹青隱墨、墨隱水之妙，其有不盡能形容者。

——一九三八年《賓虹論畫》稿

自然之妙，在于有斷續聯綿，處處有情，節節回顧，若隱若現，不即不離。隔者可使之連，遠者可引之近。其法有層次，有布置，切不可誤入邪道，只墨守規矩準繩，自不能有所變化。古人有含毫吮墨，皓首窮年，不得其法者，皆由不審求于筆墨，未嘗虚心請益于名師益友。

——一九三八年《賓虹論畫》稿

中國古畫，唐宋以前多無款識，各有家數，號爲名家；元明而後兼習各家，人自題名，號爲名人。今古相傳，有筆法，有墨法，有章法，有氣韵。法備氣至者，名畫也；有筆有墨而無章法者，臨本也；有章法而無筆墨者，摹本也；臨摹雖工，氣韵不生者，庸俗之作也。是故放誕非筆墨，堆砌非章法，修飾非氣韵，偶博虚名，終爲下駟。鑒别之者，因知時代有先後，學派有异同，既嚴理與法之研求，猶復詳審于縑楮彩色之微，考證其款識圖章之顯，諸凡僞品，不難立判。

——《故宮審畫録・序》

唐宋以前，上溯三代，古之君相，至卿大夫，莫不推崇技能，深明六藝，道成而上，藝形而下；學者志道據德，依仁游藝，通古而不泥古，非徒拘守矩矱，致爲藝事所縛束，人人得其性靈之趣，而無矯揉造作之譏。

——《畫學之大旨》

學以求知，先別品流。志道據德，依仁游藝，…… 正人心，端風化，功參造化，妙合自然，此其上也。博綜古今，師友聖哲，狂狷自喜，澹泊可安，不阿時以取容，不矯奇以立异，此其次也。至若聲華標榜，利禄馳驅，憑榮辱于毁譽，泯嫥壹之趣向，觀乎流品，畫亦可知。

——《畫學之大旨》

董玄宰言，讀萬卷書，行萬里路，方可作畫。畫學之成，包涵廣大，聖經賢傳，諸子百家，九流雜技，至繁且頤，無不相通，日月經天，江河行地，以及立身處世，一事一物，莫不有畫。非方聞博洽，無以周知；非寂静通玄，無由感悟。

——《畫學之大旨》

古來畫者，多重人品學問，不汲汲于名利；進德修業，明其道不計其功。雖其生平身安澹泊，寂寂無聞，遁世不見知而不悔。曠代之人，得瞻遺迹，望風懷想，景仰高山，往往改移俗化，不難駸駸而幾于至道。所以古人作畫，必崇士夫，以其蓄道德，能文章，讀書餘暇，寄情于畫，筆墨之際，無非生機，有自然而無勉强也。

——《畫談》

師造化者，黄子久謂，皮袋中置描筆在内。或于好景處，見樹有怪异，便當模寫記之。李成、郭熙，皆用此法。古人云『天開圖畫』者是也。

——《畫談》

元四家中，惟梅道人得漬墨法，力追巨然。明文徵明、查士標晚年多師其意，餘頗寥寥。

——《畫談》

清代之中，以華新羅之花鳥，方小師之山水，羅兩峰之人物，綽有大家風度。

畫用宿墨，其胸次必先有寂静高潔之觀，而後以幽澹天真出之。睹其畫者，自覺躁釋矜平。

——《畫談》

古人墨法，妙于用水。水墨神化，仍在筆力，筆力有虧，墨無光彩。

——《畫談》

新安處萬山之中，黄山奇偉，跨于宣歙二州，本屬江南省治，地近偏僻，不爲舟車要衝。晋唐以來，中原薦紳之家，避亂而居，與文人學士之宦游而至者，喜其山川淑秀，皆不忍去，于是文教日興，風化益美。宋元明清，近千餘歲，陵谷變遷，未受兵革，書籍碑版，金石書畫之藏弆，至明弘、嘉，搜羅宏富，家弦户誦，雖吴越文物之盛，無以逾之。

——一九四〇年《漸江大師事迹佚聞》

漸師初學北宋，繼效倪迂，超軼前明，冠絶千古。非但于新安畫家，足以稱宗作祖，即如江南山水，董、巨正傳，元代而後，已無其亞。蓋集大成于李成、范寬、郭熙、荆浩、關仝。性情高潔，雅近雲林。所謂有唐人之細而去其纖，有宋人之粗而去其獷。又得縱游名山，覽武夷、匡廬諸勝，黄山、白岳，瓢笠久淹。師古人兼師造化，故能取境奇闢，命意幽深。數百年來，卓然大家，惟漸師始克當此。

——一九四〇年《漸江大師事迹佚聞》

太極圖是書畫秘訣。一小點，有鋒、有腰、有筆根，起筆須鋒，鋒有八面。無鋒謂之椿，最惡習，即是筆病。收筆謂之蠶尾，俗稱筆根。向右行者爲鈎，向左行者爲勒。筆之中腰須肥而圓，要轉而有力，一波三折，隸體，是名畫。

山石用側鋒，有飛白法，旁須界限分明。石之轉折圓滿，筆之起訖分明爲合。石有紋理，如鳥獸之毛羽，長短縱横，皴法先求不亂。房屋用中鋒，舟車亦然，中間轉折不可令其軟弱無力。惲南田、華新羅樹法，無一筆不圓潤。文徵明山水皴及點苔，皆三折如褚河南書法。王蒙筆力能扛鼎，重在不爲浮滑，細筆尤貴有力。

畫先筆筆斷，而須以氣連貫之。筆貴遒練，屋漏痕法，枯藤、墜石諸法，皆見于古人論書畫，無不一波三折。畫樹之筆法，亦要筆筆變，須多用中鋒。

畫之分明難，融洽更難。融洽仍是分明，則難之又難。大名家全是此處見本自。閻立本在唐朝以畫拜相，且不能識張僧繇畫壁，必待三至而後徘徊其下，不忍捨去，因悟其法之妙。

——《畫法簡言》

老子言『道法自然』，莊生謂『技進乎道』。學畫者不可不讀老莊之書，論畫者不可不見古今名畫。

——論畫殘稿

老子謂『道法自然』，歐西人云『自然美』，其實一也。

——論畫殘稿

自古畫者築基于筆，建勛于墨；而使筆墨之變化于無窮者，在水耳。

——論畫稿片斷

唐畫重丹青，元人水墨淋漓；此非輕丹青，而使丹青更能神化。墨呈五彩之麗，是吾國繪畫之進步，足爲後人取法。

——論畫稿片斷

簡筆當求法密，細筆宜求氣足。

——論畫殘稿

筆有順有逆，法用循環，起承轉合，始一筆。由一筆起，積千萬筆，仍是一筆。

——論畫殘稿

離于法，無以盡用筆之妙；拘于法，不能全用筆之神。

——論畫殘稿

作畫應入乎規矩範圍之中，又應超出規矩範圍之外，應純任自然，不假修飾，更不爲理法所束縛。

——《中國畫學史綱》

陰晴寒暑，風雪烟露，草木榮枯，人物動作，難寫之景，變化無窮。粉碎虛空，全由實詣。讀書萬卷，行路萬里，乃可作畫，旨哉斯言。

——《中國畫學史綱》

《易》曰：『立天之道曰陰與陽，立地之道曰柔與剛，立人之道曰仁與義。』圓顱方趾，萬物之性，人爲最靈。古文『大』字，以象人形。故言『天大地大人亦大』。順天應人，不易之理。

——《中國畫學史綱》

内美外美，美既不齊，醜中有美，尤當類別。

——《中國畫學史綱》

論逸品畫，必須融會中國古今各種專門學術，一一貫通，徹底明曉。入乎規矩範圍之中，純任自然，不假修飾，兼之實心毅力，畢生搜討，心領神悟，無非理法，而不爲理法所束縛，孜孜不倦，以底于成。否則文人墨客，一知半解，師心自用，以爲可以推翻古人，壓倒一切，此清代大儒顔習齋所謂『詩文書畫，國家四蠹』。學元季黄大痴、倪雲林逸品畫者，明清以來，多蹈斯弊，誠痛乎其言之也。

——《中國畫學史綱》

漸師與石谿、石濤同時爲僧，以畫名世，人稱三高僧。漸師清逸，石谿整嚴，石濤放縱，揆諸筆墨，各有專長。

——一九四八年《論明季三高僧》稿

唐人尚外美，而惟鄭虔、王維作水墨畫，合之于詩，詩中有畫，畫中有詩。及至唐末五代，荆浩、關仝、范寛、郭熙、李成、董源、巨然，俱以文學博雅之士，追究六法，寫大江黄河流域之名山真迹，各具面貌，兼得情趣。又合米元章、元暉父子爲一家法，是能山川渾厚，草木華滋，爲唐人所不及。

——《畫學篇釋義》

山川渾厚，有民族性。
古今沿革，有時代性。

——《九十雜述》

题畫輯選

題畫輯選

中華大地，無山不美，無水不秀。

——一九四八年題《雁蕩二靈圖卷》稿

山水乃圖自然之性，非剽竊其形，畫不寫萬物之貌，乃傳其内涵之神，若以形似爲貴，則名山大川，觀覽不遑，真本具在，何勞圖焉。

——自題設色山水

雲林幽淡天真，脱去縱横習氣，江東之家以有無爲清俗，其見重于世如此。白石翁學宋元諸家，致力董北苑、釋巨然、李營丘尤深，猶仿倪雲林畫，當時趙同魯謂其落筆太過，多不甚似。蓋臨摹古人，貴在精神，不在形貌。後代傳北苑者各不同，得其偏長，已足名世。故畫家宜有自己真面，不徒以貌似爲工，詒誚優孟衣冠已也。此卷筆墨蒼潤，骨格堅凝，而秀勁之氣隱見楮素間，正是倪迂師法關荆極能槃礴杰作，非同輕薄促弱，自詡雲林一派可比。

——一九三一年題沈周《山水圖卷》

嘉陵山水江上游，一日之迹吴裝收。烟巒浮動恣槃礴，畫圖挽住千林秋。秋寒瑟瑟窗牖入，唐人縑楮無真迹，我從何處得粉本，雨淋墻頭月移壁。

——一九三三年題畫嘉陵山水

沿皴作點三千點，點到山頭氣韵來。七十客中知此事，嘉陵東下不虛回。

——一九三三年題蜀游山水

漓江入平樂，山墨圍鐵城。丘壑侔荆關，杳冥皆夜行。妙悟實若虛，雲氣常英英。

——一九三五年題灕江風景

余畫初由文沈學步，搜討李晞古亦已有年，近喜方方壺、梅道人墨法。前後頗有不同，此卷猶存南宋也。

——一九三五年自題《仿蕭尺木江湖萬里圖卷》

甲戌、乙亥、丙子三年中游蜀粤歸，得寫畫稿千餘紙。觀故宫南遷名畫，寒暑無間，數以萬計。因采各家所長，出以己意，昕夕墨染，置行篋中，自南而北，又歷數年，始足成之。余自勝衣就傅，隨侍金華山中，誦習餘閑，見古書畫即心喜之。家有古今名迹，晨夕展對，悟其筆意，優游自得。弱冠返歙，求睹黄山世族舊藏，跋涉遠道，不憚勞悴。長僑淮海，時古物珍玩麕集維揚，鹺業猶盛，泛覽群籍，閑蓄法書名畫可三百軸，明代楮墨弋獲尤多，行篋往來，携以自隨。洎清叔季，旅食滬上，歐美人出其雄貲，搜羅唐宋古畫。四方至者，真贋雜出，得以甄别選録，臨摹章法，購置元人逸品，參悟筆墨。既師古人，兼師造化，因游粤桂、荆楚、齊魯、燕趙、川蜀諸山水，手揮目送，未嘗一日間斷也。今垂垂老矣，畫稿零殘，多未竣工。緣山堂主人夙耽禪悦，旁通畫理，所作山水小幀，脩然絶俗，而于拙筆有棗芰之嗜，遠道函索，且聆清恙初愈，方思默養其心神，余檢此卷重加點染，付之郵遞，相開緘一笑，紙上烟雲，栩栩欲動，當作枚生《七乘》觀矣。己卯秋日，黄賓虹書，時年七十又六。

——一九三九年題《峨嵋圖卷》贈黄居素

畫分十三科，以山水爲上，山水畫尤以水墨爲上，二米墨法賅備，自稱雅格。

——一九四〇年題畫山水

唐吴道子傅彩于焦墨痕中，略施微染。蓋焦墨法作畫，魏、晋已有之，明書院如蕭尺木、陳章侯、吴文中皆用焦墨，當時得見古迹尚多也。

——一九四〇年題《山居清話圖》

宋畫多晦冥，荆關粲一燈。夜行山盡處，開朗最高層。

——一九四〇年自題山水

黄筌矜富貴，徐熙工野逸，南宋闞院畫，體格早殊别。
青藤（徐渭）、白陽（陳淳）才不羈，績事兼通文與詩。取神遺貌并千古，五百年下私淑之。
筆勢飛騰氣蓬勃，脱屣勛名卧泉石。遂教璀璨花如錦，回轉丹青成水墨。
君不見將軍五季郭崇韜，夫人（李夫人）寫竹金錯刀，黯淡非憑燈取影，射窗直悟冰輪高，功師造化人中豪。

——一九四〇年題《水墨花卉卷》詩

米顛使筆蔗滓粗，全憑水墨敷藤膚（注）。非關文人弄狡猾，要令時史窮臨摹。

——一九四〇年題畫梅花

（注）藤膚——即藤紙。唐宋的時候，江浙多以古藤製紙。元和郡縣志中就載有『餘杭縣由拳村出好藤紙』。陸游詩中亦有『藤紙靜臨新獲帖』句。

畫不妨拙，拙則古厚之氣常存。

——自題花卉册

肥不臃腫，瘦不枯羸。

——自題花卉册

漢魏六朝，畫重丹青，唐分水墨、丹青，南北二宗。荊浩作雲中山頂，董源、巨然畫江南山，元季四家變實爲虛，明代枯硬，清多柔靡，至道咸而中興。

——一九四二年題《富春秋色圖》

唐王維善用水墨法，五代李成師其意而變爲寒林圖。宋至米氏父子能暢發之，以畫雲烟出没之致，畫始有雅格。

——自題山水

范華原畫，深墨如夜山，沉鬱蒼厚，不爲輕秀，元人多師之。

——自題仿范寬山水

沉着渾厚，北宋畫中大方家數，不徒以細謹爲工。

——自題山水

北宋畫師唐人渲染法，而以勁悍之筆出之，墨法層層顯露，不廢矩矱，望之如行夜山，明暗向背，及遠觀之，與唐畫之細筆無异。變而愈化，知所本也。

——自題山水

國畫民族性，非筆墨之中無所見。

——自題山水

夫善畫者，築于筆，建勛于墨，而能使筆墨變化于無窮者，在醮水耳。米海岳水墨雲山，觀其烟巒明滅，處處是筆。後人摹擬便落痕迹，惟元之吴仲圭、明之徐天池筆墨兼到，克臻化境，清湘老人繼起，可稱鼎足而立。此册渲淡入雅，興會淋漓，得有『丹青隱墨墨隱水』之妙，其以筆勝也，可弗寶諸！居素吾兄當不河漢斯言。

——一九四一年跋石濤圖册

畫之神妙，全在用筆，用筆之法，包安吴『萬毫齊力』一語可謂直抉其微。王摩詰游絲皴，吴道子蒓菜條，無論粗細筆，同此一理。

——一九四二年題朱硯英山水

明代文、沈之作，雖淵源唐、宋，惜多南宋。衡山近師劉松年，而追摩詰。石田師夏珪以入元人，于范中立、董、巨、二米猶少，故枯硬帶俗。

——自題山水

元四家中，梅道人善用墨。新安查二瞻晚年師其意，一變倪、黄面目，自覺渾厚華滋，以視李檀園，尚遜一籌。其筆力之雄健與墨法之變化，李從董北苑得來，所謂取法其上者，然二瞻書，于二米極深，參于畫意，卓然不群，婁東、虞山不能望其項背。

——自題山水

元人野逸，三筆兩筆，無筆不簡，而意無窮，其法皆從北宋人畫中來。董玄宰兼皴帶染，婁東、虞山奉爲圭臬，失之已遠。

——題設色山水

龔半千言宋人千筆萬筆，無筆不簡，元人三筆兩筆，無筆不繁。古人重筆，不論繁簡；繁簡在意不在貌也。

——題《重巒山寺圖》

愛好溪山爲寫真，潑將水墨見精神。閑來秋木亭中坐，又弄輕舠曲澗濱。

——一九四三年題山水小品

元畫筆簡而意工，其變換無窮，皆由極繁處得來。

——一九四三年題簡筆山水贈黄居素

畫之氣韵出于筆墨，米虎兒力能扛鼎，黄涪翁强挽萬牛，洵爲千古名論。王阮亭謂新安宗尚倪黄，以漸江開其先路，余見漸師真迹，用筆無不力大于身，故墨法尤見淹潤。

——一九四四年自題山水

趙松雪《苕溪漁隱》，青緑設色，一變唐人厚重之法，入于輕靈。余臨摹有年，昕夕相對。

——自題山水

前二十年，余游陽朔、羅浮、峨嵋、青城、楚越諸山，得草稿千餘紙。今蜷伏燕市，暇爲點染，用古人之法，不欲泥古也。

——一九四六年自題山水

法備氣至，純任自然。古人草草如不經意，所得天趣爲多。

——一九四六年自題山水

唐畫重丹青，宋墨如點漆。斫垩鼻不傷，用筆在腕力。

——一九四六年題畫詩

唐畫刻劃，宋畫獷悍，元人以冲澹生辣之筆出之，兼取其長，而捨其短，後世所不易到。

——一九四六年自題山水册

董北苑從唐王維、李思訓、吴道玄諸家築基，以華滋渾厚爲工，發揚中國民族精神，爲文化最高學術，世無比倫。然非探原古人真迹，殊未易曉。

——自題山水

董北苑畫，米南宫時只見五本，用筆甚草草，近視之幾不類物象，遠觀則景物粲然，純以筆墨勝也。

——自題山水

雄深雅健，元季四家中當推吴仲圭爲第一，其妙尤在用墨也。

——一九四七年自題山水

清湘、白禿皆注重于使墨，惟其筆力矯健，故能逸趣横生。

——自題《山水泛舟圖》

王弇州稱張元春于明畫中得董、巨渾厚華滋之意，雖文、沈有所不逮。

——一九四七年題《溪山深秀圖》

九龍山人畫有類黄鶴山樵粗筆，丘壑幽邃，筆墨蒼莽，蓋其深合北宋范中立處，别有不同。

——自題山水

畫以格高意古、墨妙筆精、景物幽閑、思遠理深、氣象瀟灑者爲上，未可形狀摹擬得之。

——自題山水

宋元人畫筆愈簡而意愈工，含剛健于婀娜，雖極草草，六法無不俱備，所謂狂怪近理者也。

——自題山水

觀其落紙風雨疾，筆所未到氣已吞。畫有氣，方有韵；氣由力生。言地質學者，太陽有求心力與離心力，此即書家撥鐙法。畫者得之，以求虚實兼到之方，而實處如山岳江河，無輕鬆之意，筆乃沉着，沉着後之輕鬆，猶扛鼎者舉重若輕也，此東坡『風雨疾』之言也。否則如狂飆吹落葉，安得有氣？練氣之法，必求練筆始。有清一代，畫之有筆者無幾，求由文人以爲寫意之筆，不下苦力，其不如明賢多矣。明季大家，媲美元人，不爲虚譽，女子畫中兩道坤，可欽也。

——題顧飛山水

三唐、兩宋畫家設色有烘染、點染法，元明士習尚存其意。自董思翁以兼皴帶染開婁東、虞山方便法門，而古意盡漓。余近多見莫高窟真迹，兹以蜀中玉壘關門鷄臺山水擬之。

——自題山水

唐宋畫多白描，只以勾勒峭勁圓潤見筆法，而不用渲染設色，是墨法别有一種研究工夫。用筆如身體之骨骼。聖賢豪杰，超出庸凡，不可不使有真認識。

——自題山水

書成而學畫，變其體不變其法。蓋畫即是書之理，書即是畫之法。王孟津書工二王法，而又兼習北宋范寬、郭熙諸家，畫道得而通諸書。二者均出婁東、虞山以上。

——自題山水

錢舜舉謂，以隸體爲士大夫畫。趙松雪有『石如飛白木如籀，六法須于八法通』之句，可悟書畫同源矣。

——自題山水

歐陽公言，蕭條澹泊，此難畫之意。畫者得之，覽者未必識也。畫道之衰，惟事藻繢以娱俗目，品格氣韵鮮論之矣。

——自題山水小品

米虎兒筆力扛鼎，垢道人乾裂秋風，可爲渴筆，若枯而不潤，剛而不柔，即入野狐。清雍正後之文人畫，非金石學者，皆所不免。

——一九四七年自題山水

龔半千謂，明賢學大痴、鄒衣白入其室，惲道生登其堂。新安汪無瑞學于李周生，僧漸江畫得大痴意亦多。鄒來新安，歙人爲築待鄒亭迓之。

——一九四八年自題《新安待鄒亭圖》

僧漸江、釋石谿、石濤皆師法梅道人墨法，上追北宋。惟漸師頗近倪迂耳。

——一九四八年題《歸舟圖》

宋元名迹，筆酣墨飽，興會淋漓，似不經意，饒有静穆之致。此余蜀山紀游，參以古法爲之，伯敏學兄見而喜此，因檢贈行。

——一九四八年題《蜀山紀游圖》贈王伯敏

王漁洋謂，新安畫家宗尚倪、黄，以漸江開其先路。倪畫早年師馮覲，繼法關仝。豐南吴同卿藏倪畫最精，漸師交吴不類得見雲林真迹，盡將前所作銷毁。今見漸師畫，以庚子後爲多，余謂迂老格用關仝而筆上追道子。所謂磊磊落落如蒓菜條也。後祝昌、姚宋輩學漸江，乾筆無潤澤氣。王孟津言其奄奄無生氣，洵然。

——一九四八年自題減筆山水

萬毫齊力，力在鋒，萬點墨瀋，瀋處得韵，是爲上乘之作。

——一九四八年自題山水

黃鶴山樵初學其舅氏趙松雪，後參郭河陽、李營丘諸家，卓然自立。吾鄉程穆倩師其意，并用渴筆，與涇陽張穉恭均能致力于北宋畫法者。

——自題一九四八年渴筆山水

宋元人畫多積歲纍月而成，渾厚華滋，不落輕薄促弱。余游川蜀，由灌縣經玉壘關至青城山中，朝夕所見，林巒烟雨，隱顯出没，無不摹寫，草稿置囊橐中，歸而乘興揮灑，筆酣墨飽，益見自然。此幀留行篋中，與生平所得敦煌唐賈至開元十三年畫，及宋米元暉，元覺隱、趙松雪諸名迹，自南而北，奚止萬里。今江凡學兄爲言亞民田先生富藏古今書畫，恒多佳品，未獲踵門索瞻清閟，兹撿拙筆，先博一笑。

——一九四八年題蜀游山水

歲月勞奔馳，圖畫入平野。讀書凉雨餘，閑境我心寫。

——一九四九年題畫詩

古人立法本大自然，閻立本初不識張僧繇畫，米元章自謂無一點吴生習氣，唐人失其古法而復興于北宋，當爲正軌。

——一九四九年題《夜山圖》

大痴論畫，最忌邪、甜、俗、賴，賴即專事臨摹，只得貌似，不能師造化之自然。古人文章，爲得江山之助，良有以也。

——一九四九年自題山水

枯藤墮石，以言用筆之遒勁，殊不易到。

——一九四九年題山水小品

唐人刻劃，宋畫獷悍，元季遺貌取神，特出其上，余于青藤、白陽之外，而又變之。

——一九四九年自題水仙梅石

宋人破墨，元代以後不傳，惟詩人題畫之作，偶用其語。

——一九五〇年自題山水

米虎兒（米元暉）筆力能扛鼎，王麓臺筆下金剛杵，皆重用筆先有力，而後墨法華滋。

——一九五〇年題畫山水

元人筆蒼墨潤，兼取唐宋之長，至明隆、萬，非入枯硬即流柔靡。吴門、華亭，皆有習氣。啓、禎之間，多所振拔。如鄒衣白之用筆，惲本初之用墨，即得董、巨真傳矣。

——一九五〇年題畫山水

黃鶴山樵畫法唐人，能兼蘇米士習之長，用筆多圓潤。

——一九五〇年題畫山水

畫先求有筆墨痕，而後能無筆墨痕，起訖分明，以至虚空粉碎，此境未易猝造。

——一九五〇年題畫山水

余觀北宋人畫迹，如行夜山，昏黑中層層深厚，運實于虚，無虚非實。

——自題一九五〇年山水册

世稱江山如畫，江山正不如畫，以無人工剪裁耳。余游嘉陵江上，别有取境，不襲古人。

——一九五一年自題《嘉陵江山水圖》

龔柴丈居白門清涼山上，大江横于前，鍾阜枕于後，左湖右嶺。家有草堂餘地半畝，蒔以花竹。余嘗讀書城西十年，登臨山水望古遥集。今所藏金陵名畫，于柴丈尤酷愛之，因擬其意。

——一九五一年自題《白門清涼山圖》

董香光專用渴筆，以極其縱横使轉之力。

——一九五一年自題山水

垢道人喜用焦墨，所謂乾裂秋風，潤含春雨。

——一九五一年自題山水

頑石而以靈秀之筆出之，古人遒勁樸實如此，當不嫌拙。

——一九五一年自題《頑石圖》

含剛健于婀娜，脱去作家習氣。論畫者以似而不似爲上，熟中求生，亦是一法。

——一九五一年自題《芍藥圖》

唐人刻劃炫丹青，北宋翻新見性靈。渾厚華滋我民族，惟宗古訓忌圖經。

——一九五二年自題山水

宋元人渴筆法，剛而能柔，潤而不枯，得一辣字訣耳。

——一九五二年題《春花圖》

清道咸中金石學盛，繪事由明啓禎諸賢上溯北宋，一掃婁東、虞山柔靡之習。歐化東漸，日益凌替，兹以包安吴筆意參之。

——一九五二年自題山水

用渴筆法，最宜腴潤。

——一九五二年自題山水

前人論畫謂，實處易虚處難。唐畫刻劃，吴裝時習皆蘇米所不取。北宋畫雲中山頂，始知用虚。元季黄大痴墨中藏筆；倪迂筆中藏墨，運實于虚，虚中有實，冠冕古今。明初吴偉、張路、郭詡、蔣三松輩入野狐禪。文、沈力追元人，挽救流弊，失之枯梗。虞山、婁東鄰于浮靡。及道咸中金石學盛，畫亦復明。近法啓禎諸賢，遠師北宋。若吴侃叔、張叔憲、包慎伯、齊玉谿得數十人。均以學識聞博，不蹈時趨，跖實翔虚，由繁而簡。兹以黄山朱砂泉寫之。

——一九五二年自題《黄山朱砂泉》

前人謂山水畫古不如今，道咸中特過啓禎諸賢。倪鴻寶自題所作山水言：梅道人若見之當下揖，揖其善變耳。

——一九五二年自題山水

北宋人畫積點而成，層層深厚。雲間、婁東用兼皴帶染法，凄迷瑣碎，去古已遠。玆以漬墨寫蜀中山水爲之。

——一九五二年自題山水

荆浩、關仝取王摩詰、二李之長，變爲水墨丹青合體，遂爲繪畫正宗。至清道咸而極興盛。近觀包安吴所作山水擬此。

——一九五二年自題山水

巨然墨法自米氏父子、高房山、吴仲圭一派相承，學者宗之。及董玄宰用兼皴帶染法，婁東、虞山日益凌替。至道咸爲之中興。

——一九五二年自題法巨然墨法山水

畫宗北宋，渾厚華滋，不蹈浮薄之習，斯爲正軌。及清道咸，文藝興盛，已逾前人。民族所關發揚真性，幾于至道，豈偶然哉。

——一九五二年自題山水

唐人算子學奴書（注），道子吴裝水墨無。五季荆關開畫訣，虚當求實法倪迂。

——一九五二年題山水詩

（注）算子。干禄書，又名算子書，唐時供書判章之用。向爲書畫家認爲藝術性不高的字體。元陳繹曾于論書中説：『劃之，一勒法也，狀如算子，便不是書。』奴書。這是諷刺學書而不知其變，即所寫刻板無風趣。釋栖霞論書中説：『若執法不變，縱能入木三分，亦被號爲奴書，終非自主之地。』

元季畫家多宗北宋，變繁爲簡，寓實于虚。虚中有實較實尤難，此爲寫意。東坡言：畫不求形似，精神所在千古不磨，不洵然哉！

——一九五二年自題山水

安吴包慎伯著《藝舟雙楫》，于漢魏六朝人書法闡發精詳。觀其所畫山水沉雄渾厚，可謂以八法通于六法者矣。擬之以寄仰止云。

——一九五二年自題山水

黄大痴墨中藏筆，倪迂老筆中藏墨，正是北宋人渾厚華滋、層層深密如行夜山之妙。倪黄極能磅礴以此。

——一九五二年自題山水

集名離垢入邗江，飽墨淋漓興未降。師古未容求脱早，虎兒筆力鼎能扛。華新羅畫論者謂其求脱太早，道咸中包安吴、趙撝叔諸賢超軼前人可信。

——一九五二年自題山水

前人論解弢館畫求脱太早。脱去理法之迹象入其玄悟，正不好拙。拙亦可喜。

——一九五二年題設色花卉

米元章自謂無一點吴生習氣。荆浩言吴道子有筆無墨法。明賢尚猶不足，以董玄宰兼皴帶染，非古也。

——一九五二年自題山水

參差離合，書法有論。唐人奴書，字畫平匀，直如算子。院體作氣，士習輕之。有真内美不可弃也。

——一九五三年自題山水

畫重蒼潤，蒼是筆力，潤是墨彩。筆墨功深，氣韵生動。

——一九五三年自題山水小品

筆法先在分明，層叠不紊。功力已到，則以墨法融洽之。唐人用筆，至宋人兼用墨，元明之季，通人雅士筆墨變化可謂無窮。而市井、江湖一流未之知也。

——自題山水

釵股漏痕，枯藤墜石，畫中筆法，由寫字來。金玉古刻，先民矩矱以此。

——一九五三年自題山水

古人畫境淵源不同，到微妙處，無有差别。

——一九五三年自題山水册

言之無文，行之不遠。畫先文字而有象形，不重形似，在于神似，當多讀書得之。

——一九五三年自題《焦墨山水圖》

畫須熟中生，生澀不浮滑，自有静氣，而不甜俗。

——一九五三年自題《夜山圖》

惲道生論畫，言疏中密，密中疏。南田爲其從孫，亟稱之，又進而言密處密，疏處疏。余觀二公真迹，尤喜其至密者，能作至密，然後疏處得内美。

——一九五三年題《柳村歸棹圖》

岩岫杳冥，一炬之光，如眼有點，通體皆虚；虚中有實，可悟化境。

——一九五三年題山水小品

北宋人畫法簡而意繁，不在形之疏密。其變化在意，元人寫意亦同。

——一九五三年題畫山水

分明在筆，融洽在墨，筆酣墨飽，渾厚華滋。法備于北宋，至明啓禎諸賢師法董、巨。清之道咸，畫學復興，力争内美，以金石碑碣發顯尤多，足供研求史。

——一九五三年自題山水

唐宋人畫，積叠千百遍，而層層深厚，有條不紊，五日一石，十日一水(注)，王宰、王維同爲後世學者之祐，未可忽視。

——一九五三年自題山水

(注)『五日一石，十日一水』，見杜甫《戲題王宰畫水圖歌》詩。詩云：『十日畫一水，五日畫一石；能事不受相促迫，王宰始肯留真迹。』

古人立法，本大自然，閻立本不識張僧繇；米元章自謂無一點吴生習氣。唐人失其古法，而復興于北宋，當序正軌。

——一九五三年自題《平遠山水寫意圖》

江南山水，到處入畫。畫師造化，千變萬化，妙有剪裁。

——一九五三年自題山水

今人杰作，可勝古人。先哲有言，不爲虚語。

——一九五三年自題山水

元人野逸，三筆兩筆，無筆不簡，而意無窮，其法皆從北宋人畫中來。董玄宰兼皴帶染，婁東、虞山奉爲圭臬(注)，失之已遠。至清之道、咸中，涇縣包慎伯（世臣）始得之。

——一九五三年自題山水軸

(注) 婁東指王時敏、王鑒等畫家。虞山指王石谷等畫家。圭臬——即是標準之稱。

明代啓、禎，清之道、咸，鄒衣白、惲本初以筆勝，包慎伯、趙撝叔以墨勝；所畫山水，實駕古人而上之。

——一九五三年自題山水

清道、咸金石學盛，籀篆分隸，椎拓碑碣精確，書畫相通，又駕前人而上，真内美也。

——一九五三年自題《江村圖》

吴漁山、龔半千畫，非不力求渾厚，而囿于董玄宰兼皴帶染法，猶非其至萬毫齊力。至道咸中得其真詮。

——一九五三年自題山水

古人作畫，用心于無筆墨處，尤難學步，知白守黑，得其玄妙，未易言語形容。

——一九五四年自題山水册

意遠在能静，境深尤貴曲。咫尺萬里遥，天游自絶俗。

——一九五四年自題山水册

甌香館言：大痴（黄子久）富春山色，墨中有筆，渾厚華滋，全法北宋人畫。

——一九五四年題山水小品

大痴《富春山居圖卷》，全宗北苑，間以二米法，狀凡十數峰，樹木雄秀蒼鬱，變化極多。惲道生有摹本，得其大意，鄒衣白有拓本，唐半園又有油素本，丘壑位置，可以勿失，領會神趣，先師造化耳。

——一九五四年題山水册

沈石田師法元人，其學倪迂（倪雲林），格格不入。明畫枯硬，而幽澹天真終有不逮。

——一九五四年自題山水册

用筆于極塞實處能見虛靈，多而不厭，令人想見慘淡經營之妙。

——一九五四年自題山水册

元氣淋漓，筆須留得住紙，而墨無旁瀋，力透紙背是爲上乘。

——一九五四年自題山水册

山川渾厚，草木華滋，董、巨、二米爲一家法，宋元名賢，實中有虛，虛中有實，筆力是氣，墨彩是韵，逮清道咸，金石學盛，籀篆分隸，椎拓碑碣精確，書畫相通，又駕前人而上之，言真内美也。

——題《江村圖》

半壑松風，一灘流水，此畫家尋常境界，天游、雲西，寥寥數筆，與墨華相掩映，斯境須從極能磅礴中得來，方不浮弱。

——一九五四年題畫山水

高房山《夜山圖》。余游黄山、青城，嘗于宵深人静中启户獨立領其趣。

——一九五四年自題山水册

董香光專用渴筆，以極其縱横使轉之力。何蝯叟言其但少雄直之氣。余得蝯叟爲李芋香父子所作畫，氣雄而不專于使氣。氣兼韵行殊未易到。

——一九五四年自題山水册

龔柴丈人（半千）言，學大痴畫者，以惲道生爲升堂，鄒衣白爲入室，舟行富春江中，余嘗携其真迹證之。

——一九五四年自題山水册

惲道生論畫言，疏中密，密中疏。南田爲其從孫，亟稱之。又進而言，密中密，疏處疏。余觀二公真迹，尤喜其至密者，能作至密而後處得内美。于甌香館似逊一籌。

——自題山水册

古人畫訣有『實處易，虛處難』六字秘傳，然虛處非先從實處極力不可。

——自題山水册

三角不齊美，天地自方圓。人工費剪裁，巧奪造化先。

——一九五四年自題山水

毗陵鄒衣白筆意，全于魏晋六朝畫悟出，近觀敦煌發現唐開元賈至真迹，錐沙印泥之妙，超出于王維、鄭虔之上，可以想見。

——一九五四年題畫山水

宋代擅名江景，有燕文貴、江參，然燕喜點綴，失之細碎；江法雄秀，失之板刻，用長捨短，當有卓識。

——一九五四年自題山水册

巨然筆力雄厚，墨氣淋漓，梅花庵主（吴鎮）、一峰老人（黄公望）同時共學，兩家神趣雖殊，而各盡其妙。

——一九五四年自題山水册

筆墨攢簇，耐人尋味，若范華原當勝董、巨。

——一九五四年題畫山水

前人論畫，其義皆興詩文相通，深入顯出，又須沉着痛快。董玄宰謂，唐畫刻劃，五代北宋六法始備。至高房山趙松雪集其大成。

——自題山水册

乾裂秋風，潤含春雨，垢道人從元季王黄鶴、梅花庵，一變其法，踔躒今古。

——一九五四年自題山水

大痴《富春山居圖卷》，全宗北苑，間以二米法，狀凡十數峰，樹木雄秀蒼鬱，變化極多。

——一九五四年自題山水册

形若草草，實則規矩森嚴，物形或未盡有，物理始終在握，是草率即工也。倘或形式工整而生機滅，貌或逼真，而情趣索然，是整齊即死耳。

——自題山水

山有脉，水有源，道路有交通，雲烟出没，林木扶疏，法備氣至。若斷若續，曲折盤旋，舉平遠、高遠、深遠之各殊，無不入于自然，而無容其造作之迹，此其上乘。

——一九五四年春題王伯敏畫册

唐六如仿李晞古畫多出周東村捉刀，余觀其《秋山圖》穠古類商周彝鼎，斑爛中有静穆之氣，偶一擬之。

——題仿唐寅《秋山圖》

筆力能扛鼎，言其氣之沉着。先于此下手，而後頭頭是道，不至囂凌浮滑，方爲大方家數。

——自題山水

唐王摩詰水墨畫，專用淡墨，以水破之。李營丘始用淡，淡以破濃，濃亦破淡。筆有順逆，墨有乾濕，元人畫最重破墨，明代失其傳，董玄宰用兼皴帶染法，婁東、虞山調筆和墨，去之又遠。玆擬范華原意。

——一九五四年題擬范華原意山水

石起如雲，松撑似獸，筆歌墨舞，詩中有畫，黄山奇特忽在手。

——一九五四年自題山水

近代良渚夏玉出土，五色斑駁。因悟北宋畫中點染之法，一洗華亭派兼皴帶染陋習。

——一九五四年自題山水

中邦繪畫，附屬書算餘事，儕伍藝術游戲，萌芽文字，極盛詩歌。老子言：聖人法天本大自然；孔門設教，分爲四科，天地生人惟最靈，是爲三才。才德出衆稱名君子。自强不息，居仁由義。從科學中保存哲學。近今歐洲學者倡言藝術，增進初尚。靈學、君學、唯心，民學、唯物，改造變化。

——自題山水

北方重學，南方重文。莊列寓言，實宗羲易。宋人謂畫人物今不如古，畫山水古不如今。人物有定形而無定理，山水有定理而無定形耳。

——一九五五年題贈胡一川夫婦

紀游詩選

蜀中紀游詩選

江行舟中四首

葭亂楚江秋，烟波滯客游。皋亭閑俯眺，日夕急東流。

浸波峰叠雲，迴沙月凝雪。霜樹槭疏紅，清光飲寒冽。

送爽喧清籟，迎曦破淡烟。峰迴三峽路，飛鳥出遥天。

戍角咽江流，斜暉萬里舟。客心孤迴處，一雁拂高秋。

白帝城

萬壑深陰卉木稠，黛螺濃影潑滄流。丹黄幾點蕭蕭葉，白帝城高易得秋。

峽中望夔巫諸山

湘澧始入江，川原自夷曠。落日上墟烟，莽蒼極四望。

舟行溯宜昌，彝陵復西向。歷落見岡阜，崇墉起屏障。

傾斜間缺嚙，奇詭各殊狀。峰巒競蹲跳，雲濤恣摇漾。

奔流勢已雄，束峽氣逾壯。迴磧激飛淙，曲折互争讓。

捩舵舵工捷，横渡翦鯨浪。水由地中行，人如坐天上。

晌倏涉重險，迅速風五兩。夔門驚逼蹙，巫山悦排宕。

神媧煉石餘，斧鑿出天匠。嵐光撲襟袖，游想心目暢。

安得常久居，泉石相依傍。即景窮幽邃，圖畫列裝潢。

流觀綜宙合，搜獲詫奇創。澄懷觀物外，塵壒盡消忘。

解纜又晨征，言念神爲王。

巫　峽

秋隨鷗夢到江濆，晴巘陰崖楚蜀分。十二峰前舟駛疾，巫山娟秀戀朝雲。

明妃村

輕藝椒蘭識重文，黄金揮霍賦長門。馬卿若比毛延壽，終古明妃尚有村。

自叙州至嘉州乘帆船作

千里飆輪破急湍，虎鬚魚復過來安。我容徐領看山趣，翻喜篙檣上水難。

峨嵋山

浮青萬叠山，一折纍千級。懸梯絶壁飛，雲房天咫尺。

龍門峽二首

束玉崖巉削，排雲磴屈盤。蕭森人獨立，肌粟夏生寒。

潑靛潭空匹練飛，憑欄茗碗坐忘歸。林岩寂静雲圍合，一徑通樵入翠微。

洗象池二首

崖扳鐵索沉沙舊，石絡霜根盤磴高。猿鳥不鳴山更寂，一聲雲外出蒲牢。

香象空傳昔渡河，天池冰涸露坡陀。唄宫俯瞰華嚴頂，層叠烟巒起洑波。

峨　頂

羈滯動兼旬，嘉州復淹轍。近囂習生懨，坐悶心緒劣。

峨嵋百里程，撑青影羅列。層嶂澹雲表，崇岡隱林缺。

裹糧出郊坰，川途循曲折。蘇稽歷清曠，雲壑神怡悦。

仰躋踵接肩，迴顧行蹩躃。衡烟猿鳥度，振木魚唄徹。

飛甍砑銀光，宮闕月騰晢。匹練落寒澗，跨梁兩虹霓。
華嚴峰頂瞰，蓮嵺森屹巑。曙彩蒸雲霞，艴奕倏驚矞。
況若石五色，靈媧餘補綴。又如花千樹，天女散衣襭。
三秋葉飽霜，萬古山留雪。霜葉錦斑斕，雪山玉瑩潔。
錦玉皆天成，大造無纖屑。閬蓬粲瑰觀，狂起叫奇絶。
烟景傳丹素，清光却炎熱。金碧李將軍，水墨王摩詰。
荆關南北宗，合體無優絀。粉本集衆史，摹擬苦癥結。
常此疑古人，容畫不容説。峨山瘦且秀，天繪巧施設。
請窮十日游，徐參畫中訣。

杜陵祠

烽火頻年物力痡，緑筠芰盡草堂孤。愴懷衰亂今猶昔，壁上丹青總不渝。

擲筆槽

彩筆界山明，青城又赤城。相傳天師畫青赤色分山界，青城又名赤城 文心許蒙拾，湘管夢花生。

第一峰

岷嶓千萬重，青城第一峰。栖仙岩洞杳，高閣月朦朧。

天師洞

參差岩閣嵌瓏玲，小竇盤旋入杳冥。一綫曙光山縫出，洞門林葉墮縹青。

簡陽道中

膏車飆發碧雲隈，盤過龍泉舊驛來。竹樹篸差廬舍合，一河横截四山開。

嘉陵江

圖寫嘉陵江，絶藝唐畫史。日月計工速，選勝三百里。
蜀游我經年，尋流考原委。南充一杭舟，城環衣帶水。
對岸山如揖，瞥眼青失喜。藍本搜開元，煤麝付沉毀。
茫茫灰劫餘，滄海揚塵起。昔當岩卉春，向曙雲霞綺。
樓臺燦金碧，將軍呼大李。或者澄夕暉，澹蕩秋烟紫。
磊落蒓菜條，吴裝清復爾。院體内供奉，形肖遍塵市。
坐令損華滋，元氣盡凋萎。夏陰今霮䨴，流水遠瀰瀰。
雲山董巨筆，瀏覽想經此。上承王右丞，下啓米漫仕。
潑墨創雅格，南宗不祧祀。平淡宜永年，娱老無奇詭。
仿佛江南居，山川爲渟峙。

龍 洞

箯舉層級上蒼冥，夾道松筠擁翠屏。石壁斧劚雲皴瘦，天池鏡徹月瓏玲。
漁舟人去尋烟語，龍洞神回帶雨腥。一覽會收全景處，坡平好着草玄亭。

合 川

水市聲喧客路賒，溪流環繞出三巴。垂楊籠巷如深雨，歸燕雙雙日又斜。

北碚二首

川光沙磧虹收雨，山氣林篜鳥度烟。轉過烏篷夏溪口，鷗程重與問長年。
縉雲山色樹周遮，雨後炊烟欲變霞。古塔入江寒有影，輕舟出峽静無嘩。

題畫嘉陵山水

嘉陵山水江上游，一日之迹吴装收。烟巒浮動恣槃礴，畫圖挽住千林秋。
秋寒瑟瑟窗牖入，唐人縑楮無真迹。我從何處得粉本？雨淋墻頭月移壁。

粵西紀游詩選

香港

萬里飆輪入港初，掀波礙石路盤紆。青藍海澱琉璃界，丹堊雲房縹緲居。
夷夏銷金開島市，仙靈搖佩接蓬壺。振衣絶頂凝遥睇，天繪陰晴啓畫圖。

梧州

岩渚江城綆路長，蒼梧舟泊古遐荒。村歌動岸聲邪許，山影窺窗貌靚妝。
四野蕭疏鳴蛤蚧，雙流清濁合鴛鴦。行程十日之臨桂，晴雨溪山費較量。

馬江

層叠高原萬木稠，梅炎一雨爽迎秋。飛泉石溜清如潑，平野林陰翠若浮。
舊壘鄉心驚唳雁，孤篷客夢穩眠鷗。晚來三尺能添漲，灘水明朝待放舟。

平樂

一片澄江小泊舟，亂峰荒岸古昭州。風喧密竹鏗瑶佩，日暖平沙送棹謳。
山市散時人唤渡，村醪沽處客登樓。眼前便是溪山稿，好借荆關老筆收。

廣運 在平樂下六十里

南天百越紀經行，桂嶺灘江萬里程。僮錦斑斕總殊樣，蠻花穠艷故難名。
偶尋樾館題詩懶，小醉金樽入夢清。回首雲濤江海闊，此身忽地俯峥嶸。

荔浦縣

輕烟籠水樹空濛，天外青山路幾重？官驛往來通荔浦，人家耕鑿在蓮峰。
郡開佗賈思前迹，波接衡湘感去踪。準擬探奇陽朔好，零陵深處一支笻。

昭　山

風急灘江六六灘，枕邊衝入曉光寒。清泉澗曲冰弦韵，薄霧榕陰淡墨團。
一水人間論萬里，千峰天外跳雙丸。好山未盡行程盡，勞我推篷鎮日看。

幟山樓

同馬君武、陳柱尊諸君

方舟潑黛水瀠洄，巨石中流險鑿開。喜對清樽今舊雨，共聯游袂古邊垓。
山飆入峽迎檣轉，沙翼隨波作隊來。寂寞長亭增悵望，懸崖千尺白雪堆。

獨秀山

清游日日卧烟巒，桂嶺環城水繞山。迴渚扁舟催日暮，中天高閣礙雲還。
眼紅霜葉秋同醉，頭白沙禽老共閑。入夜西風破急浪，愁心枕上送潺湲。

七星岩

手捫星斗躡崔嵬，小竇通人數尺纔。仄徑岩腰縋綆入，倚天洞口列窗開。
迴欄飛蝠風衝竹，絶澗垂虹石漱苔。蕭緯杳暝憑秉燎，夜山行盡曙光來。

七星岩洞深十餘里，將出有光，如天欲曉，謂之東方發白。

興　平

凍雨初晴夜漲高，溪流瀺嚙倚雲坳。鬼工壁削玉千疊，鍾乳柱懸冰萬條。
歷歷林皋餘戰壘，冥冥烟樹送歸橈。同舟共解留連意，乘興搜奇未寂寥。

畫　山 石壁有畫馬

截壁瀕江水墨屏，鴻濛巨手厭丹青。頽墻驟雨淋漓意，畫幛平蕪騕褭形。
豈賴天閑作藍本，只教神斧着仙靈。浮名大笑曹韓筆，伯樂一星天外熒。

開元寺

水映晴空草色齊，一橋虹影忽横溪。笋輿石縫穿蘿磴，菌閣霜根見菜畦。
禮數山僧存樸野，幽期勝侣趁攀躋。岩坳洞暝無行迹，時有閑雲度澗西。

雁蕩紀游詩選

四十九盤嶺

笋輿盤過玉蘢葱，巒嶂千尋澗百重。雪色岩花飛蛺蝶，雷聲瀑水起蛟龍。
喧空雨向吟邊度，奇絶山疑畫裏逢。直欲振衣高處立，天劖靈秘白雲封。

雪花天

瞰溪天際碧峰攢，岩岫嵌空古佛龕。激素泉飛花片片，浮青烟泮草毿毿。
絮飄雲外蒼旻迥，水約風前白戰酣。盤石坐看移晷刻，不知清影落空潭。

靈　岩

清游日日雨簾纖，小步溪橋淺漲添。霧合昏黄窺豹隱，石横沉黑動虬潛。
門前草色泥衝屐，枕上泉聲溜挂檐。歸擬雲山米漫仕，好分淹潤到毫尖。

坐一帆峰下觀大龍湫瀑布

摧崖裂石出層阿，風裊飛泉濺沫多。石颺片帆横碧海，天懸匹練落銀河。

詩心入畫王摩詰，逝水通禪諸詎那。一峽倒傾雄萬壑，況經夏漲雨滂沱。

梅雨瀑

變更四序入梅炎，壑轉晴雷雨意酣。匹練垂流懸絶壁，跳珠搖影灑澄潭。
知時催得詩三昧，永日供將佛一龕。翹首夕曛岩缺處，挂空紫霓護層嵐。

雁蕩三折瀑

余約蔣叔南將建閣其間，以時憑眺

湍急風迴搓翠柳，水邊數樹葉逾稀。幽人追暑來溪閣，好趁凌虛看瀑飛。

題畫雁蕩山巨幛

群峰削玉摩青穹，赬霞縹緲神仙宮。花村鳥山甌海東，波濤蔽日迴長風。
竭來捨舟躡巃嵸，盤過百澗巒障雄。城墉黝鐵連雲中，旌旗招展朝暾紅。
天柱壁立劖鬼工，瀑流上溯銀河通。洞明初月梁懸虹，冰晶飛動泉玲瓏。
梯絙不到睇眄窮，神游邃古開鴻濛。巨鼇戴負何尊崇，地軸斜陷橫流洚。
崩崖噴火雷豐隆，炎熛電掣光熊熊。熔沙爍石施磨礱，清宵熠耀晨昏罞。
媧皇束手如盲聾，小臣號攀黃帝弓。星楂路迴心憂忡，天荒地老卉木叢。
上嗥猿鶴下虺蟲，欃槍芒吐浮艟艨。斧戕肆虐千山童，巍峨高閣垂簾櫳。
中有栖隱丹顏翁，晷影筆硯晴窗烘。蔬盤酒盞春融融，坐對川谷涵虛冲。
真靈面目一笑逢，邀我寫照窺纖洪。搜羅萬態歸牢籠，風雨雜沓森帡幪。
追摹僧繇洎關仝，筆耕浩汗元氣充。泰華峻厚兼衡嵩，黃海秀异侔閬蓬。
烟水滃鬱山青葱。欲抉靈秘天無功，拂素信手揮鸞潀。起蟄百丈龍湫龍，
檐前夜雨聲喧空。

紫霄岩

靈窟天蒼潤，奇峰地鬱盤。四時霖雨中，萬里水雲寬。

西天門

捫蘿崖壁立，鑿石洞門開。曠朗閑憑眺，遥山送爽來。

獨聳岡

亭空飛瀑落，欄古亂雲扶。絶頂山中路，孤高四面虚。

五老峰

浴日不知寒，餐霞亦可飽。青青天外觀，萬古此終老。

三姑峰

烟雲窈窕姿，蘭蕙芳菲意。石爛海水枯，孱顔總葱翠。

珠簾洞

石噴珠簾泉，山澈冰壺洞。玲瓏坐永夜，桂魄冷飛動。

白岳

初晴澗谷雪紛飛，臘盡仙岩到客稀。長路擔簦輿僕瘁，剩游聯袂侣朋違。
林穿石磴堆黄葉，鳥度雲房上翠微。容易行程星序改，我來曾識柳依依。

新安江紀游詩選

新安江上七首

行經賀廟又嚴祠，謖謖松風入聽時。幾度岩前曾伫立，壁留苔蝕舊題詩。

關津風雪一扁舟，江水滔滔載客愁。往迹經過如轉睫，十年早敝黑貂裘。

紅爛溪頭桃樹春，遠波暗暗望通津。飛雲不隔仙源路，那識人間有戰塵。

峰影横江江上青，浮天界白片帆輕。看山人逐長風去，閑却荒磯一草亭。

漠漠孤帆天盡頭，江空舟去月光浮。欲憑酒力消離恨，東望慵登池上樓。

岩坰過雨看新竹，烟津晴檐壓寒緑。夜添野漲下銀塘，拍水一雙飛劚玉。

短橋依水屐衝泥，緑漲平蕪草色齊。門繫春江歸客艇，隔林不住鵓鴣啼。

錢塘江

靈胥弭節赭龕回，萬鼓江心怒動雷。揮汗篷窗苦秋熱，浮天倒捲雪山來。

桐 廬

風蒲水闊入黄昏，烟樹天空没遠村。一碧澄波寒浸月，荒江無處覓桐君。

富春山

天繪開張畫者師，苕岑异代許襟期。閣高環樹江沉影，淺絳秋山擬大痴。

緑港灘

三百六灘行盡頭，奔湍出峽喜安流。莫教艇子貪眠穩，潮汐錢塘盛早秋。

釣魚臺

藏弓勛業勞亡楚，覆瓿文章訥美新。争似清名冠東漢，客星江上秉絲綸。

合江亭

歙婺分流合入瀧，漸江直下轉桐江。山迴水繞情何限，亭子閑虛面面窗。

梅花紋

卧從香雪海中游，畫向冰紋紙帳收。幾度停舟江上月，只應無夢到羅浮。

尾灘

礙石飛湍衆水豬，溯游雲海舊通渠。舟行盡此民編筏，山路從頭問笋輿。

深渡

山市成村傍水涯，通津編竹路猶賒。平林一抹烟横閣，曲岸聞香午焙茶。

陔口

山入長陔澗路盤，分程官驛接臨安。嶺邊細激東流水，繞出澄江又幾灣。

浦口

山邑江源异歙休，歸人湖海溯同游。入雲深處溪愈曲，直到門前好繫舟。

漁梁

築堰横江截石平，寒罾淺草浪花明。客裝輕簡猶勞理，盤過空舟好放行。

過新嶺 己丑作

笻屐山程十日餘，記曾負米路崎嶇。白雲隔斷鴻飛迴，游子鄉關望故廬。

坐雨

萬瓦齊喧雨未停，平明纈眼夢初醒。檐前忽霽縹瓷影，錯認晴山一桁青。

黃山紀游詩選

鳴弦泉

妙有流淙激石音，一筇幽討碧雲潯。天荒地老人何處？領取成連海上琴。

慈光寺

夏令方新暑氣微，寺邊疏篠笋苗肥。它時重踏沿溪路，好待成竿坐釣磯。

桃花源二首

潭水拖藍間淺紅，落英輕颺一溪風。歸耕早計貧專壑，只見靈源入畫中。

絢彩晴霞爛漫春，從無漁子問通津。循流不隔仙源路，那識人間有戰塵。

題畫黃山風景六首 黃山紀游風景爲多

卓筆峰尖玉削成，飛泉珠迸作琴鳴。寒生六月不知暑，盤過松陰石縫行。

鱗鱗低蹙流紋腥，脉脉橫拖山髻青。江上扁舟憑遠眺，幽栖何處着茅亭？

山含濕翠活雲多，解駁晴空吐碧螺。行徑石斜苔蘚潤，我來初趁雨經過。

岩岫嶙峋湖水平，漁村樵徑岸花明。晴暉十里人歸晚，秋氣橫空一雁鳴。

連江雨氣初沉白，隔塢山容不斷青。却爲吹雲風力勁，輕陰冉冉度幽亭。

山轎紆迴入翠嵐，野香石背見叢蘭。露芽折向朝曦暖，時引一蜂隨往還。

潭上曉發

曙旦聞村鷄，出門擔輕裝。月色不映地，履痕橋上霜。

箬嶺四首

梯懸上山路，盤旋無坦夷。濟勝賴腰脚，還借筇竹支。

松陰覆山椒，泉流暗石隙。千尋逼斷崖，路向澗邊出。

古寺倚岩巔，俯窺雲在牖。行近轉迷漫，雨氣濕襟袖。

澗水嶺邊亭，窗虛静聽琴。坐來微雨歇，林外數峰青。

湯口二首

緑樹陰蔽虧，青峰列環堵。一枕卧溪樓，泉聲喧夜雨。

細竹入山路，沿溪寒翠重。嵐光拂面來，拔地青芙蓉。

慈光寺

壞殿瓦礫餘，繚垣竹樹疏。叩門無行迹，山僧自樵蘇。

青鸞峰

山勢插層雲，矯健鸞翻翼。吹簫人去遥，壁立玉千尺。

仙人指路

此去天都近，靈奇恣討探。莫辭登陟苦，捷徑笑終南。

一綫天

來往珠穿蟻，登峰松引針。清暉愜幽賞，真欲惜分陰。

小心坡二首

斷續綆懸路，傾欹沙滑坡。人窺飛鳥背，下界白雲多。

過雨瀑争流，扶雲岩欲墮。絡石見繁枝，横截一松卧。

前　題

斷壁苔陰綴青紫，鑿竇千尋步容趾。下瞰絶壑雲蒼茫，欲度不度魄爲褫。

喘汗捫崖一佇觀，遠迎西爽開孱顔。安得面山此長坐，平鋪松翠成蒲團。

騁思未已足轉進，歷險窮幽貪選勝。群峰拔地各争奇，圖歸卧我徐徐領。

天門坎

來徑披蒙茸，拾級轉清曠。天教啓秘鑰，奇詭出遐想。

迎送松

今古幾游客，勞勞管送迎。蒼官不知老，披拂自多情。

紫玉屏二首

天成赭墨山，神巧出狂怪。萬態雲變滅，坐看不容畫。

巨靈擘雙峰，拱衛森左右。天都蓮崿間，元氣得渾厚。

文殊院五首

數椽斫短松，萬瓦壓層石。暖意覷晴曦，轉陰風獵獵。

僧舍門常掩，微雨窺窗來。重陰積屏几，嫩緑生莓苔。

擁褐知夜寒，默坐意蕭瑟。仰看月正明，啓户衆山失。

山缺寸白雲，奔騰倏萬馬。衆壑浸成澥，雪浪月光下。

清露滴松鬣，初旭明岩腰。谷底殊陰晴，雷殷雨瀟瀟。

九華紀游詩選

化城寺

切雲山逼樹蕭疏，寺嵌層阿水滿渠。正是天台風日晚，鐵圍東望鬱雲區。

古　松

松壓崖陰風雪欺，密如撒網露繁枝。生枯半向南暄裏，翠蓋濃于緑玉卮。

東崖二首

遠望東崖不可登，精藍拾級玉崚嶒。寺鐘晚流溪橋去，穿過天台最上層。

古刹雲崖危插天，行吟誰與問桑田？荆榛蔽徑磨荒碣，可信仙人有偓佺。

拜經臺

一澗風迴四面亭，千山雲護百函經。台高截石平如掌，松屈繁枝不斷青。

鶴立峰

久別翩躚丁令威，當年化石此間飛。如何一去無踪影，應爲遼東不忍歸。

迴香閣

笋簴高下嶺雲重，絶澗縈青瞰萬松。來徑懸空一回顧，秋千影落碧芙蓉。

信札輯録

信札輯録

東方文化，歷史悠遠，改革維新，屢進屢退，剥膚存液，以有千古不磨之精神昭垂宇宙。

——致黄居素書

詩文書畫，同源异流。溯古哲之精神，抒一己之懷抱，即人生樂事。

——致黄居素書

處世律身，自有不磨之業，道德、學問、智識三者是也。有智識者，可以救亂扶危。有智識而有學問者，救亂扶危，兼可創造建設。有智識學問而兼有道德者，則反危爲安，可以使長久鞏固。

——一九一八年致黄昂青書

蓋世俗以水墨淡雅爲氣韵，以筆毛乾擦爲骨力，因此誤入此途，幾數百年無人力辨其非，以學四王徒襲其貌而未深思耳。墨法高下，全關用筆。

——一九二三年致胡樸安書

用筆以萬毫齊力爲準。筆筆皆從毫尖掃出，用中鋒屈鐵之力，由疏而密。二者雖層叠數十次，仍須筆筆清疏，不可含糊。

——一九二三年致胡樸安書

中畫純以筆墨爲要，章法次之。筆法、墨法，前清一代不逮古人遠甚，以清代重文輕藝故耳。四王、吴、惲以下能得古人之法完全者已罕。鄙人近擬將其墜緒，逐一發明于文字中。

——一九二六年致吴仲坰書

明程青溪謂柳公韓畫筆力能扛鼎，更勸其作工細畫，由細筆入，而後可言粗毫。故元人皆從唐宋築基，自董玄宰後，漸流輕易，清代畫多薄弱，職是之因。內地唐宋畫不易覯，可多對古樹疏柳，不厭其繁複而臨寫之，精進將未可限量。

——一九二九年致林散之書

古畫大家全于筆墨見長，溯源籀篆，悟其虛實，參之行草，以盡其變。墨則有積墨、破墨、潑墨、焦墨、宿墨諸法，不徒濃淡二者而已。細筆當如粗筆，以得迴環俯仰之妙爲佳。

——一九二九年致林散之書

學畫如習拳棒，當以研練之功，不少間斷，輕于試用，必致爲害。青年視學畫爲游戲，偶爾動筆，即以贈人，終身爲人服役不了，而自得之趣毫無，此是大病。所謂練習者，法有未備則研究法，氣有未至則研究練氣之法。法備氣至，始爲成功，而後出而問世，毀譽尤當不介于心，此大家也。

——一九三〇年致朱硯英書

聆悉尊獲程晶陽山水，可賀可賀。元人祧荊關而祖董巨，明季祖元人，有清末造祖四王，皆因畫家『貴正不貴奇』之説倡之也。新安四家，亦祖元人，而于倪、黄尤重。故王阮亭、施愚山諸老盛稱之。晶陽子上窺北宋人堂奥，而出之以放誕之筆，不爲時賢所喜。惟曹楝亭圖，見之著録。鄭慕倩言其如南宮适之爲人，不論其畫之優劣，所學不同耳。然晶陽子宦吴中，頗染吴漁山弟子陸日爲諸人風氣，墨雖淹潤，而筆近挑薄，不如石濤、石谿之沉着，所以鑒賞者不甚珍异之。將來藝術發展，深究各家源流，此等作品極有參考之裨益。況楚弓楚得，可新爲新安畫家多開門徑也。

——一九三一年致許承堯書

承詢畫法，筆筆要羅羅清疏，由疏處漸漸加密，自然不亂而且厚。惟下筆宜極留意，緩緩寫出，而不可草率。

——一九三一年致鮑君白書

鄙人無日不畫，摹虛寫實，未嘗少懈。明代枯硬，清朝浮薄。宋元畫中，求其筆力遒勁，剛柔得中者，亦復無多。中國畫法從書法來，無往不復，無垂不縮，妙有含蓄，不可發露無餘。

——一九三五年致朱硯英書

自歐風東漸，三倉文字，經傳誦習，常圖廢弃，而通俗之文，僅識教科書與廣告畫耳。空疏無術者又以推倒古人、自己獨造爲能，種種荒謬風氣流行，而古法蕩盡矣。石濤之畫，今世界人莫不愛之重之，其外貌似放誕易學，而細按之處皆從古法中出，故自謂古人未立法以前，不知古人用何法；古人既立法以後，我又不能離其法。用力于古人矩矱之中，而外貌脱離于古人之迹，此是上乘。四王、吴、惲只是終身在古人法度之中，不能脱離形迹者，尚且稱宗作祖，而毫不究心古法者，妄欲推倒古人與自己獨造，其無异于囈語耳。

——致朱硯英書

書畫之道，不外筆法、墨法、章法三者。用墨之法，全視筆中而出，一筆之中，有數色之墨；一點墨之中，有乾濕互用之筆，此謂有筆有墨。明初學吴小仙爲狀元，一時如蔣三松、郭清狂、張平山之流，皆以其爲野狐禪一派肆行畫院中，非有沈石田、文徵明起而救正之，畫道幾乎絶滅。然文、沈只能恢復南宋之筆法，而墨法未備。文徵明晚年學吴仲圭，正是研求墨法，惜留傳無多。至董玄宰謂師北苑，其墨法不過以兼皴帶染爲工，非用墨之正法古人多用點，不用刷與拖，此其异也，四王多襲董貌，不能媲美元人，以筆力柔弱耳。石谿、石濤、新羅、兩峰稍能悟元人墨法，遽享大名。以其時元畫尚易見，不爲四王所囿，故能超凡入聖。

——一九三五年致黄居素書

山林泉石，非閑無以領悟其趣。學者如游山，必經曲折盤旋，知有攀崖歷磴之苦，乃睹佳境。作畫知用筆之法，由分明而融洽，融洽之中仍當分明。無法者不足觀，而泥于法者，亦不足觀。夫惟先求乎法之中，終超于法之外，不爲物理所拘，即無往而非理。

——一九三六年致陳柱尊書

古云『非静無以成學』，又云『敬業樂群』，柳誠懸『心正則筆正』之語，萬世不易。畫中北苑、大痴，所貴中鋒。鄙人近悟一用筆之理。嘗見汽車聯軸行鐵軌上，遠觀似甚緩，緩而不滯，近觀則電掣風馳，迅速而不浮動，若徐若疾，圓轉自如，雖動而静，可悟静之理。

——致陳柱尊書

古人作畫，一如作文，用筆如煉句，有順有逆。逆是倒裝句，是似宋人之詩，不易學，不可不學。虞山、婁東之後全是順筆，故畫甜而不爲鑒家所重，然順筆亦不易，起訖分明，不可夾雜與有晦澀。唐宋人千筆萬筆，無筆不簡，簡是從分明中悟出，非以多寡論也。用墨如詩文中詞藻，先成句法，而後以詞藻表明其語意而潤澤之，用墨要見筆，猶作文用典要達意。着色是補墨色之不足，墨不掩筆。色用丹青，亦不掩墨。此用墨之法，即設色之法。設色如駢體之文，初唐四杰不如齊梁，洪北江、汪容甫勝于胡天游，以其有清氣少濁氣耳。設色非取悦觀，墨色既妙，即不設色可也。故名畫家一筆之中，筆有三折，一點之墨，墨有數種之色，方爲高手。

——一九三七年致朱硯英書

畫之真訣，全在用筆、用意二者努力。古人一藝之成，必竭苦功，如修煉後得成仙佛，非徒賴生知，學力居其大多數，未可視爲游戲之事忽之也。庸史之畫有二種：一江湖，一市井。此等惡陋筆墨，不可令其入眼；因江湖畫近欺人詐嚇之技而已，市井之畫求媚人塗澤之工而已。如欲求畫學之實，是必專練習腕力，終身不可有一日之間斷。無力就是描，是塗，是抹。用力無法便是江湖，不明用力之法便是市井。故虞山、婁東易流市井，浙江、揚州易即江湖。

——致朱硯英書

天生之物，人不能造；人造之器，天亦不生。天道自然，經賢哲用許多方法而得之。有時天不如人，可謂剪裁增減，人巧可奪天工，故攝影未可代畫。而畫之法不在位置而重在筆，不求修飾而貴于意。筆不可亂，意不可混，由分明而融洽，含剛勁而婀娜，此古今不易之理，非此則入于歧途，而無自得之趣矣。

——致朱硯英書

畫有六法，骨法兼力，全在平日練習功夫，不可間斷……無論粗細與丹青、水墨，只要用筆得法。法如莊子所謂『筌蹄』務求分明，再能融洽，初步難修潔，進步難變化，得而忘之可也，弃之不可也。無法即如黑暗夜行，雖歷荆棘瓦礫之勞，而終是無路，此之謂魔，魔亦有道，非正道也。彼成魔者，非不用功，非不練習，只是不聞道。道如大路，平方正直。畫之道在書法中，論其法者，即在古人文辭中，此作畫不可不讀書也。

——致朱硯英書

拙著畫説，嘗謂畫家當有仙氣。蒙莊夢爲蝴蝶，蝴蝶羽化之仙也，翩翩衣五彩之衣，翔風餐露于花光草際，優游自得，物莫能害，人所羡艷而不可能，而寓之于文。畫者，文之餘，亦云文之極。學畫者當如蝶之成仙，自樂其樂可耳。當其孵化成蟻時，經選種者之淘汰，其知成者，如畫家之氣韵生動。由食葉而三眠三起，如畫者之習筆法、墨法、章法，自師今人而師古人，而師造化，此第一期也。飽葉，吐絲，成繭自縛，如學者趨時泥古作品，非不煊爛清華，專事媚人，一落院體便猶蛹入湯鑊，無生機矣。幸而脱化，即若登仙，此第二期也。丹成以後，隨意所之，無不應節，如栩栩春風蕙帶中，仙乎仙乎，雖鳳凰不羡也，此第三期也。僕畫尚在第二期中，因之汲汲孜孜，無日捨古畫不觀，聞有异品，務期寓目。自覺筆墨時時變易，每日趁早晨用粗麻紙練習筆力，作草以求舒和之致，運之畫中，已二十年未間斷之。

——致陳柱尊書

鄙見作畫如習拳術，既得方法，尤貴勤力，先必謝絶酬應，就粗紙練習腕力、目光、氣勢三者。粗紙如廣東、廣西、黔滇之桑皮，西北方之麻紙，閩浙之花箋、元書均可，以其紙性澀筆，初易見效，遂有進步，不難自明。若入手即用宣紙學畫，無論已礬未礬，因其光滑，不甚留筆。清代二百餘年中，畫者已乏練習之功，不過隨意應酬，且爲文人之餘事，稱曰寫意，貽誤不淺。古人所謂寫意，必于未畫之先，平時練習，已有成竹在胸；當畫之時，有筆法、墨法、章法。處處變换，處處經意。熟極之後，理法周密，再求脱化，而後一氣呵成，才得氣韵生動。乾嘉以後，文人初學，便求脱化，無一真實，全蹈虚僞。况有不觀古人大家真迹，不讀古人理論之書，欲其藝事精進，不亦難哉！

——一九四〇年致黄居素書

歐美人近三十年來，搜購中國古畫，并考理論之書，駸駸日進，已將抉幽探隱，上窺宋元之堂奥，思有以改造歐畫之精神。昨芝加哥畫學教授德里斯珂君來函，極注意中國明代遺民作品，最重簡筆山水，可爲知言。先習繁筆，理法明晰，而後聚精會神，神氣團結，極簡之處，而有極繁之意行乎其間，加之真力瀰滿，氣象雄厚，挂之堂上，使人驚倒，所謂『請看此畫定驚倒，先要倩人扶着君』。以力與氣，養成有素，非若江湖畫粗率欺人，亦异于文人畫之空疏無具。此是士大夫之畫高出群倫者也。

——一九四〇年致黄居素書

鄙人旅居燕市，日惟讀書觀畫，幾無暇晷。擬著歙畫録，集元明畫者軼聞不彰于載籍而僅見于卷軸題跋之真迹，日久漸多，綴輯成篇。歙本江南區域，晋唐而後，文學之盛，比駕江浙似或勝之。以黄山峻削，地居偏僻，不與時俗移。江浙以運河通衢，易沾時習，畫多甜俗，不如新安之辣尤爲近古。

——一九四〇年致黄居素書

古人筆法、墨法、章法三者，能得筆法已是名家，墨法從用筆中來，無筆墨雖有章法皆庸工也。筆法之妙，貴有閑雅之致，不可露躁急之狀，無論繁簡，能令觀者心目凉爽，生有静氣爲上，却可不是修飾。有機會多見古畫，細心領悟，其法無窮。所惜中國畫者，明、清以來得其全者已寡。故研究六法，非溯元代無以覘其盛也。

——致黄居素書

古人用筆，羊毫之柔，柔中有剛；紫毫之剛，剛中有柔。新筆先多寫字，去其浮毫，而毫端始有力。筆墨先求上紙，陸日爲挑筆，石谷滑筆，皆是筆病。至康雍年中及乾隆時，書畫用筆，浮薄已甚。畫者因古畫難見，全入收藏公私之家，雖揚州八怪，妙有詩文才氣，無從得見真迹以學古人精神。古人精神，所謂墨分五色，渾厚華滋，全從力透紙背而出。

——致裘柱常書

今日繪畫創作，民族研究，尤非深明于近百年畫，孰優孰絀，誰是誰非，當使目光如電，筆下力回萬牛。是知祖宗遺産，自有文史以來，垂數仟佰年，我國宇内文化，冠冕寰海，群將趨嚮于東方者，畫爲文字之萌芽，而又極其絢爛也。古今政教賴以宣揚興盛，學者奮發宜如何努力。古人詩文書法中可探索者，宜在手札札記，殘篇剩簡，擇其有實學毅力，方聞博洽，合綜經史子集之哲學，與聲光電化之科學，神而明之。不沾沾于理法，而超出于理法者，又不得不先求理法之中，方不蹈于虛無寂滅，與刻舟求劍、削足就履，同爲識者所譏誚。

——致裘柱常書

自古至今，由新而舊，舊而又新，去舊换新，如衣食住皆然。不過除弊興利，仍是穿布吃米蓋茅屋做起，不能别尋新的。從來没有之物爲新。人同此心，心同此理，以耳目口鼻人所同有，惟學識之高低不同。學畫捨中國原有最高之學識，而務求貌似他人之幼稚行爲，是無真知者。云非循環復古，是學古知新，乃爲真知。力求真知，孜孜不倦，乃爲篤好，不可不辨。

——致朱硯英書

從來美術圖畫關係宗教佛學已久，大者可以匡時濟世，小亦足爲養静攝生。

——一九四二年致黄居素書

文藝，古今之公物，本無界限，亦無窮盡。百餘年來畫事知者已罕，好而樂此不疲者更難其選，有同志共與發明古人精神所在，非爲江湖市井之牟利，文人墨客之消遣，實欲遏人欲之横流，人人知有止足之樂，其功與孔、釋、耶教同崇。

——致黄居素書

中國畫言成德，西畫言成功，故太上立德，德先志道，而後依仁游藝，精之足以濟世，與佛學同歸。

——致黄居素書

書家撥鐙法，言騎馬兩足跨蹬，不即不離。若足黏馬腹，則馬不舒，而離開則足乏力。古人又謂擔夫争道，争中有讓，隘路彼此相讓而行，自無擁擠之患。書畫一法，畫法全在書法之中。

——致顧飛書

『沉着』二字，鄙意以平、圓、留、重、變五法爲之。用筆平言如錐畫沙，不平則挑剔輕浮。圓言如折釵股，不圓則妄生圭角，全無彈力。留則如屋漏痕，不留則放誕獷野，全無含蓄。重言如高山墜石，不重則風吹落葉，滿紙草率。變如鋒有八面，字有八法，不變則横畫如布算，直筆如布棋。

——致顧飛書

畫之最貴重者，第一士夫畫。士夫多見公私收藏，深明源流派别，勤習筆墨章法，自能成家。唐之王維、吴道子，宋之荆、關、董、巨，元之黄、吴、倪、王，明之文、沈、唐、董，至于明季隱逸，畫中高手不减元人，皆從學問淹博，見識深閎而來。

若四王、吴、惲，皆所未及。以其不能工書，故畫不能極佳也。畫以善書爲貴，至清代揚州八怪及詩文入畫，不過略知大致，而無真實學力，皆鄙人所不取。

——致顧飛書

畫筆宜『平、留、圓、重、變』五字用功。能平而後能圓，能重而後能留，圓、重而後能變，于隨時加意之可也。至于墨法，只以用筆之法，視其濃淡陰陽之處，運之以和氣、静氣，斯爲得之。畫得『静』字訣，此妙品也；得『和』字訣，此南宗畫之妙品也。『和』字當于能留能圓處着意，『静』字則用筆用墨之時，不可有矜心作意，亦不可有草率敷衍之意，試驗之，以爲何如？詩、書、畫三者，皆足以陶養性情，因其得和氣、静氣，于人生世俗浮華，一切可以輕視，雖自甘于澹泊，隱伏于深山窮谷，無人過問，而怡然自足，此幽蘭空谷所以可貴。

——致顧飛書

平時練習不宜間斷，則腕力自是勝人。古來名家分大小，只在腕力之强弱。强非霸悍，弱非纖細。纖細之筆，仍由粗筆用功出之。如沈石田、惲香山、藍田叔，老年始作細筆畫，細筆畫省氣力心思，僅略費時間耳。故簡筆最難，亦最名貴，以其筆簡而意工也。若少意思，雖工細亦無味。此院體朝臣皆下品，乾嘉後畫不足觀，爲其乏腕力、少意思，而練習筆法欠功夫。明季諸賢，能詩文書法之士夫，無不能畫，畫無不佳，極可媲美元人。婁東、虞山以不能寫字，故畫品不高，學之者，無不疲苶乏精彩。

——一九四三年致顧飛書

古畫寶貴，流傳至今，以董、巨、二米爲正宗，純全内美，是作者品節、學問、胸襟、境遇，包涵甚廣。如惲香山題畫云：畫須令尋常人痛罵，方是好畫。陳老蓮每年終展覽平日所積畫，邀人傳觀。若有人贊一『好』者，必當時裂去，以爲人所共見之好，尚非極品。此宋玉『曲高和寡』、老子『知希爲貴』之意。

——一九四三年致裘柱常書

觀畫重在筆墨，太細亦嫌少氣，無墨法即無韵，故氣韵生動爲上品。近年各國論畫皆重筆墨，不論粗細，實得研究畫法之妙。我歙畫家如程穆倩、僧漸江爲無上上品，中外皆極寶愛，而中國人知之者少矣。潭渡自明以來，書畫名家均在江浙以上，惜後世提倡之者無人，可嘆可嘆。

——一九四三年致黄樹滋書

拙畫自問未成，因乏潤格，雖或寄贈諸友，不過平時練習之作，非可卓然自立。近年稍稍覺悟，古人名世皆有補偏救弊之功，然百餘年即多改革，惟筆墨真實正軌，千古不變。雖未有一日之間斷，而面貌與精神不同。面目即章法，章法亦最重要。鄙人游迹，近十年所至閩粵巴蜀諸山，今擬與古迹融會一片，以自立异，不蹈臨摹守舊之弊。

——一九四三年致吳仲坰書

歐風東漸，心理契合，不出二十年，畫當無中西之分，其精神同也。筆法，西人言積點成綫，即古書法中秘傳之屋漏痕。

——一九四三年致朱硯英書

相傳名人三擔稿，臨摹與游覽，俱存粉本，然後能言創造。創造是面目不同，其精神從學力中得之；古今無不同，即中外亦無不同。

——一九四三年致朱硯英書

新近世界畫家，盡道『藝術救國』，中國古今畫，公論爲世界第一流，然非學油畫者所易知，亦非襲海外畫家作風爲改良。鄙見以爲倪黄畫救中國江湖朝市之惡習，由倪黄而溯唐、五代、兩宋，方可正時俗之積弊，駸駸與海外學者相接，要從多讀書中之論畫而悟之。

——致鮑君白書

近二十年，歐人盛稱東方文化，如法人馬古烈談選學，伯希和言考古，意之沙龍，瑞典喜龍仁，德國女士孔德，芝加哥教授德里斯珂諸人，大半會面或通函，皆能讀古書，研究國畫理論，有明于元代士大夫之畫高出唐宋，而以明季隱逸簪纓之畫不減元人，務從筆法推尋，而不徒斤斤于皮相。

——一九四三年致傅雷書

清代自婁東、虞山，專尚臨摹，重貌似不重神似。二百餘年以來，士夫解畫理者已罕，其墜地自不必言。鄙意不反對臨摹，而極反對臨摹貌似之畫。故于清代古畫家無當意者，而究心于宋元明畫，孜孜數十年，至今不倦。西北且有唐畫留存，如莫高窟古洞發見書畫，時有所見。始悟古人用筆之法，皆具數十寒暑苦功，而後上紙作畫。其理論極與歐西吻合，如畫筆重在點，曰起點，爲章法之主；曰弱點，爲無筆力；曰焦點，爲無墨彩。正是中國畫言章法、筆法、墨法相同。

——致傅雷書

士夫畫之精者，清代只有新羅之花鳥、方小師之山水，羅兩峰之人物，其他寄人籬下，直可謂之畫奴，因有『書奴』謂然。揚州八怪學識功力皆不足。惟應自董玄宰起，一變吳門派之俗筆，入于士夫畫之正軌，而趙左、沈士充諸人所稱華亭派者，不克自立，不爲世重。獨有秀水、常州、新安三派中，有矯矯不群者，皆因董玄宰之提倡，士夫畫興起，約近百人，百人中有四五十人，如龔賢、項聖謨、吴彬、蕭雲從、戴本孝、鄒之麟、惲向、程正揆之倫，皆是畫中之龍，與元人相去不遠，非但習畫者所當研究，而尤爲著作國畫理論評騭畫事者静心參考。以此輩學識，由元明真迹上溯唐宋六朝而得，非若乾嘉以後之文人畫，摹一二家，寫一二幅，略知詩文，小有婁東、虞山畫之收藏，便稱畫者。此等風氣害人不淺。文人與學人不同，僧漸江自稱學人，黄大痴亦稱學人。元人之畫從唐宋苦心孤詣處變化成家，明季畫又從文、沈上溯元人，又能孳孳不倦。

——一九四三年致傅雷書

觀古名畫，必勾其丘壑輪廓，至于設色皴法，不甚留意。當游山時，途中飆輪之迅，以勾古畫法爲之，寫其實景。因悟有古人之法，以寫實而得實中之虚；否則，實而又實，非滯礙阻隔不可。由此，每年所積臨古、寫實兩種畫稿，已不止于三擔，從不示人；有索觀者强而出之，見者輒避去不復談，而鄙人不自暇逸也。

——一九四三年致傅雷書

《韓非子》畫筴（筴即今之書面篋帙類也）言其畫之隙處皆成龍蛇，此凡談畫理者莫不視爲神話，鄙見以爲此論畫虚處之宗師。宋元名畫，其至密之處，必得如此，方成絶藝。明畫已少。書法有『以白當黑』之語，老子言『知白守黑』，莊子言『斫堊不傷鼻』，此等畫訣皆古人所不言而喻于心，雖專讀書者不易知之。周秦諸子理論極透徹，當時學藝亦極精工。近年如淮河流域出土之金石圖畫，較之漢魏六朝有神妙不測之技能，歐美研究而未得要領，故多善價而求。六國文字，國立圖書館中，雖如燕市、金陵各大學，均乏此材料，惟私人研究，海内外亦寥寥。而欲求類此知識之人，尤爲最近時代所繁多。蓋美術之本原在古文字，文字之精神于古物得見之。

——一九四三年致傅雷書

南北宗之分，始于華亭。工匠守成法，不參活禪；文人習空談，不勤苦。卓然思翁一人，承先啓後，耳聞目見，確有真據，所惜趙文度（左）只能詩文，沈士充、陸鳴輩又次之。此華亭派不振之由。

——一九四三年致傅雷書

鄙意反對臨摹貌似，是不願人有泥古之見與食古不化之弊。而好古以搜羅名家歷代真迹，以古人之精神萬世不變，全在用筆之功力，如挽强弓，如舉九鼎，力有一分不足，即是勉强，不能自然。自然是活，勉强即死。六法言氣韵生動。氣從力出，筆有力而後能用墨，墨可有韵，有氣韵而後生動，學者當盡畢生之力，無一息之間斷。静觀古今名家之優絀，無不由此而分。

——致傅雷書

畫分三品，能品最下。觀古人之畫，驟視之知其功力之深，爲人不能學，且不易學。而共知其佳者，必非上等佳品。有初見其畫不過平常，而且人人皆能，至有爲尋常人所不欲觀者，諦觀之而知其美，學之而更知其美之不能學、不易學，此方成爲最美最佳之作，所謂美在其中，不假修飾塗澤爲工者也。

——致傅雷書

今次舉近十年之作，大抵自行練習。原畫用墨居多數，故暗滯不合時，不如畫四王之漂亮，畫月份牌則到處受歡迎。然松柏後凋，不與凡卉争榮，得自守其貞操。

——一九四三年致傅雷書

畫以自然爲美，全球學者所公認，愛美者因設種種方法，推求其理。中國開化文明最早，方法亦最多，不知幾經改革，以保存其今古不磨之理論，無非合乎自然美而已。故理法雖可寶貴，而氣韵又從理法而出，更爲寶貴。

——致傅雷書

宇内共稱東方文化，語言文字，各種學術，皆以文明開化之久，萬古不磨。學術如樹之根本，圖畫猶學藝之華。桃花能紅李能白，此能品也。桃李，凡卉也。若野菊山梅，如隱逸高人，其超出于桃李，人共知之而共賞愛之。畫事品格，人不全知。近之薦紳往往以清代文人畫即爲中國上品畫之代表，而謗詈之。不知中國有士夫畫，爲唐宋元明賢哲精神所繫，非清代文人畫之比。正以其用筆功力之深，又兼該各種學術涵泳其中，如菊與梅之犯霜雪，而其花愈精神也。

——致傅雷書

語言文字一日不廢，國畫即千古常新，又差自慰。時代背景或有不同，變通其間，自關識力。由淺入深，初非躐等。畫源書法，先學論書，筆力上紙，能透紙背，以此作畫，必不膚淺。去筆之病，貴有切磋，高下遠近，所差不多，得失甚大。

——致傅雷書

唐人寫經，多經生所作，故不名貴。古人善書者必善畫，以畫之墨法通于書法。觀宋元明人法書，如趙子昂、文徵明，至于王鐸、石濤，其字迹真僞至易辨。真者用濃墨，下筆時必含水，含水乃潤乃活。王鐸之書、石濤之畫，初落筆似墨瀋，甚至筆未下而墨已滴紙上。此謂興會淋漓，才與工匠描摹不同，有天趣，竟是在此。

——致傅雷書

用筆之法，書畫既是同源，最高層當以金石文字爲根據。道咸中濰縣陳簠齋太史，以貴公子研求金石，其論古人篆籀用筆，只是『指不動』三字，簡要詳明，可爲學畫與觀畫之真僞確據。方寸以内運腕，方尺以内運肘，再大者運臂。若徒用指挑剔爲流動，即非古法。仔細思之，其言甚確。

——致傅雷書

古法綫條，自六朝陸探微有一筆畫，聯綿不絶。唐吴道子、宋董北苑大爲發揚。筆法是骨，墨法肌肉，設色皮膚。骨法構造雖有不同，骨肉停勻方爲合法。繁簡在意，不徒在貌。貌之簡者，其意貴繁。此逸品畫，高出神、妙、能三品而上以此。墨法尤以筆法爲先。無墨求筆，至筆有未合法，雖墨得明暗，皆所不取。有筆兼有墨，最爲美備。

——致傅雷書

用筆之弊：一曰描，無起訖轉折之法；一曰塗，一枝濃筆，一枝淡筆，暈開其色，全無筆法；一曰抹，如抹檯布，順拖而過，漆帚刷成，無波磔法。皆不知用點之法爲貴。

——致傅雷書

元季明末，畫逸品者，致力于北宋人之陰面山，用功極深，而後無虚非實；若僅學元明之逸品，恐如王覺斯所謂學雲林奄奄無生氣矣。吴門、浙江派之枯硬乾燥，與婁東、虞山之甜熟柔滑，皆不善學元人也。

——致傅雷書

元氣淋漓，筆蒼墨潤，似在元人已祧唐而祖宋。宋之東坡、元章，世稱蘇米，全以書法用筆用墨透入畫中，與唐人迥异。唐吴道子有筆無墨，項容有墨無筆之語，非許項容，實推崇吴道子之筆，古人未有無筆而能用墨者，筆之腕力不足，則筆不能管墨，即臃腫成爲墨豬。元季四家，僅吴仲圭用墨最佳，以筆力之强，能使墨法變化從心。大痴、雲林非無墨，但不能墨戲自如。後人學畫，筆先未入軌道，何暇論墨？故學吴仲圭尤難。有明一代，惟徐文長一人有筆有墨，高出文、沈、唐、仇之上，惟不能山水，而且狂放傲世，人不易學。石濤佳者仿佛得之，尚不及徐青藤之矯健爲多。青藤書法亦極佳，純是蘇米的傳。米元章學董北苑，雲中山頂，近視之不知所畫何物，惟見筆墨縱横跌宕，處處有力，離遠一丈之地觀之，則岡巒起伏，林木蓊鬱，村舍遠近，正如一幅極工細之畫，所以爲高。蘇米直能以書法引證畫法之用筆，開後人不傳之秘。有力而後氣韵生動，皆天地之自然。科學言力學，最可爲作畫之研究，暇當詳細記之，繕而奉教。

——致傅雷書

古來大家作者無不臨摹，藏者尤多副本，其贋誠非易斷。然觀名大家筆，常有一種雄偉沉着之氣在筆墨外，即南宋如劉松年、趙千里，亦奇偉古厚，不落纖謹迹象。書畫同源，錢舜舉謂趙子昂士夫畫惟隸體，斯語可信；否則虎丘市上高手能面目如生，而精神不逮也。

——致傅雷書

華新羅求脱太早，論者惜之。静觀新羅，有極生且拙者，頗多近古，不多覯耳。

——致傅雷書

今人以輕飄爲生動，誤認惲南田、華新羅之求脱，而未能下沉着工夫也。現在歐美研究中國畫頗多，皆于用筆辨别優劣，不問粗與細之分，只在用筆有力能自然耳。『自然』二字是畫之真訣，一有勉强即非自然。用筆之法從書法而來，如作文之起承轉合，不可混亂。起要鋒，轉有波瀾，收筆須提得起。一筆如此，千筆萬筆無不如此。雖古有一筆書，陸探微作一筆畫，王蒙一筆有長十餘丈者，仍是用無數筆連綿不絶，非隨意曲折爲用筆。唐褚河南每寫一點，必作S，此真書畫秘訣，用筆之法泄露幾盡。積點成綫，一畫一直，無不皆然。至于章法，不過古人自開面貌，不欲與衆同，故能自成一家。如僅臨摹面貌，不得精神，不能成名。

——一九四六年致朱硯英書

王烟客稱法備氣至爲上。法是面貌，氣是精神。氣有邪正雅俗之分。語云：非静無以成學。我輩學古，静心觀古人精神所寄，是爲得之。鄙人蜷伏故都，無日不觀古畫，頗有精品。不少歐美人皆能知之，且深研究之，中國之學者不能如此，甚爲着急。今大衆言藝術救國，以真知篤好爲先可耳。鄙論皆肺腑切實之言，非誇大浮僞也。滬上近年惟有傅雷君知我之畫，且評論的當，伊辦《新語》月刊，不得意，鄙意勸其倡言中國畫理，俾歐美人知中國尚有研究之人，爲藝術前途或放异彩耳。

——一九四六年致朱硯英書

作畫全在用筆下苦功，力能壓得住紙，而後力透紙背。然用筆力不可過剛，過剛則枯硬。趙同魯觀沈石田臨倪雲林畫曰：子過矣。剛柔得中，方是好畫。用筆之法，全在書訣中，有『一波三折』一語，最是金丹。歐美人言曲綫，亦爲得解。院畫縱横習氣，就是太剛。

——一九四六年致朱硯英書

垂詢古來法書肯要，考其源流，至今凡三大變。秦漢隸改篆籀，新莽改篆隸，唐太宗改行楷，爲書學三大關鍵。近年古物出土，足資考證者，如甲骨、彝器、泉印、陶瓷、漆器有文字圖畫可見者，皆爲寶貴材料。其中歷代皆有真贋優劣、人工學識之不齊，山水流域爽塏與斥鹵不同。駁蝕剜弊，多所不免。是在細心研究，博覽古今理論、詩詞。書畫同源，欲明畫法，先究書法。畫法重氣韵生動，書法亦然。運全身之力于筆端，以臂使指，以身使臂，是氣力；舉重若輕，實中有虚，虚中有實，是氣韵。人功天趣，合而爲一。所謂人與天近謂之王。王者，旺也。發揚光暉，照耀宇宙，旺何如之！

——致汪孝文書

畫者不習書法，不觀古今名迹，不讀前人名論著作之書，不友海内外通人，以擴聞見，而以展覽欺愚蒙衆，以高值駭嚇富豪，此顔習齋大儒所謂『詩文書畫天下四蠹』，誠痛乎其言之也。

——一九四七年致曾理岩書

近來拙作取法北宋爲多，因其用筆力之沉着，墨彩之渾厚，每與歐畫符合。歐之學者近觀中國宋元古畫，多高古勝人，歐畫正思改變精進，適與相合。惟明人太硬，清代太柔，俱未得中。宋畫陰面山，元畫陽面山，面目不同而理法神趣則一。文、沈、唐、仇之俗，如讀《古文觀止》，人人盡知，見之可厭。四王、吴、惲之甜，則墨卷試帖詩而已，實非古文。吾鄉畫中先哲，盛于隆萬、啓禎，丁南羽山水仿唐及北宋，詹東圖仿北宋兼馬夏、元季四家，皆筆力沉着，墨彩古厚。自董思翁、陳眉公來黄山，新安四大家多仿元人。鄙意極心折于李檀園，以爲吾鄉山水畫之最合正軌者。其他則秀水之項孔彰，常州之鄒衣白、惲香山，河南之王覺斯，京口之笪重光，在董玄宰、龔半千、釋石谿、石濤之上。婁東、常熟徒有元人之面目，而神氣不完，雖烟客、麓臺皆所不逮。家鄉所見古畫雖少，而天然山水之真，士夫往往多得之。

——一九四六年致鮑君白書

宋元逸品山水，筆簡而意工。明人摹仿倪黄，功力不爲不深，悉多枯硬平實。至吴門、浙派雜出，恒受士夫所訾議而不之重。董玄宰提倡北苑，雲間畫者又鄰凄迷瑣碎，絶少清勁之氣。婁東、虞山日益浮薄，茶靡極矣。其時惟毗陵鄒衣白、惲香山、新安汪無瑞、僧漸江皆宗尚宋元而成逸品。

——一九四六年致傅雷書

竊以北宋人多畫陰面山，且用重墨，如夜行岩壑間，層層渲潤，必待多次點染，須待歲月而後了。雖未免沾滯重濁，然于實後求虚，亦習畫必由之徑。

——一九四七年致傅雷書

畫不可有弱筆，浮滑輕易，皆是弱病。欲去此病，必勤練習骨力。鄙人積數十年來，無一日之間斷。非朝夕作畫，可爲『不間斷』，要每日練筆力，而筆筆合乎規矩之中，久而久之，才得超乎規矩之外，成一大家；有失規矩，筆法成功，是亦名家。不知古畫，細者用描，粗者用塗用抹，即終身爲江湖、市井畫匠，歸于無成，不可不深辨之。

——致朱硯英書

歐美學者紛紛來各大學習識國學圖畫，以純粹中國畫不染東西洋習氣，與脱出畫中作家面目爲最所留意。上海今有英國文化委員會友希特立氏，搜購時賢畫，凡臨摹唐宋元明面目者，皆不當意，而研求于筆墨蒼潤之作，對于新安四家，以汪之瑞、僧漸江、查梅壑及不著名而筆墨類似者，皆極力購求，携至倫敦，與友人蘇利文氏寫中國畫史。此世間眼光與中國墨守四王、江浙院體不變者迥异。

——一九四八年致鮑君白書

石濤未免浮烟瘴墨之弊，開揚州八怪江湖惡習；因用筆快，輕率浮躁之氣未能滌净，而學元人又多空廓軟弱，不能實中虚、虚中實，兼虚中虚、實中實者，皆是筆不能壓紙，何况入紙又透過紙背耶？

——致曹一塵書

我輩用功，以北宋渾厚法古而出之以新奇；新奇者，所謂狂怪近理，近理在真山水中得之。

——致蘇乾英書

近悟于古迹與游山寫稿，融會一片，自立面目，漸覺成就可期。然全以筆墨用功爲要。此中正軌，寰宇中認識之者已不乏人。

——一九四七年致朱硯英書

即繪畫一事，西人傾向東方古物書籍，融會貫通，勝于中邦學者，與之言論，往往如數家珍，誠是畏友。不出十年，世界可無中西畫派之分。所不同者面貌，而于精神，人同此心，心同此理，無一不合。

——一九四七年致陸丹林書

近因世界美術觀念傾向東方，于中國常州、嘉興、新安諸畫者高出吴越之上，以畫法用筆綫條之美，純從金石、書畫造像言指銅器、碑碣而來。剛柔得中，筆法起承轉合，在乎有勁。

——致程嘯天書

中邦民俗，人與天近，法常變而道不變；天道好生萬物，惟人最靈。道法自然。古來朝臣、院體、江湖、市井諸惡俗派，皆由人爲太過而天趣失之。近人好四王、吴、惲、文、沈、唐、仇者，未能免此。矯之爲八怪，爲四蠹顔習齋語，中國民俗銷滅幾盡。清道、咸中，士夫傷亂，名賢奮發，如何蝯叟、張叔憲、翁松禪、胡石查諸老，皆能繼明季諸大家之模範而光大之。

——致曾香亭書

中國畫法在書訣，不觀古人所論書法不能明，不考金石文字無以知造字之源流，即不知書畫之用筆。筆法練習，畫之先務。聞之西醫友言《素問》五運六氣所論，爲歐西極贊。畫有氣韵亦同。

——致曾香亭書

自元人尚意而後，士大夫作品俱從簡逸，易蹈空疏，而朝臣院體臨摹面貌，殊少真山水丘壑杳冥，雲烟出没之致，思有改造。

——致段栻書

國畫精神，全關筆墨。格物致知，讀書養氣，由實而虚，因博而約。《易》言無極生太極。一畫開天，筆有轉折起訖。《老子》謂道法自然，歐西人云自然美，其實一也。法繪渾厚華滋，兼而有之。尚希公餘之暇，讀畫看山，弗爲懈怠。東方藝術，正當世宙重視，振起需人。若將醫理貫通，發人未發，古人謂書畫爲特健藥，非虚語已。

——致吴鳴書

畫學有民族性，爲遺傳法；有時代性，爲變易法。習畫者，或理論，或記録，宜務大衆參考，方合遴選。清代自四王、八怪，蹈入空疏，法度盡失。道光、咸豐，學者奮發，畫如包慎伯、林少穆、趙之謙、張度、鄭珍、何紹基、吴榮光、翁松禪，合于正軌。

——一九五二年致高爕書

拙作《畫學篇》長歌，于中國畫學升降，略貢臆見。兹以清之道咸名流哲士追求畫法勝于前人，以碑碣金石之學，參以科學理化，分析精微，合于宋元作品精神。擬加注釋，詳叙成帙，先附其略奉鑒，俟脱稿印出再上。徽寧，古之宣歙，文人學士，收藏美備，賞識高深，已超江浙而上。以黄山名勝，山川鍾毓特靈，經兵燹後散佚無存，流傳于北京、香港，或偶有之。滬市較多，不能久藏。私人力薄，而公家收購，狃于成見，遠求晋、唐、元、明真迹，至不易得。四王、八怪以後，除海上名人無過問者，至爲缺憾！鄙見以爲包慎伯著《安吴四種》《藝舟雙楫》，論書法即古畫法。吴讓之、陳崇光均得其傳。黄左田鉞、吴清卿、平齋自稱歙人，遷吴及各省者尤多。敝藏近擬編集宣歙古畫宗傳，自元明至近代，不下百餘人。朱璟、王寅、夏基、丁雲鵬、詹景鳳、漸江僧、汪之瑞諸先哲真迹。臺端得暇，可來杭瀏覽，合作成書，亦一快事。

——一九五三年致汪孝文書

我國歷史文化升降，非探原理，無由入門。上古三代、漢魏、六朝，重真内美，有法而不言法，故老子云：聖人法天。唐畫法已失，閻立本不識張僧繇畫壁，大小李將軍金碧山水，王維以粉塗白自爲雪景，吴道子學書不成，去而學畫。米元章自稱其畫無一點吴生習氣。五代北宋人求畫于書法詩意，始爲得之，而拘拘于法者，未爲知之。宋徽宗收藏美富，學力深厚，嘗謂畫院中若以臨摹古迹不能變化者毋許進呈。馬、夏年已八十，惟曉初夜景看飛禽走獸出没，作邊角山水，無重巒叠嶂層層曲屈之觀，不免偏安氣象。至元季倪、黄，墨中有筆，筆中有墨，學通三教，詩字俱工，是能運實于虚，無虚不實，爲詩畫之真内美，視唐宋爲過之。明初吴偉、張路、蔣嵩，清狂之流學馬遠，稱野狐禪，雖至文、沈、倪、黄猶不足，非比啓禎諸賢力追北宋，得其筆法。道咸之間，碑碣書法金石學盛，以開來學，今言民族文化，捨此無他求矣。

——一九五四年致鄭軼甫書

國畫墨法，自道咸中金石學盛，超出啓禎名家兼皴帶染之技，由師古人而師造化。因阮芸臺《名畫記》之作，而睹滇南大理石天成滋潤之墨法，又得鄧石如、包安吴以周秦漢魏，書訣披露無遺，功不在禹下。今良渚夏玉更爲考古學者發明，直追荆關董巨精神而吐其糟粕。當求之畫意，不必拘拘于臨摹其形色迹象之間。

——一九五四年致鄭軼甫書

上古三代，漢魏六朝，畫先有法而不言法，參書法中以見内美。故老子曰：聖人法天。天不言而四時行，聖人作而萬物睹。上古燧人氏鑽木取火，仰觀俯察，近取諸身，指上螺紋，即畫起點，積點成綫，有綫條美。弱點是無筆，焦點是無墨。筆有剛柔，墨有陰陽，三五錯綜，無繁不簡。宋元畫始言法，而變化無窮。取法古人，以師造化可耳。

——致程岳書

近百年來，東方文化西漸，歐亞學者務趨徹底，明曉優勝劣敗根源，誠爲幸事。

——一九五四年致曾香亭書

我輩近來作畫最宜多寫綫條，用心多看减筆舊畫，于古今人學詣優絀，分别是非，不拘筆墨粗細，細而不纖，粗而不獷，雅俗天淵，若僅毫髮。是不可不多讀有用之書，尤不可不多讀雅士之畫，目光如電，而巨細不遺，方合研究之法。否則暗室無光，終不得其出入門户，常存警惕，不敢懈怠而已。

——致曾香亭書

拙畫近擬稍變簡淡一路，近見清代道咸如林少穆則徐、包慎伯世臣、趙撝叔之謙，俱從金石書法中參悟筆法之妙。所謂師造化者，非徒于山川渾厚草木華滋見民族性，即如雲南大理石，石上自然圖畫，有水墨色彩，直是北宋范寬、郭熙遺意。杭省良渚地名出土夏代古玉，近數十年全球考古認爲上古石器時代古物。玉石文采濃淡疏密與北宋畫相合。

——致黄居素書

古來文人，無不習畫，或不屑以畫名而其畫遠勝于專家者，不勝縷指計。如包慎伯、鄭子尹、何蝯叟、陳若木畫，爲學行所掩，不輕問世，而世鮮聞之者尤夥。編畫傳者，往往出于微官末秩，假集刻書捐資募助，如《小倉山詩話》餘習，不必盡是能品亦可附名驥尾。今文藝學，先事博覽采擇，考覆材料，而苦于無書。有書亦非圖書館所留意收集。國外學者，近卅年專購名人年譜、氏族等志，即前人硃卷履歷黨戚無遺，此意良美。北京民族文藝研究，亦思從搜集資料着手，正在計劃中，將來需用人材必多。現聞專家能貢獻意見，改良實用方法及小品著録文字，以供參考爲亟。

——一九五四年致曹熙宇書

誠以專門之學，非貫古今，縱横宇宙，不爲成功。文藝是養人生腦力，與平日飲食無异。飲食營養，僅在身體，腦力康健，一生最樂。身外之物，有無得失，皆宜度外置之。

——致朱硯英書

現今美術繪畫創新，務須細心領會。古代遺傳真迹，認識前人真内美各有不同，不爲時好邪甜俗賴衆惡所移奪。近五十年來，如意大利之查龍，西德之孔德女士，芝加哥之德里司珂女士，歐亞聯邦，研究中國古畫，深入精確，熟識鄙人評騭優絀，而且博綜典籍，宗譜家傳、新舊郡邑鄉里志乘無所不收，不惜重值，不遠萬里，走訪殷勤，有疑必問，無時或怠，不下數十人。現今留學南北外邦人士專門中畫，更加稠密，均有考證，并輓近出土良渚夏玉、長沙周繒，窮流溯源，或升或降，若斷若續，無不通曉。時賢英國數學大家著有懷德海氏等書，謂十八世紀唯物論發明爲進步，十九世紀專門科學家改造，兼通古代哲學精微。最新科學有變通，亟以美術爲先導，一洗歐風之浪漫，專尚中國唐人王維、鄭虔，五代北宋李成、范寬、郭熙、荆浩、關仝之六法，師其精神而變其形迹。

——一九五五年致朱硯英書

拙畫歷年所作數千件，已成、未成，除搬移散失，尚留千餘件，嚮不取貲，亦不欲輕易投贈，間有開會展覽，均因親友愛好，徵集平日儲存參考，索十數件紀念。又得中外美術學者謬爲揄揚，偶得浮名，慚恧無已。近因聯邦印度、羅馬尼亞、波蘭、捷克各民主國家提倡，以藝術進步將由改變專門科學。君主唯心。純粹民族性創造繪畫爲二十世紀開一紀元。

——一九五五年致鄭軼甫書

黄賓虹年譜

黃賓虹年譜

張學舒編

生平家世

先生黄氏，譜名懋質，乳名元吉。應試改名質，字樸存。初，自號濱虹。居上海，改字賓虹，遂以字行。別號有：樸丞、樸岑、樸人、元初、元一、元啓、伯咸、檗琴、片石、片石居士、濱虹生、濱虹散人、廩頎、頎厂散人、烟霞散人、大千、予向、虹若、虹廬、矼叟、景彦、冰鴻、濱公、賓拱、賓弘、賓翁、黄山山中人等。

先生出生地浙江金華，原籍安徽歙縣西鄉潭渡村。公元一八六五年一月二十七日上午二時，生于金華縣城西鐵嶺頭，公元一九五五年三月二十五日上午三時三十分卒于杭州，享年實九十歲。

先生一生，度過了三個截然不同的歷史時代。先生自出生至四十六歲，即一八六五年至一九一一年爲清代；四十七歲至八十三歲，即一九一二年至一九四八年爲民國；八十四歲至九十歲去世，即一九四九年至一九五五年欣逢新中國誕生，先生以晚年身處全國解放，作詩咏之爲『民物欣欣見阜康』。

一九五三年二月二十八日，先生被人民政府授予『中國人民優秀的畫家』光榮稱號。

縱觀先生一生，是熱愛真理、開拓藝術的一生，最終在中國山水畫史上全方位地建樹了里程碑式的成就，也達到了他幾十年孜孜以求的『大家畫』境界。先生逝世已達五十年，先生的繪畫藝術也已得到越來越多的肯定。先生即以中國一代藝術大師的地位而名垂青史。

先生先世，東漢時居江夏，始祖諱香代；晋元帝時祖積，字元集，官新安太守；至唐時新安二十一世祖璋，始遷歙西黄屯，後族人又北上渡潭而居，取村名『潭渡』，并奉璋爲潭渡一世祖。

三十五世祖德涵（一七九三—一八四六），字孟輝，經商浙東。娶潘氏（一八〇一—一八六二），生子五：位華、有華、定華、恒華、五華。

父定華（一八二九—一八九四），字定三，號鞠如。少時隨父習商浙東金華，商餘好吟咏，工擘窠大字；晚年尤喜作畫，善寫梅竹。元配金華汪氏，死于戰亂。繼配金華方氏，年二十三。方氏生子四、女三。

先生《生平簡述》：『黄賓虹，原名質，字樸存。别號矼叟。祖籍江南歙縣之潭渡村，有豐樂溪自黄山來，環村居，舊建濱虹亭最著勝，因號濱虹。』

先生居長。二弟懋賡，又名元昌，字仲方，能畫竹，力田事親，終身不出。三弟懋貢，又名元清，字廉叔。四弟懋贊，又名元秀，字晋新，能畫梅竹。皆習商于浙。妹三，適氏未詳。

先生元配同邑洪坑村洪藎臣女四果（一字四姑），生子四、女二。長子映燁，次子映灼，均早卒。三子映容（字用明）。四子映發（繼三房）早卒。女映寶，適績溪程氏；又映班，早卒。

又娶合肥宋若嬰，生子映宇、映字，女映家。

黄賓
黄賓虹

金華、歙縣時期（一八六五—一九〇七）

從幼年開始，黃賓虹先生走上了一條讀書趕考之路。面對家境的窘迫，他繼承祖業，修堨辦學，實踐社會改良的理想。經過努力，他成了人們眼目中的鄉紳和地方名流。面對國家的憂患，理性和良知，使他從結交維新志士開始，走上一條秘密反清、追求共和的革命之路。他有不惜身家性命的膽魄，無奈事發招禍，隻身出奔上海。

在他漂泊不定的人生經歷中，一直没有放弃對詩書畫印的嗜好。在前半生的業餘藝術活動中，他以古人爲師，以借鑒和臨摹傳統繪畫爲主，探索開創一條個人的新路。偏好鑒藏的皖南鄉風民情和文化脉流，使他在自具悟性的同時，也得天獨厚地提升了個人的藝術鑒賞水準。

公元一八六五年　清同治三年　甲子(乙丑立春前)　一歲　在金華。

公元一八六五年一月二十七日，先生生于浙江金華城西之鐵嶺頭。按譜序爲懋字輩，故取譜名懋質；因生日元旦，取吉祥如意之義，又取名元吉。

先生《自撰年譜稿》載：『余降生于前清同治三年，歲次乙丑，正月子時；因未立春，星命家以爲甲子年、丁丑月、丁酉日、庚子時。』又有一方自刻用印爲『甲子冬乙丑年元日生』。

按先生《八十感言》詩有云：『吾生乙丑年，莫算猶甲子。受天知春遲，墮地得歲始。』

公元一八六五年　清同治四年　乙丑（立春後）二歲　在金華。

先生祖籍徽州習俗，正月初一若未立春，應算作上年即甲子年出生，所以立春一過就按二歲計算了。又先生《九十雜述》稿云：『余誕生于同治三年甲子之冬，實乙丑正月朔，距立春尚先十餘日，應增一歲計也。』可見先生生辰確係同治四年元旦。本譜對出生年歲，從先生『應增一歲計』的舊俗，以便讀者遇先生題畫自記年歲相符，可勿置疑。

時祖父德涵卒十九年。祖母潘氏卒三年。

父鞠如年三十五歲。母方氏年二十三歲。

金華畫家倪逸甫（易甫）應鞠如邀，來家作大幅《松菊圖》。

公元一八六六年　清同治五年　丙寅　三歲　在金華。

自城西鐵嶺頭遷城内玉泉庵後興讓坊，後遷巷西蔣宅前通街。《自撰年譜稿》：『父大人設廣達布總號，屋宇數十間，甚寬敞。』又《自撰年譜稿》：『余年三歲，受庭詔。』

二弟懋賡生（一八六六—一九一九）生，又名元昌，字仲方。

公元一八六七年　清同治六年　丁卯　四歲　在金華。

開始習畫。父鞠如捉先生手腕，令畫梅花枝幹與竹葉，淋漓滿紙，乃笑語親友云：『此兒有悟性，可以習繪事。』

公元一八六八年　清同治七年　戊辰　五歲　在金華。

家塾延邵賦清授四子書，父鞠如親自督教。先生舉『掌』字問，父答以此字筆繁，恐爾難明。先生稱字必從手，父大喜，并講六書之法。

公元一八六九年　清同治八年　己巳　六歲　在金華。

隨父避兵居羅店。延趙經田授讀。《八十自叙》：『幼年六七歲，隨先君寓浙東，因避洪楊之亂至金華山。家塾延蒙師，課讀之暇，見有圖畫，必細意觀覽。先君喜古今書籍書畫，侍側常聽之，記之心目，輒爲仿效塗抹。遇能書畫者,必訪問窮究其理法。時有蕭山倪丈炳烈(謙甫)善書，其從子淦，七歲即能畫人物花鳥。其父倪翁，忘其名（逸甫、易甫），常携至余家。觀其所作畫，心喜之而勿善也，意作畫不應如是之易，以其粗率，不假思索耳。其父年近六旬，每論畫理，言作畫必先懸紙于壁上而熟視之，明日往觀，坐必移時，如是三日，而後落筆。余從旁竊笑，以爲此翁道氣太過，好欺人。請益于先君，詔之曰：「兒知王勃腹稿乎？」因知古人文章書畫，皆貴胸有成竹，未可枝枝節節爲之也。翌日，倪翁至，叩以畫法，不答。堅請，乃曰：「當如作字法，筆筆宜分明，方不至爲畫匠也。」余謹受教而退。再叩以作書之法，故難之，强而後可。聞其議論，明昧參半，遵守其所指示，行之年餘，不敢懈怠。倪翁年老不常至，余惟檢家中所藏古書畫，時時觀玩之。家有白石翁畫册，所作山水，筆筆分明，學之數年不間斷。』

公元一八七〇年　清同治九年　庚午　七歲　在金華。

從邵賦清繼續讀四子書，識字千餘。

三弟懋貢(一八七〇—一九一九)生，譜名懋貢，字元清，號廉叔。《自撰年譜稿》：『庚午，余三弟生。前聘湯溪邵賦清師，年六十餘，爲余童子師。家塾藏有《字滙》等，稍稍能檢閲，粗知字有形、聲、誼，能好問。』

夏承燾日記一九五〇年九月四日聽先生談學畫經歷：『賓老六七歲時，即每晨學畫兩小時，迄今八十年不廢。謂作家教徒學畫，先人物，次花鳥，後山水。文人畫，則以習書之餘習蘭竹。又謂磨墨向裏作圈爲順法，似二王書；向外爲逆法，似隸書章草。』

公元一八七一年　清同治十年　辛未　八歲　在金華。

喜讀唐詩。先生曾憶：『余幼齡居城闉，盛暑恒苦炎熱，粗識之無，偶取唐人詩誦之，至「修竹不受暑」之句，心甚愛竹；及「落落長松夏日寒」之句，又兼愛松。』

先生族人黄崇惺，字譽士，號次蓀，爲翰林院庶吉士，由歙赴閩，道出金華，訪鞠如。先生隨父陪崇惺游八咏樓，崇惺指問林中紅葉，先

潭渡村黃賓虹故居。

生舉唐人詩以對，又問草蟲，先生稱蚱蜢。崇惺曰：『子知蚱蜢爲舴艋之諧聲乎？』先生曰：『小舟也，亦象形也。』《民國歙縣志》：『黃崇惺，原名崇姓，字次蓀，潭渡人。幼穎异，長遭兵亂，客漢臯。咸豐辛亥浙榜舉人，同治辛未進士，歷任福建歸化、福清知縣，署汀州同知，所至有政聲。詩文皆雅健，著述甚富，多有關吾鄉掌故之作。其《鳳山筆記》專記太平軍入徽始末，甚詳。同治中議修府志，崇惺作《郡志辯證》，訂道光志之失凡數十事，皆精確。又著有《勸學贅言》《集虛齋賦存》《文存》《二江草堂詩集》《草心樓讀畫詩》。』

四弟懋贊（一八七一—一九五二）生，譜名懋贊，又名元秀，字晋新。

公元一八七二年　清同治十一年　壬申　九歲　在金華，遷住鄭店村。

黃崇惺爲延同邑程健行授先生經史。并由閩寄贈所著《勸學贅言》《鳳山筆記》及族祖黃生《潭濱雜志》等書。

按黃生，字扶孟，世稱白山先生，爲清初學者，經術湛深，兼通繪事。并纂歙黃氏家乘若干卷，末卷皆佚聞瑣綴，未刊行。子呂，益以里中雜事合爲一編，名曰《潭濱雜志》。黃呂字次黃，號鳳六山人。善繪畫，工詩文，書法晋人，精篆刻，人謂四美具備。

公元一八七三年　清同治十二年　癸酉　十歲　游學杭州。

父命試臨畫家倪易甫乙丑年所作《松菊圖》。

按先生一九五二年口述云：『家藏《松菊圖》爲金華老畫家倪易甫得意之作。余十歲時奉父命臨摹至再，印象甚深。隨父游覽杭州西湖、吴山，嘗出手册寫生。』

在杭見王蒙山水畫幅，臨摹不倦。

父命留杭州從應芷賓問業。自述『課餘常游覽山水，寫景以歸』。

長妹（名未詳，一八七二—一八八六）生。

公元一八七四年　清同治十三年　甲戌　十一歲　春，由杭州返金華。

初學篆刻。據王伯敏《黃賓虹》載：『他的父親藏有鄧石如、丁敬等的印集，但嫌他年紀小，只給他看了一下，就放回書箱。有一次，他趁父親外出，偷偷地把它取了出來，花了一個月的時間，臨刻了鄧石如的篆印十多方。他的父親回來，看到這些臨刻，初還不信，及到親眼見他奏刀時，才驚呆了。那時黃賓虹只有十一歲。』

初讀族祖黃生所著《字詁》《義府》及黃承吉著《夢陔堂文説》《經説》等書，自謂影響至深，頗得父母歡。

按黃承吉，字謙牧，號春谷。著作博綜兩漢諸儒論説。又有《夢陔堂詩》五十卷。清嘉慶乙丑進士。

公元一八七五年　清光緒元年　乙亥　十二歲　在金華。

從金華李國樫（灼先）、李國棠（咏棠）得聞漢宋諸儒訓詁、性理之學，兼習文詞書畫。《自撰年譜稿》：『乙亥，聘趙經田師、應芹生師，五經畢業，習爲詩。又李咏棠師、李灼先師。』

從祁寅（子賓）家借得明趙臯所藏山水畫册及畫家生平事迹考諸圖書，日夕鑽研。

黄吕《潭渡村居圖》册之一。族祖黄吕是一個詩書畫印兼擅的才子，有山水畫作品流傳于世。

公元一八七六年　清光緒二年　丙子　十三歲　春，隨父返原籍應童子試，歲終返金華。

春，隨父返原籍歙縣應童子試（縣試），一考即中。

在歙故舊家見董其昌、查士標真迹，習之數年。《自述》：『弱歲應試返歙，讀鄉先生江、戴遺書，又族祖白山公《字詁》《義府》，春谷公《夢陔堂文説》《經説》，因喜治經。』

《八十自叙》：『余年十三，應試返歙。時當亂後，故家舊族古物猶有存者，因得見古人真迹，多爲佳品。有董玄宰、查二瞻畫，尤愛之，習之又數年。』

公元一八七七年　清光緒三年　丁丑　十四歲　由金華返歙。

父命偕二弟仲方返歙應試，文列院試（府試）高等。二弟仲方亦被童子試録取。

按先生撰《洪孺夫人行狀略述》云：『余年十四，奉父母命，偕胞弟賡（仲方）、族侄崇保（石珊），由金華寓居返歙籍，應院考試。督學孫公毓汶（萊山）取余文與西溪汪吉修列高等。』

按汪吉修，名福熙。父汪宗沂爲國學家，後爲賓公師。吉修後有子汪采白，從賓公學畫，爲新安派著名畫家。西溪與潭渡毗鄰。

喜摹族祖黄吕山水畫。

公元一八七八年　清光緒四年　戊寅　十五歲　在歙縣，又回金華。

從族人習拳術，好擊劍、騎馬。又遍訪書畫真迹。至虬村觀汪家所藏石濤《黄山圖》，甚喜，欲借歸臨摹，主人未允，先生至夜入夢。次晨，伸紙默作石濤像及《黄山圖》，并題詩記其事。

從義烏陳春帆學人物畫。

先生《題家慶圖》詩注：『戊寅父大人年四十九。』爲慶五十壽辰，特請義烏畫家陳春帆在金華爲先生家作《家慶圖》。按此圖今藏杭州『黄賓虹先生紀念室』。先生七十九歲時曾題詩于上。圖畫先生父母兄弟四人，妹二人，先生一生珍愛。《九十雜述》載：『父執義烏陳春帆畫師年七十餘，客我家中，畫我父母兄弟四人、妹二人小照，形貌逼真，純粹中國勾勒筆法，設色濃厚，裝裱爲横軸。南北遷移，保護如頭目，今七十年，光潔如新，每年歲前懸挂一次。』

按義烏陳春帆工寫真，是年爲鞠如畫像，留先生家，談畫理，指教甚詳。鞠如乃命先生隨陳赴義烏從學寫真。先生著《虹廬畫談》謂陳寫真不讓曾鯨、禹之鼎。

公元一八七九年　清光緒五年　己卯　十六歲　在金華。

春，由歙返金華，舟行新安江，寫景成册。

考取麗正、長山兩書院值課，年入值課費千餘文，購置文具，習畫益勤。

得《芥子園畫傳》，反復臨摹，有小畫家之譽。與蔣蓮僧同學山水，朝夕研討。

公元一八八〇年　清光緒六年　庚辰　十七歲　返歙。

《自撰年譜稿》：『庚辰，返歙應院試，獲雋。族衆以余名元吉，應忌十世祖諱，須改名。吏役索費重，不果行。實以元旦生，即余未及詳宗譜也。是年，父大人以商業成昌錢號爲人侵蝕受累，及布業均休歇，兄弟均習商廢業，余應書院課，得庚續讀書。遷城東三元坊。從黄芸閣師習舉業。家用恒不足，省衣節食。』隨業師李灼先、李咏棠兄弟游金華北山三洞，住憩園，讀兵農古籍藏書。

仿荆浩撰《筆法記》體裁，作《筆法散記》稿一卷，請麗正書院陳欽甫業師審正。

按先生一九四八年函友人云：『《筆法散記》稿一卷，于甲申

衛蘧進德樂知非 戊寅 父大人年四十九歲
庭訓殷殷易彩衣山色金華
今不改佩觿舞勺戀春暉
余兄弟隨侍僑居浙江之金華 屈指明正我八旬
夢談哀樂憶前塵陳翁留駐
韶華筆六十六年圖畫新 圖爲義烏
陳春帆先生作成于丁丑戊寅之間 今嗣西林茂才文翁畫山水傳家法載金華縣志
壬午春初 黄山予向時年七十又九

一九四二年黄賓虹重題《家慶圖》。

陳春帆作《家慶圖》，右起第二人爲黄賓虹。

（一八八四年）在揚州遺失。』

公元一八八一年　清光緒七年　辛巳　十八歲　在金華。

在金華書院修業。

仍從義烏陳春帆學畫。

公元一八八二年　清光緒八年　壬午　十九歲　游永康、縉雲、汀州，仍返金華。

春，隨舅氏方景和至永康，游讀書岩、鹿田村，經智者寺，訪陸放翁碑，繞北山游赤松宫，觀黄初平叱石成羊處。《九十雜述》：『方當弱冠，隨舅氏方公至永康縣游讀書岩，有宋五峰書院，澗水奔流，懸瀑千尺，奇峰峻嶺，峭拔紓迴，松林稠密，村落田舍，多蓋以松，俗有「白蟻不食永康松」之謠。聞當時經雷雹，山林爆火，今見高松虬枝枯赤近百里許，細草皆焦灼，傳言「麒麟趕龍」，爲之一笑，寫其山水實景而還。』

秋，偕同學游縉雲，入閩，探黄崇惺病于汀州。崇惺不久殁于任署中。旋返金華。所經各地作圖記游。

公元一八八三年　清光緒九年　癸未　二十歲　在歙縣。

春返歙應歲試。與同縣洪坑村洪藎臣之子秋潭同考，晤印潭。黄崇惺遺孀鮑氏爲議婚于洪藎臣長女四果（一作四姑）。《洪孺夫人行狀略述》：『越三年，洪秋潭同考試，晤印潭，皆余之内兄。次蓀太史既卒于閩任署中，其夫人鮑氏居里門，念先君子，敦族誼，爲余媒妁，聘娶洪藎翁長女四果君，余原配洪孺人也。』《任耕感言》：『弱冠旋歙之潭渡村，綜覽家乘，見族祖確夫公之軼事，著于《廣陽雜志》。』

春，返歙初游黄山、白岳，作詩題畫。

游黄山獅林精舍遇雨，伸紙摹查士標畫册，適畫家費念慈（屺懷）來游，欣賞先生畫筆簡潔，乃與訂交。按費念慈（一八五五—一九〇五），字屺懷，晚號藝風老人。江蘇武進人。清書畫家，精鑒賞。

在歙時嘗至南鄉雄村曹氏石鼓齋，觀鳳六山人仿雪莊和尚黄山异卉畫册。又在鄉得觀汪訒庵藏印及印譜。訒庵名啓淑，自稱印癖先生。歙縣綿潭人。清乾隆時人。工詩好印，所編《飛鴻堂印譜》匯集明清各家作品四千餘方，可概見各家風格及流變。因收集較廣，風行一時。

涉獵群籍。尤喜讀張庚著《國朝畫徵録》。庚字浦山，清乾隆時秀水人，擅畫山水。此書記清初至乾隆時畫家四百六十餘人，并附經歷、特長、流派、師承和畫論等。

黃賓虹藏陳若木草蟲圖扇。

黃賓虹早年自刻印。

公元一八八四年　清光緒十年　甲申　二十一歲　赴揚州，歲暮返歙。

春，離家過新嶺，作山水畫《過新嶺圖》，題詩志感，今僅存一首云：『百里行程兩日餘，敢辭負米路崎嶇。白雲不隔鄉關迥，嶺上行人望舊廬。』按此詩己丑又有修改，見賓虹詩草。

至懷寧，携自作山水畫謁八十高齡的名畫家鄭珊（雪湖），請授畫法。鄭授『實處易，虛處難』六字訣，并言：『子謹志之。此吾曩受法于王蓬心太守者也。』先生自言：『余初不爲意，以虛實指章法而言，遍求唐宋畫章法，臨摹之幾十年。』（見《八十自叙》）

抵揚州，客居姻戚處。喜得觀覽臨摹族人所藏古書畫。

歲暮由南京轉蕪湖返歙。此後遍求唐宋畫，樓居細心研究。

公元一八八五年　清光緒十一年　乙酉　二十二歲　再赴揚州。

春，出新安江，流覽江南山水，沿途寫生。

在揚州求觀唐宋畫章法臨摹之。

公元一八八六年　清光緒十二年　丙戌　二十三歲　由揚州返歙。

春，改名質，字樸存，由揚州返歙應試，補廪貢生。

按先生初名元吉，童子試獲雋，族人以先生名與新安十世祖元吉犯諱，嘖有煩言，故有改名應試之舉。

奉父母回潭渡村，娶洪坑村洪藎臣女四果（一作四姑）。《洪孺夫人行狀略述》：『孺人年十九歸于余，節儉嫻禮教，事翁姑孝敬和婉，先考妣甚悦之。時余家道已中落，先妣性嚴謹，井臼必躬操，箕帚滫瀡，不假傭役，孺人朝夕勤慎無惰容。居無何，先妹病瘵且夭，孺人脱簪珥，醫治喪葬，頗殫心力。』

父命問業于西溪汪宗沂。按汪宗沂字仲伊，近代國學家。家住西溪，與先生所居潭渡毗連。光緒庚辰進士，著述甚多，嗜音樂、好舞劍，著有《樂譜》《劍譜》。先生能彈琴、舞劍，謂曾受教于汪。先生後憶汪：『及年七十餘，鬚髮未白，顏如渥丹，尚能日行百里，身任數十斤之金物，勇壯過于少年。又自號爲天都老少年。凡遇少年之文弱者，莫不以强身相規，以此爲人立身之本與救國之本。蓋有心當世之奇偉人也。』

學作駢文，始讀汪中《述學》、洪亮吉《更生齋集》。按汪中字容甫，洪亮吉字稚存，皆清代古文學家。先生作文章自言受益于汪洪至深。一九五五年三月一日病中作詩，猶引用汪洪著述。

《九十雜述》：『應紫陽、問政諸書院課，受知于浙杭譚仲修山長。從鄉父老游，知汪容甫《述學》、洪北江《更生齋集》諸集。學爲駢儷，并金石書畫譜録。』

按譚仲修，名獻，原名廷獻，號復堂。清代著名學者、藏書家。浙江仁和（今杭州）人。曾應張之洞邀，主講經心書院。尚今文學，工詩，尤擅詞。著有《復堂類稿》《復堂詞録》等。

得同邑汪啓淑藏璽及黄山名畫真迹，并金石譜録。

按汪啓淑字慎儀，號訒庵，綿溪（歙縣南鄉村名）人，嗜金石文字。先生一九〇七年撰《叙印譜》一文，有云：『自來藏印之夥，無如汪訒庵。余族聚居新安之潭上，去訒庵飛鴻堂故址僅六七十里。往來江淮間，舟行必經其地，至則徘徊瞻望，未嘗不懷想其遺風。詢所藏印，則歸西溪汪氏已久矣。洎客游歸里門，與西溪汪宅衡宇相望，又獲交其賢士大夫，始稍得窺其所存印譜。不數年間，又得見其印譜中所有之印。』

得觀程邃及漸江畫、程瑶田《通藝録》。按漸江僧，法名弘仁（一六一〇—一六六四），爲清初四大畫僧之一，又爲新安畫家之首。先生對其一生推崇。程邃爲清代新安派著名畫家，程瑶田爲清著名學者。

始創刻印章。有『黃質』（朱文）、『未入門』（白文）之作。

長妹病歿。

公元一八八七年　清光緒十三年　丁亥　二十四歲　赴揚州。

應程夔（午坡）邀，同赴揚州，就兩淮運使署録事。

按午坡爲姻戚程尚齋（恒生）之子。

黃賓虹九十一歲時撰寫的論畫長札中云：『回憶我二十餘歲初至揚州時，有姻戚何芷舠、程尚齋兩運轉，宦隱僑居，家富收藏。出古今卷軸，盡得觀覽。因遍訪時賢所作畫，先游觀市肆中，俱有李育、僧蓮溪習氣，聞七百餘人以畫爲業外，文人學士近三千計，惟陳若木畫雙鈎花卉最著名，已有狂疾，不多畫，索價亦最高，次則吴讓之廷颺，爲包慎伯所傳學。』按陳若木即陳崇光（一八三八—一八九六），清著名畫家。先生與人書評：『近百年中，陳若木之學識超衆，狂疾亦可憫，佚事可傳尚多。』

廉價購得古書畫三百多軸，以明代楮墨居多。

公元一八八八年　清光緒十四年　戊子　二十五歲　出新安至揚州，又返金華。

偕程石洲孫出新安江至揚州，宴于新修葺之平山堂。

先生記曰：『戊子，余至維揚，主監運司程恒生，時其介弟樸生字石洲，以孫某返里應童子試，偕出新安江，至邗江，因觴余于平山堂。』

父鞠如由歙至金華，清理店務。先生離揚州，經南京、杭州返金華協助。

在南京識甘元焕、楊長年、楊仁山等。

按先生《九十雜述》有云：『戊子游金陵，識甘叟元焕、楊叟長年，知有東漢西漢之學。……晤楊仁山居士，窺佛學及輿地之學。』

按甘元焕字建侯，江寧人。光緒二年舉人。學者。楊長年字樸庵，江寧人，時爲南京敬業、鍾山兩書院主講。楊文會字仁山，近代著名佛教學者。石埭人，時在南京督刊佛經。

至杭州訪收藏家金德鑒（明齋），觀所藏書畫名迹。先生亦出行篋中所携書畫，相與交换。

長女映寶（一八八八—約一九四八）生。

公元一八八九年　清光緒十五年　己丑　二十六歲　在金華。

助父清理店務。是年浙江七府洪灾，金華商業被累，父親乃留四弟黃贊繼續在金華從商，二妹、三妹送鄭、金兩家當童養媳，舉家遷回原籍歙縣潭渡村。

《歙潭渡黃氏先德録》：『光緒戊己之間，府君商業被累，急流勇退，安于食寠，乃求易水製墨法，孜孜有年。』

游覽紹興蘭亭，訪青藤書屋。游温州江心孤嶼，作紀游詩畫。

公元一八九〇年　清光緒十六年　庚寅　二十七歲　由金華返歙。

春，應友人招，游杭州西湖、三天竺。

得徐青藤書畫各一，又明無錫王問（仲山）山水畫册，反復臨摹。

按青藤即徐渭（一五二一—一五九三），明代書畫大家。王問（一四九七—一五七六）亦爲明代書畫家。二人書法無師承而遒勁，畫法亦掃纖弱之態而别具蹊徑。

秋，隨家遷返原籍，課讀餘暇協助點烟、和膠，研求製墨法。

按先生後撰《叙皓墨》一文，載一九〇八年《國粹學報》戊申第五號。

仍問業于汪仲伊。與汪福熙、汪律本兄弟研求書畫技法。

按汪福熙字吉修，善書；弟律本字鞠友，又號舊游，工詞擅繪事，皆爲仲伊子。

公元一八九一年　清光緒十七年　辛卯　二十八歲　在歙縣。

從汪仲伊問學，并始授其孫汪孔祁四子書。按汪孔祁字采白，號洗桐，仲伊孫，吉修子。後爲山水畫家，歷任大學藝術系教授。有《黃海卧游集》等畫册行世。

購古今金石書畫，終年住樓，悉心研究。

按先生《八十自叙》有云：『頻年收獲之利，計所得金，盡以購古今金石書畫，悉心研究，考其優絀，無一日之間斷。寒暑皆住樓，不與世俗往還。家常鹽米之事，一切委之先室洪孺人。』

公元一八九二年　清光緒十八年　壬辰　二十九歲　在歙縣。

授汪孔祁四子書。

課餘作畫，款署『樸丞』。

公元一八九三年　清光緒十九年　癸巳　三十歲　在歙縣。

《自述》：『及年卅，弃舉業。』

嘗在『畫舫齋』臨摹漸江及各家畫卷，積稿甚多。

按畫舫齋爲黃熙（真民）藏置書畫之室。真民爲崇惺之祖，工書畫，富收藏。崇惺病卒汀州，先生爲之董理畫舫齋藏畫，并爲編目。

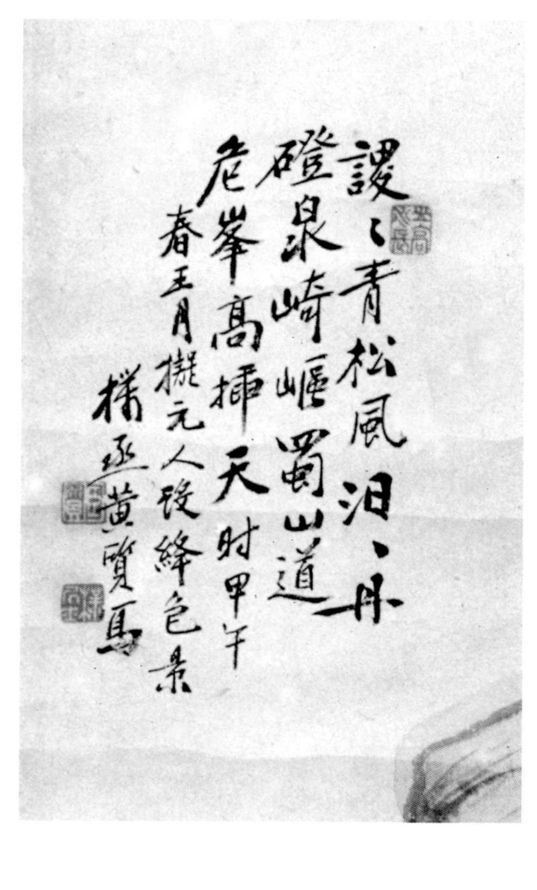

一八九四年黄賓虹題款。

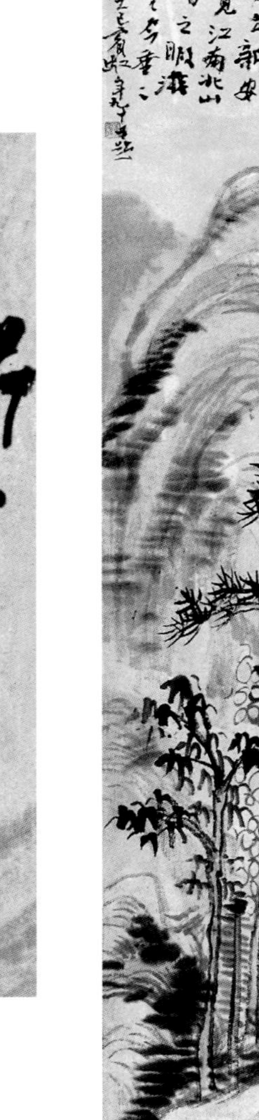

一九五三年黄賓虹重題山水四屏。

一八九四年黄賓虹作水墨山水四屏。

黃山白岳

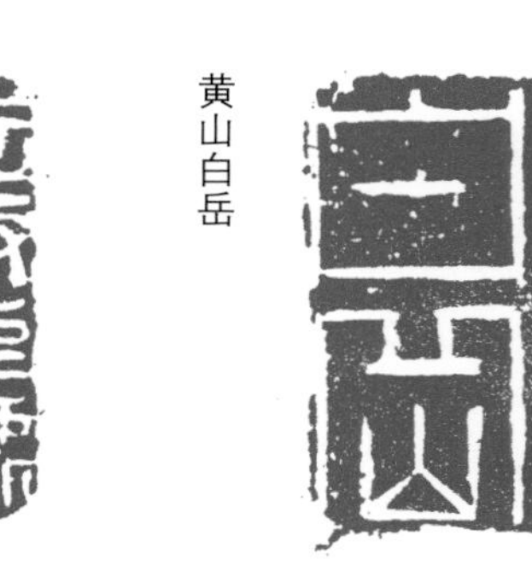

撲塵居士

黃賓虹早年自刻印。

公元一八九四年　清光緒二十年　甲午　三十一歲　春，赴揚州，夏返歙。

春赴揚州途經杭州，請篆刻家趙穆刻『黃質之印』『樸丞』『樸丞翰墨』諸印。擬元人設色山水，款署『樸丞黃質』。摹梅壑老人山水畫册，款題『伯咸』。

陰六月，父鞠如卒，年六十四。由揚州奔喪返歙。葬葛塘寺前之猫山。時居鄭村西園，讀禮家居，輯舊聞，遍詢黃氏家族義莊故實。

仲秋，爲汪律本作山水四屏。原作藏黃山市博物館。

在歙東築堰導流，開墾荒田。

《濱虹藏漢銅印記》：『余既還居山中，以古物來售者頗多，得舊瓷，輒以易金石書畫。岩市傅某以「假司馬印」易年窑大花樽以去，價獲四十金，而余愛銅印之名，自是播歙中。予姻柯樹屏，故世家子，好古書畫，知余癖嗜印，持「軍侯丞印」「騎部曲將」二紐來，余以羅飯牛大堂山水易得之。旋又得「章臨之印」于書肆，得「路文」印于許有餘手中。「路文」印已缺紐，紐蓋使冶人冶之，已非舊觀矣。』

公元一八九五年　清光緒二十一年　乙未　三十二歲　在歙縣。

由鄭村西園遷居潭渡舊居。

中日甲午戰争後，《馬關條約》簽訂。康有爲、梁啓超公車上書，提倡變法，先生聞訊激動，致函康、梁，抒述政見，以示聲援。

夏，朋友介紹與譚嗣同會見于安徽貴池。徹夜長談并訂交。譚出示《莽蒼蒼齋詩草》。按譚字復生（一八六五—一八九八），湖南瀏陽人。爲中國近代史上著名維新志士。先生每次講完這次會面的情況後，動情地説：『這位復生兄是個豪俠之士，不怕天，不怕地，見義勇爲，維新愛國，以至不惜頭顱，可敬可佩。』（王伯敏《黃賓虹二三事》）

始編《歙潭渡黃氏先德録》。

按該録爲《濱虹雜著》首編，述黃氏先德事略，另附《任耕感言》《仁德莊義田舊聞》二编，于一九一九年十二月印行。

公元一八九六年　清光緒二十二年　丙申　三十三歲　在歙縣。

友人約同往日本留學，未赴。作畫，款署『檗琴』。

二女映班（一八九六—一九一五）生。

公元一八九七年　清光緒二十三年　丁酉　三十四歲　赴安慶，冬返。

赴安慶，郡守以高材生入薦敬敷書院研讀。

嘗化名撰文寄梁啓超，披露梁主辦之《時務報》。

公元一八九八年　清光緒二十四年　戊戌　三十五歲　在歙縣。

返歙。道經宛陵，游敬亭山。歸作畫題詩，有『薄暮路遥何處宿，黑雲當面似山城』句。

六月，光緒帝頒《明定國是詔》，起用康有爲等，宣布維新變法。慈禧集團發動政變，太后再度訓政。康有爲、梁啓超逃往日本。譚嗣同等六人慷慨就義。譚臨終曰：『有心討賊，無力回天，死得其所，快哉快哉！』消息傳來，先生聞訊痛憤，挽詩有『千年蒿里頌，不愧道中人』句。

受郡城許宅聘，授許大受（容卿）、許清藻（石秋）經史。得同邑汪啓淑所藏秦璽漢印譜及得見印譜中所有之印。嘗刻印自娛。

長子映燡（一八九八—一九一七）生。

公元一八九九年　清光緒二十五年　己亥　三十六歲　去上海、開封，冬返歙。

春，被人以革命嫌疑名義密告省垣，事先聞訊出走，經上海，并去開封。在開封識銅山張勺圃（伯英），獲贈碑刻拓本數種。

冬，返歙。過宣城作《響山》詩：『苛斂追逋穀弃農，盜由民化困窮凶。却爲當道豺狼迫，獅吼空山一震聾！』

黃賓虹早期擬古山水圖冊。浙江省博物館藏。

《丹崖翠碧圖》，款署『樸居士寫于石芝閣』。石芝閣爲先生早年畫室。潭渡有一白石，形似靈芝，先生移置本宅花壇，名命『石芝閣』，并刻印紀之。此作當是在歙縣的作品。

公元一九〇〇年　清光緒二十六年　庚子　三十七歲　在歙縣。

三月，游黃山前海，得畫稿三十餘紙，雜體詩十餘首，并作《黃山前海紀游》一文，後載一九二九年三月《世觀》雙月刊第一期。

初夏，由新安道經青陽，登覽九華山，并以詩畫紀游。

由歙赴蕪湖，北上，途中聞八國聯軍攻入北京，鬱鬱而歸。

黃牧甫自粵中歸，兩人一見如故。《黟山人黃牧甫印譜叙》：『庚子北擾，南方震動。余往黟，偕邦人謀守羊棧嶺。牧翁時由粵歸黃山，一見如舊相識，因獲觀其所治印章，不失先正矩矱。』

按黃牧甫（一八五〇—一九〇八），名士陵，別號倦叟、黟山人，安徽黟縣人。清篆刻家。通六書，工篆刻，兼繪畫、刻竹。刻印早年法吴熙載，後宗秦漢璽印，參以商周金文體勢筆意，在浙、皖兩派外自成一家而有較大影響。

十月，與里人鄭摺書籌劃董理歙東慶豐堨。按《歙縣志》一九三七年版水利門載：『慶豐堨咸同以後，堨圳傾塞，田畝荒蕪。光緒二十年改造移址，堨工未成。二十六年冬，知縣許崇貴以潭渡黃族義田居多數，薦委潭渡廪生黃質等籌款重修，兼董堨務。質邀鄭摺書襄理，晝夜經營，不辭勞瘁。』

作畫，款署『濱虹生黃質』。

公元一九〇一年　清光緒二十七年　辛丑　三十八歲　在歙縣。

與鄭摺書在歙東鳩工修堨，窮流討源，詳審利弊，粗得要領。自木石各壩竣工，大小圳流疏通，堨田大稔。

夏，與鄉人經常在潭渡河浜之岳營灘，馳馬擊劍，縱談國事，豪放一時。

夏後，丹鉛校勘，上窺乎漢魏，金石摩挲，旁搜于璽印。

秋至黃山寫生。先生爲汪孝文題《黃山卧游册》：『甲午而後，歸耕歙東，墾兵荒田畝數千計，歲必至天都、蓮花諸峰，嘗于秋霽盡興探索丘壑雲烟之趣，收之囊中。』

作新安江畫册，徵求畢恩溥（涵園）題詩。

本年，獲購朱寄洲家藏斯篆雙鈎刻本《碣石頌》，不勝喜幸。先生記：『辛丑家居，獲購書籍，是册舊爲同邑朱寄洲君所有，身後收藏散佚，展卷賞觀，不勝喜幸之私爾。』

次子映灼（一九〇一—一九一六）生。

公元一九〇二年　清光緒二十八年　壬寅　三十九歲　在歙縣。

鄭摺書離歙，堨事由先生獨辦經營。

嘗乘馬游岑山，出手册寫實。按岑山在歙水南鄉，距潭渡村約十餘里，面臨漸江，俗稱小南海，風景幽美，爲先生青壯年時期常到寫景之處。

作畫題絶句云：『門外江波屋後山，蓊然竹樹映孱顔。小樓一曲斜臨水，我欲移家住此間。樸岑黃質寫于石芝閣。』

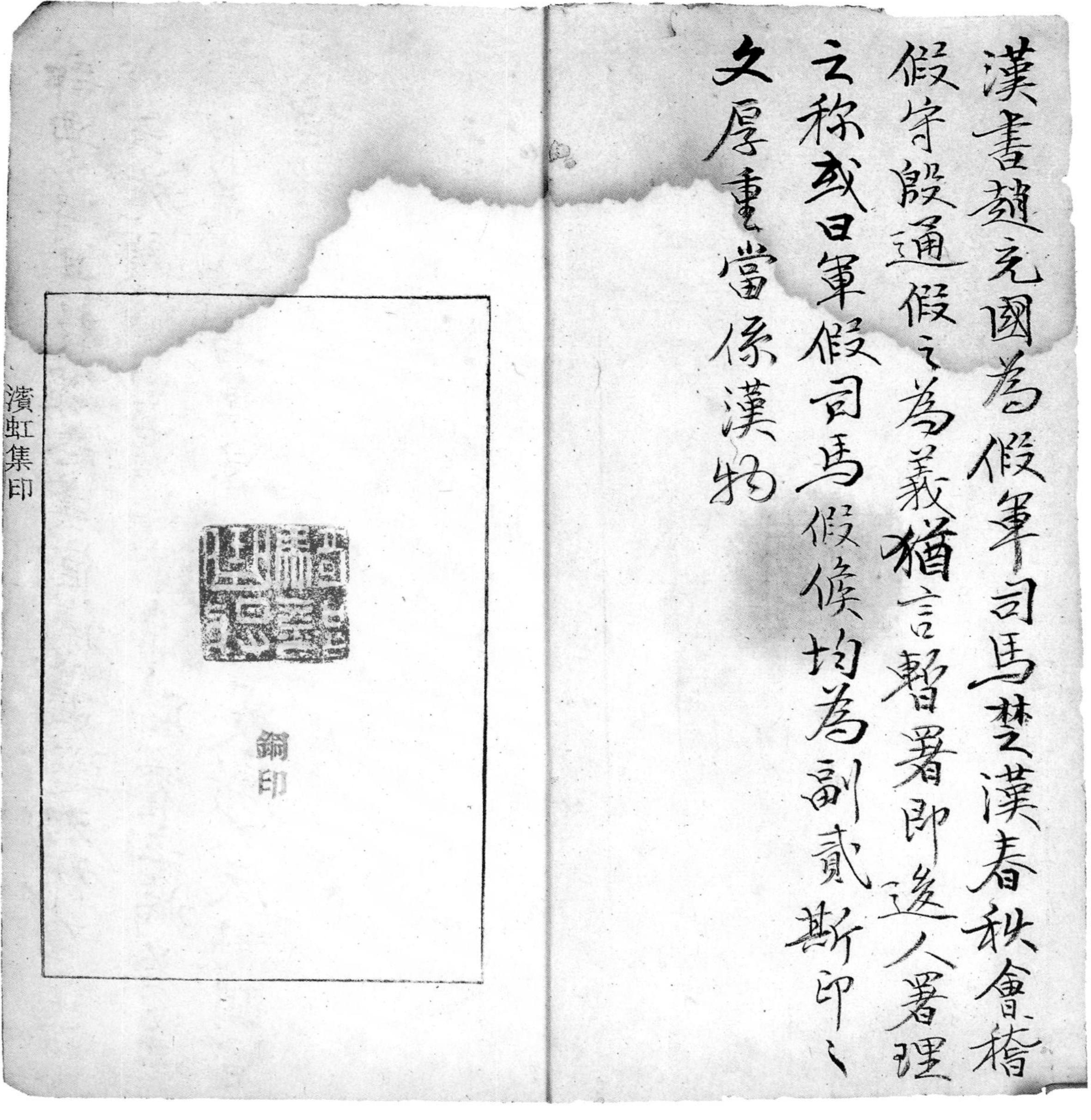
漢書趙充國為假軍司馬楚漢春秋會稽假守假通假之為義猶言暫署即後人署理之称或曰軍假司馬假候均為副貳斯印之文厚重當係漢物

濱虹集印

銅印

《濱虹集印》爲迄今所見黃賓虹最早文字著作之一。金石文字與書畫關係最親緣，黃賓虹早年就從金石文字入手，在悉心收集、考證、研究的同時，已開著述生活的端倪。

按石芝閣爲先生中年畫室。蓋潭渡有一白石，形似靈芝，高二尺餘。先生移置本宅花壇，旁植吉祥草，命名石芝閣，并刻印紀之。

公元一九〇三年　清光緒二十九年　癸卯　四十歲　赴南京、南通。

由歙赴南京，住挹江門，訪清涼山南麓清代畫家龔賢（半千）所建之掃葉樓，觀半千所繪黃山巨幅山水十幀。因事去南通，未及臨摹，快快而去。後重訪掃葉樓，此畫已不復見，引爲生平憾事。

與汪鞠友同游攝山寫景。

是年輯成集印二集，并撰《濱虹集印存序》。

公元一九〇四年　清光緒三十年　甲辰　四十一歲　在蕪湖。

二月，陳獨秀在蕪湖創辦《安徽白話報》，宣傳民主革命思想。

本年，先生由南京至蕪湖，任安徽公學講師，佐理學務。晚閉門讀書作畫，同事有不知先生能繪事者，一旦發現，引以爲异。得識教師陳去病，傾談革命（詳見一九〇六年條）。陳獨秀亦于本年聘爲安徽公學教員。

按學校係安徽桐城人李德膏創辦，由『旅湘安徽公學』遷蕪湖，改名安徽公學。先生《八十自叙》載：『遜清之季，士夫談新政，辦報興學。余游南京、蕪湖，友招襄理安徽公學。又任各校教員。』

今録《安徽公學廣告》以見當時先生所處環境：『本公學原名旅湘公學，在長沙開辦一載，頗著成效，唯本鄉人士遠道求學，跋涉維艱。茲因本省紳商之請，改移本省，并稟撥常年鉅款，益加擴張，廣聘海內名家教授倫理、國文、英文、算學、理化、歷史、地理、體操、唱歌、圖畫等科。于理化一門，尤所注重。已聘日本理科名家來華教授。學額：本省百名，外省二十名。學費：本省人不取，外省人每月收英洋二圓。膳金：無論本省外籍，每月收制錢二千文。入學年齡：自十五歲起，至二十二歲止，三年卒業。茲定于乙巳年二月內開學，有志入學者，望于月初十前偕保人或携介紹信來本公學報名，聽信候考驗。必須身體强健，心地誠樸，志趣遠大，國文通順者，方爲合格。此布。蕪湖二街三聖坊安徽公學啓。』

夏，返歙，偕弟子汪采白游歙南石耳山，得畫稿甚多。

爲同邑方嘯琴仿元人筆意作山水畫，款署『頎厂散人』，自謂頎厂合寫似質。

三子映容（字用明，一九〇四—二〇〇一）生。

四十歲左右的黃賓虹。

公元一九〇五年　清光緒三十一年　乙巳　四十二歲　往來蕪、歙。

春，自歙赴蕪湖，仍任教職。

歙人許承堯（際唐，別號疑庵）在歙城內改舊貢院爲校舍，創辦新安中學堂，函先生代聘教習。先生乃于夏間由蕪湖返歙，擔任國文教習，旁及繪事。數月後改任管理。

按許承堯《徽州革命黨人之活動》：『當僞滿竊據之光緒廿五年，政教窳敗，志士蜂起，革命思潮，充沛天地。吾徽僻處萬山中，亦不敢後人，謀國之士，乃有汪律本（號鞠友）、鄭履端（號茶亭）、江暐（號彤侯）、程炎震（號篤原）等先後加入工商勇進黨，潛事鼓吹。既又納汪鑾（號柳江）、黃質（號濱虹）、馮欲仁、許承堯（號際唐）等，毀貢院爲學堂，爲宣傳革命之策源地，乃創新安中學于貢院，又闢紫陽師範學堂于紫陽書院，推新科翰林許承堯爲監督，從民所望也。後江暐薦歷史教習陳去病（按陳爲中委葉楚傖之師），陳尤思想激烈，隨機啓示，遇事取譬，從此莘莘學子在新潮之乳哺中，徽邑光明漸具體化。入黨者日多，證章、文件皆由汪律本、鄭履端取自南京，餉缺則由黃質購機鑄幣（按此機猶存歙西潭渡村），鄭履端則出贛入浙（按龍游靈山）與葉恪章、鄭自熙等聯絡。江暐、許承堯以蕪湖，皖之要衝，宜進拓，與徽州成犄角之勢，乃舉李光炯（桐城人）、柏文蔚（號烈武）籌創安徽公學，而盧仲農、劉光漢（號中叔）皆一時之俊彥也（按劉後變節事袁，輿論惜之），舉洪澤臣、吴棣（號郁農）等創徽州公學，以維新鉅子汪夢鄒所設之科學圖畫社爲會議機關（按汪係皖績人，性好客，陳獨秀亦曾下榻焉）。』（鄭初民筆録）

先生于堨務、教學之外，常進行秘密活動，『他每于三更半夜回家，同來許多素不相識的人，洪夫人要臨時做半夜餐，給客人吃，吃好後他們便睡了。但當洪夫人收拾好剛睡下，他們又要走了，洪夫人又得起來關門。』（侄黃警吾憶洪夫人口述）

十一月，安徽省創辦鐵路公司在蕪湖召開第一次會議。各州縣所舉議員共三十七人，歙縣參會議員爲黃質、許承堯。

公元一九〇六年　清光緒三十二年　丙午　四十三歲　在歙縣。

任新安中學管理，在蕪湖遇被通緝的陳去病，邀其入歙，任新安中學堂歷史教師，同去任教的有費公直、費邁樞、陳純等，皆一時俊杰。其後與許承堯、汪律本、江暐（彤侯）等組織黃社，鼓吹革命。

《九十雜述》：『邑中許疑庵太史辦中學，招余聘教授。時余往來蕪湖，嘗住安徽公學，偕陳巢南諸教授入歙中年餘。』

與陳去病同居弟子許石秋家，每星期日嘗邀青年學生汪成鑄（寄岩）、汪邦釗（成自）、江仁純（粹青）等在許宅以研究文學爲名，交換革命思想。

楊天石《南社人物傳．陳去病》：『一九〇六年，陳去病到徽州府中學堂任教。路過蕪湖時，遇見《警鐘日報》時的老友劉師培，經他介紹，加入中國同盟會。到校後，與後來稱謂繪畫大師的黃賓虹共事，一起組織革命團體黃社，以繼承明末進步思想家黃宗羲的學風和文風。在徽州期間，陳去病又完成兩部著作。其一爲《煩惱絲》，叙述清初漢族人民抗拒剃髮蓄辮的史實；其二爲《五石脂》，叙述東南志士的抗清逸事。兼録詩文。』

按陳去病（一八七四—一九三三），字巢南。同盟會會員。江蘇吴江同里人。一八九八年創辦雪耻學會。後東渡日本，主《江蘇》筆政，加入拒俄義勇隊、軍國民教育會。一九〇四年編《警鐘日報》。後爲南社詩人。陳氏有《爲諸生講史》詩，兹録一首如下：『興亡自古尋常事，只爲中原種族悲。辛苦驅除阿骨打，即今依舊混華夷。而今休痛無家國，不見稽山勵膽薪。匹婦匹夫咸與責，楚雖三户可亡秦。』從中可窺見先生及學堂的教學宗旨。

『黃社』有社盟，爲許承堯起草。社盟大要是：遵梨洲之旨，取新學以明理，憂國家而爲文。這個組織當時帶有秘密性質。社盟九人，後來發展至十數人，有黃賓虹、陳去病、許承堯、江暐、汪偉本。又兩名非皖人，一是聶伯篪（施貴），湖南人，在歙縣縣學內任職；另一是李潮（海衣），浙江東陽人，秀才出身，是個墨商，與江暐最相知；尚有新安中學教席數人。無社長之稱，社務設理事。理事許承堯，助理爲黃賓虹。當時想用這個組織名義，到湖南作一些聯繫，未有實行。（王伯敏《黃賓虹二三事》）

創辦惇素初級小學。黃警吾《黃賓虹在徽州》：『賓老在新安中學教書，感到有很多蒙童館來的學生國文程度很好，而對算學不懂，每考不取，或懂得點，勉强録取了，而教學上又發生許多困難。他就提倡在鄉村裏創辦新型小學，首先到岩寺聘來汪松川先生，就在他租住的懷德堂大廳上，開先河創辦了惇素小學，是爲歙縣鄉間第一所小學。當汪松川先生六十大壽時，賓老贈詩有云「感君講學坐潭濱」，即指此。』

《民國歙縣志》：『私立惇素初等小學堂，在縣西潭渡，光緒三十二年成立，黃質等創辦，款由黃氏族人捐助，兼收學費，黃質、黃賡歷爲堂長。』

黃賓虹在歙縣時期的早期作品。
歙縣博物館藏設色山水鏡片。

七月，邑東禾稼蟲害，先生以桐油和水灌救，油隨露上升葉尖，蟲殞墜水，農民稱頌。乃訂治堨九策：一區灌，二并水，三潴流，四禁漁，五置守閘，六抽丈，七清業，八選董，九減租，以利農耕。

十月，代表歙縣赴蕪湖參加安徽鐵路公司第二次年會。

冬，接受革命黨指令，籌建煉爐，安裝機器，準備私鑄銅幣，作爲活動經費。鮑義來《黃賓虹和徽州》載：『爲了籌集革命黨的活動經費，擾亂清政府幣制統治，革命黨人決定秘密自行鑄錢。鑒于徽州地處深山，交通不便，清政府統治力量薄弱，革命黨人經過多方商酌，決定由黃賓虹負責，并秘密從外地運來機器，還派來了一位姓李的師傅，就在黃賓虹的後進屋裏開起爐來，鑄造銅幣。據説這位李師傅是山東人，曾在太平軍裏鑄過幣。太平天國失敗後，他隱姓埋名。後又參加同盟會。同盟會要在皖南鑄錢，因此派了老李來負責技術方面的工作。』

作畫嘗署『廣頎』款，言爲黃質二字拆寫。

安徽省博物館藏設色山水團扇（一八九九）。

黄宾虹

上海時期（一九〇七—一九三七）

黄賓虹先生定居上海三十年。

前二十年間，他先後在神州國光社、商務印書館、有正書局任職，主要以報人、編輯出版家身份從事文字和美術編輯工作。他開風氣之先，采用印刷新技術，參與編印了極有影響力的大型叢書和畫集。

後十年，他逐漸轉向于繪畫教學和成爲國畫的專職山水畫家。

定居上海後，他宣布放弃祖業，并對鄉間作了安排。在有限的業餘時間中，他刻苦鑽研并以賣文爲生計，三十年間寫作了一千多篇介紹畫史、畫法的文章，涉及了傳統國學和詩書畫印、筆墨紙硯及歷代工藝等文化藝術的各個方面。從五十歲到七十歲的二十年時間中，他精力旺盛地游歷了祖國大好河山，真正從前半生的『師古人』而轉入『師造化』的藝術生涯新階段。在人們的眼中，他是『海上畫派』中的一位活躍的名畫家。但以藝術史家的眼光來看，在這三十年的上海畫壇上，他是極其重要的文化藝術學者和書畫鑒定大家。他真正實行了以文化藝術整治社會、改良社會和以『藝術救國』的人文理想。

公元一九〇七年　清光緒三十三年　丁未　四十四歲　赴上海。

被人密告，指爲革命黨人，并犯私鑄大罪，聞訊出奔上海。陳去病等也先後走上海。巡撫恩銘聞報欲辦，幸被革命黨人徐錫麟刺殺，此事遂止。

鮑義來《黄賓虹和徽州》載：『正當首批（銅錢）已經出坯，還没有印字的時候，不料被人密告。幸而同盟會在衙門内有内綫，才預先得到通知。黄賓虹乃命令連夜拆埋機器，遣散工人，弃妻别兒，隻身星夜逃走。李師傅因年事已高，就决定留在黄賓虹的家裏，等躲過風浪，待來日重行開爐，但後來不幸老死，未伸其志。黄賓虹多次來信家裏，説老李師傅是他的患難之交，要夫人和子侄像客祖一樣永祀老人的先德，每年過節，勿忘給老人上墳。』

至滬，與國學保存會鄧實、黄節訂交。遂居上海。按黄節（一八七三—一九三五），字晦聞。廣東順德人。人稱南國詩人。曾受業于嶺南學者簡朝亮。學既有得，因感國勢日蹙，北上滬瀆，與同鄉兼同門鄧實，會合陳去病、章炳麟、劉師培、諸宗元、馬叙倫、高燮等一大批有志興邦的知識分子，創辦以『研究國學，發揚國光，以興起人之愛國心』爲宗旨的國學保存會。又創刊以『發明國學，保存國粹』『愛國保種，存學救世』爲宗旨的《國粹學報》。鄧實（一八七七—一九五一），字秋枚。廣東順德人（生于上海高昌鄉）。一九〇一年秋，讀書于上海城南。庚子之變後，『念亡國之無日，懼棟榱之同壓』，乃于一九〇二年創刊《政藝通報》，開始了長達數十年的出版家生涯。鄧實、黄節是國學保存會最初發起人，是國學保存會的實際主持者。

任《國粹學報》編輯職務。學報從本年起增添美術、博物兩門，除插入銅版精印圖畫、畫像，并刊登美術論述等。

與章炳麟（太炎）訂交。按章氏名絳（一八六九—一九三六），浙江餘杭人。爲民國時期國學大師。

五月，慈禧太后召見勞乃宣。勞奏議推廣漢語拼音字母（時稱簡字）。至七月，勞又進呈《簡字譜録》。時議廢除漢字之聲不斷，先生聞之皆力争不可。據先生《八十自叙》：『遜清之季……時議廢弃中國文字，嘗與力争之，由是而專意保存文藝之志愈篤。』

六月，撰《濱虹羼抹》諸篇，連載《國粹學報》丁未第五號（即第

黄節致黄賓虹書。
當時在廣東的黄節和在蕪湖的黄賓虹雖相隔千里，但千里神交。

黃賓虹爲高燮刻『吹萬樓藏書印』，邊款署『時若社兄丈正濱虹』。

三十期），筆名黃質。

按《濱虹羼抹》有《叙摹印》《叙摹墨》《叙村居》等。

秋，離滬回歙經安慶，拜見時任提學使的沈曾植。沈建議協辦存古學堂，後因難籌措經費，未成。

回歙後，贈歙縣律師項崇偉隸書李白《山中問答》詩一首：『問余何事栖碧山，笑而不答心自閑。桃花流水窅然去，別有洞天非人間〔爲〕（注：原件多一「爲」字）。光緒丁未秋月，濱虹黃質寫。』（王中秀《黃賓虹年譜》）

在歙里居時，著述金石學文字，撰《畫學散記》。

十一月，赴蕪湖參加安徽鐵路公司第三次年會。

歙人汪聲遠從先生學畫。

按汪聲遠，名鐸，別署一筆畫者。曾言十五歲時隨父居滬，父令習商，不從，相持至久。爲賓師所知，慨然以藝相許。後從蘇州姚叔平學畫，嘗將畫册求賓師指教，爲言畫理與畫法。

與金山高燮（吹萬）訂交。

按高氏字吹萬（一八七九—一九六六），金山張堰人。近代學者。早年鼓吹革命，後與先生同爲南社詩友。有詩名，善書法。據其《吹萬樓讀畫記》載：『余之得交黃賓虹君，及今將四十年矣。與君相識之始，尚在清季光緒丁、戊之間。時順德黃晦聞（節）、鄧秋枚（實）等，創辦國學保存會于滬上，賓虹與焉。出有《神州國光集》《國粹學報》，其中所印古人金石書畫之屬，一皆審定于賓虹，至海内皆爲傾動。』

公元一九〇八年　清光緒三十四年　戊申　四十五歲　在上海。

春，與鄧秋枚同居《國粹學報》藏書樓，出示家藏程孟陽《偈庵集》。

按《國粹學報 · 撰録》，載程孟陽文多篇，鄧實注云：『今年予友濱虹來滬，共居藏書樓，出其所藏松圓老人《偈庵集》視余，《偈庵集》列入禁書，至罕見，因鈔文數首録于報。』

又以所藏一册汪士鋐《曹太學傳》墨迹出讓鄧實。鄧在册後記：『此册余友黃君樸存濱虹草堂舊物。戊申，樸存來滬，携以示余，以余愛之摯，遂割愛以歸余。……願與愛國尚義之士共寶之也。』

撰《濱虹論畫》一文，分畫源、派別、法古、院體、重品、尚文諸目，連載《國粹學報》第四十五、四十八期。

作《檀干村圖》，寫歙縣西鄉唐模村景色。許承堯題詩有『黃生遺此圖，眼明浣清泪。一亭與一榭，屐迹拾纖碎』句。

年底代繳堨務前董欠銀，塾支修堨費，查實仁德莊義田。

上海國學保存會印行的《國粹學報》與《古學彙刊》。

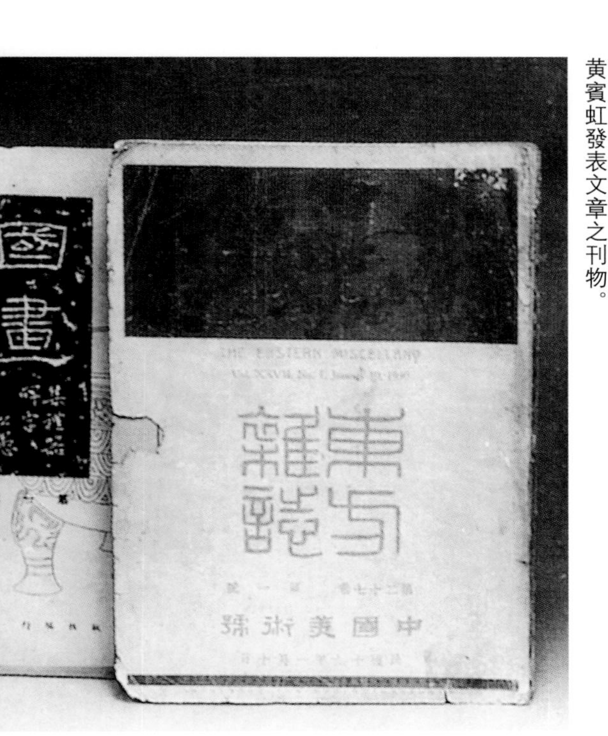

黃賓虹發表文章之刊物。

一九〇九年十一月三日，『南社』社友在蘇州虎丘張公祠舉行第一次雅集合影。後排左起第二人爲黃賓虹。

一九〇九年黄賓虹畫贈潘飛聲之《西泠泛棹圖》。在南社期間，黄賓虹所作的畫，大多是贈送友朋的，作品清淡逸致，用筆挺秀，是先生早年風格。

公元一九〇九年　清宣統元年　己酉　四十六歲　在上海。

年初，盤清堨務賬事，通過自治會組織將堨務移交二弟管理。

春赴上海，應鄧實之聘襄辦神州國光社。與蔡守共事，遂與蔡氏結爲金石書畫之友。按蔡守（一八七九—一九四一），字哲夫，號寒瓊，廣東順德人。自幼聰穎，飽覽經史，與蘇曼殊、黄節、鄧實等交善。

先生《寒瓊遺稿叙》：『憶自己酉，余恫時艱，將之皖江，道經滬瀆，時黄晦聞、鄧秋枚兩君刊輯國學叢書，蔡君哲夫共襄其事，因締交焉。』

三月，襄助鄧實神州國光社《神州國光集》美術編輯影印工作。《神州國光集》以雙月刊于本月創刊，以『表揚國光，提倡美術』爲宗旨，連載歷代金石書畫及題跋。

三月三日，豫園書畫善會正式成立，會長黄山壽，副會長黄克明等。先生入會爲會員。會址在豫園老君殿間壁之得月樓箋扇莊樓上，善會規定會員所得書畫潤資照章取其半數儲蓄會中，存錢莊生息，遇有善事，會議撥用。

柳亞子赴滬治病，遂相訂交。柳氏《己酉七月二十七日懷人詩》有：『許我忘年訂交誼，知君饒有古賢風。濱虹一抹斜陽影，老向天涯作寓公。』按柳亞子（一八八七—一九五八），名弃疾，近代著名詩人、社會活動家。江蘇吴江同里人。一九〇三年入上海愛國學社，一九〇六年參加同盟會，曾主編《復報》。一九〇七年來上海住國學保存會藏書樓。一九〇九年發起組織南社，任社長。

七月，鄧實爲訂潤格，《國粹學報》：『濱虹草堂畫山水鬻例：堂幅每尺洋三大圓，屏幅減半；琴條卷册，每尺二大圓；…… 己酉六月，順德鄧實代訂。』

夏，爲潘飛聲作《西泠泛棹圖》，并題：『己酉六月，蘭史先生游西湖，歸賦四章，爲人傳誦。余聆而喜之，因繪此圖，并録其詩，以志欽仰。潭上黄質寫于吴淞。』按潘飛聲（一八五八—一九三四），字蘭史，號老蘭。廣東番禺人。因别署劍士，與傅熊湘（君劍）、高旭（純劍）、俞鍔（劍華）有『南社四劍』之稱。

八月，爲李可亭作《淺絳新安山水圖册》，署『己酉七月潭上質』『樸居士』。

冬，作《濱虹草堂圖》，題『己酉冬日，潭上質寫』。爲高天梅作山水圖册。按高天梅（一八七七—一九二五），名旭，號劍公、純劍，上海金山人。一九〇二年與高燮等結詩社，翌年創刊《覺民》雜志，倡言革命。旋東渡日本留學，并加入同盟會，任江蘇分會會長。與柳亞子、陳去病同爲南社發起人之一。

爲蔡守作仿程穆倩枯筆《壺天閣圖》與《玄芝閣圖》。

十一月，與陳去病等赴蘇州出席南社第一次雅集，會後留影紀念，并作《南社雅集圖》。柳亞子詩集記『南社會于虎丘之張東陽祠，同邑陳巢南，吴縣朱梁任，虞山龐檗子，雲間陳陶遺，上海朱少屏，婁東俞劍華、馮心俠，寶山趙夷門，丹陽林力山，毗陵張寀、甄季龍，魏塘沈道非，山陰諸貞壯、胡栗長，歙縣黄濱虹，順德蔡哲夫，福州林秋葉，太原景秋陸，咸來莅止』云云。

在蘇州觀顧氏過雲樓藏畫。與蔡哲夫、馮心俠、景秋陸等聯騎游虎丘。

公元一九一〇年　清宣統二年　庚戌　四十七歲　在上海。

一月，《南社叢刻》第一集由高天梅編輯，先生負責監印。

二月，上海書畫研究會成立，先生入會爲會員。研究會由上海部分書畫家和書畫收藏家聯合發起組織，初有會員百餘人，李平書爲總理，汪淵若爲總董，哈少甫、毛子堅爲協理，趙雲舫爲駐會庶務。會址在浙江路九江路轉角處小花園商餘雅集茶樓。

臨董玄宰、查士標、僧弘仁山水畫二十八幀，載余景孫編《國朝名六家山水畫集册之一》。

八月，《時報》載有正書局將出版羅振玉編《石室秘寶》，該書係珂羅版精印。其中有唐太宗李世民的《温泉銘》初唐拓本，係據伯希和從敦煌得到的原件拍照影印。該本出版，先生獲睹後，愛不釋手，臨習不已。

秋，出席上海張家花園南社雅集（因事未赴四月杭城西湖南社第二次雅集）。與會有柳亞子、朱少屏、馮心俠、雷鐵崖、包天笑、余天遂、朱叔源、朱伯裳、葉蝶兮、蔡笛怡、何競南、周柏年、張佚凡、孔藹如、王無生、范鴻仙、林白水等。會上修改南社條例和推選《南社叢刻》的編輯和職員。

爲黄節作《蒹葭圖》，劉三（季平）題眉。

按黄節有索先生畫詩云：『愁入蒹葭不可尋，閉門誰識溯洄深？江湖一往成回首，風雨當前獨斂襟。遺世尚多今日意，懷人空有百年心。憑君爲寫傷秋句，應與鳴條和獨吟。』

十月，母方氏卒，享年六十九歲。棺柩由三弟廉叔無錫寓所歸厝于潭渡葛塘寺。

本月，《民立報》創刊，撰祝辭以賀：『洪濤怒掀，陰雲晝冥。滄海横流，神皋陸沈。吁嗟群生，栖息飲啄。愚瞀酣嬉，智者靡樂。東虹西蜃，倏忽彌空。空中何來，驟雨急風？泛泛行舟，峨峨敝廬。不有支撑，覆圮終虞。哲人知幾，綢繆事先。拯弱扶危，于葛斯年。』

按《民立報》社長于右任，撰稿人有宋教仁等。在辛亥革命上海光復中，它是同盟會的喉舌。

應李瑞清、蒯光典之約，參與籌備創辦上海留美預備學堂，任國文教習，兼掌校務。

《九十雜述》：『辛亥革命前，余屢至金陵。兩江師範監督李梅庵瑞清、蒯理卿觀察光典約我興學。余任滬留美預備校文科。聘德國人阿特梅氏。』

臘月先生經蕪湖返歙料理家事。始知堨務已由二弟仲方交割城東自治公所接辦。聲明祖遺産業一概放弃，願守硯田，傭力自給。

本年，爲高燮作《寒隱圖》，并題詩：『君家峰泖入秋時，霜葉丹黄影漸稀。願與共盟冰雪操，不凋青翠歲寒枝。』

爲鄧實作《風雨樓圖》。爲狄楚青作《平等閣圖》。

公元一九一一年　清宣統三年　辛亥　四十八歲　在上海。

春節後携洪四果及三子一女遷滬，水路行程中有『雨霽得開顔，江行待放關。推篷未岑寂，飽看米家山』詩句。全家居承吉里。

仍任神州國光社編輯，選古今名畫真迹，分期印行。

三月起，與鄧實合編《美術叢書》，開始印行。

按《美術叢書》始編每月一輯，每輯四册，至癸丑共出三十輯，計一百二十册。

爲黄節繪《廣雅書院圖》。

九月，在上海愚園參加南社第五次雅集，被公推爲庶務。參會共三十五人，名單爲：柳亞子、朱少屏、龐檗子、俞劍華、陶神州、宋詒于、姚石子、高天梅、鍾惧庵、蔡笛怡、沈佩宜、華子翔、張彦成、周亮才、黄賓虹、胡樸安、陽惕生、鄭咏春、鄭佩宜、孫經笙、姜公勇、韓筆海、程振奇、陳英士、宋紫佩、陳布雷、陳勒生、葉典任、胡寄塵、傅鈍根、黄夢遽、宋漁父、李季直、吕天民、朱子湘。

十月，武昌起義。十一月，上海光復，先生懸白旗響應。

按光復前，上海商團攻滬南高昌廟軍械製造局，時團中有汪啓珪者知先生傾向革命，以實情走告。先生乃特製大號白旗，藏置篋中。商團攻入製造局，先生高舉白旗慶祝上海光復。此事先生曾與陳叔通言之。上海商團三十六年紀念大會特刊及中國史學會主編之《辛亥革命》資料叢刊亦有記載。

十一月安徽都督孫毓筠，參軍韓思伯，先後電召先生赴皖，有『正人君子，聯翩戾止，虚左以待足下』語，婉謝未赴。

十二月，南社擬召開臨時集會，以策應革命，與柳亞子等列名會議召集人。下旬，參加南社集會，討論决議創辦《黄報》。

本年，中國書畫研究會改名海上題襟館金石書畫會。會長汪洵，副會長哈少甫，先生以『黄質』列名會員。

爲歙書家仰嘉祥（穀仙）著《篆法探源》一書作序。

公元一九一二年　中華民國元年　壬子　四十九歲　在上海。

一月一日，孫中山在南京就任中華民國臨時大總統。二月十二日，清帝溥儀宣布退位。三月十日，袁世凱在北京宣誓就任臨時大總統職。

二月，參加克復學報社、南社、淮安學團發起的追悼起義烈士、聲討凶手的大會，自述：『我還做了一篇慷慨激昂的祭文。』

三月十三日，出席南社第六次雅集。與會有柳亞子、朱少屏、馮心俠、龐檗子、姚石子、鄒亞雲、鍾惧庵、顧振庠、張彦成、王省明、胡樸安、陽惕生、雷鐵崖、葉楚傖、汪旭初、徐粹庵、杜尚陵、沈怡中、袁劍侯、吴信三、沈墨仙、陶冶公、周人菊、汪子實、陶小柳、譚介夫、陳漢元、陳定元、陳治元、黄季剛、劉昆孫、馬小進、梁雲松、王錫民、曾孟鳴、陳柱尊、黎世南、曾孝穀、李息霜等。地點爲愚園。會後攝影，晚舉行宴會。

任《神州日報》編輯。主筆神州國光社《神州日報·神州月旦》欄。

四月中旬，與宣哲共同發起組織藝術團體『貞社』，宣哲任社長。每次集會地址在四明銀行二樓。按貞社，是一個旨在『保存國粹，發明藝術，啓人愛國之心』的藝術研究團體，社名取『抱守堅固，持行久遠』之義，研究範圍包括古銅玉器、書籍版本、書畫卷册、詩文題跋、譜録拓本、收藏著録、古今工藝，以及歐亞翻譯有關考古之作。先生撰《貞社徵集同人小啓》一文。宣哲（一八六六—一九四二），字古愚，號愚公，江蘇高郵人。書畫家，好收藏。

五月，正式加入柳亞子、葉楚傖、李叔同爲主于本年三月發起的文美會。十四日，先生參加文美會第一次雅集，在三馬路大新街天心樓酒館舉行。該會以研究文學、美術爲己任。會上先生示畫作一幅爲交换品，共有會友十三人出交换品二十餘件，用抽簽法彼此互换。李叔同主編《太平洋報》曾報道交换時情形：『此時凡出品者皆于其所欣羡之物生無限希望，每揭一物名，則所有注目者舉場一致，其情與盼望選舉之發表，却無殊异。黄樸丞氏慕朽道人古梅一幅，垂涎特甚，未幾發表應得是畫之主人竟是黄氏，闔堂喝彩，而黄之得意，尤不可形容。』

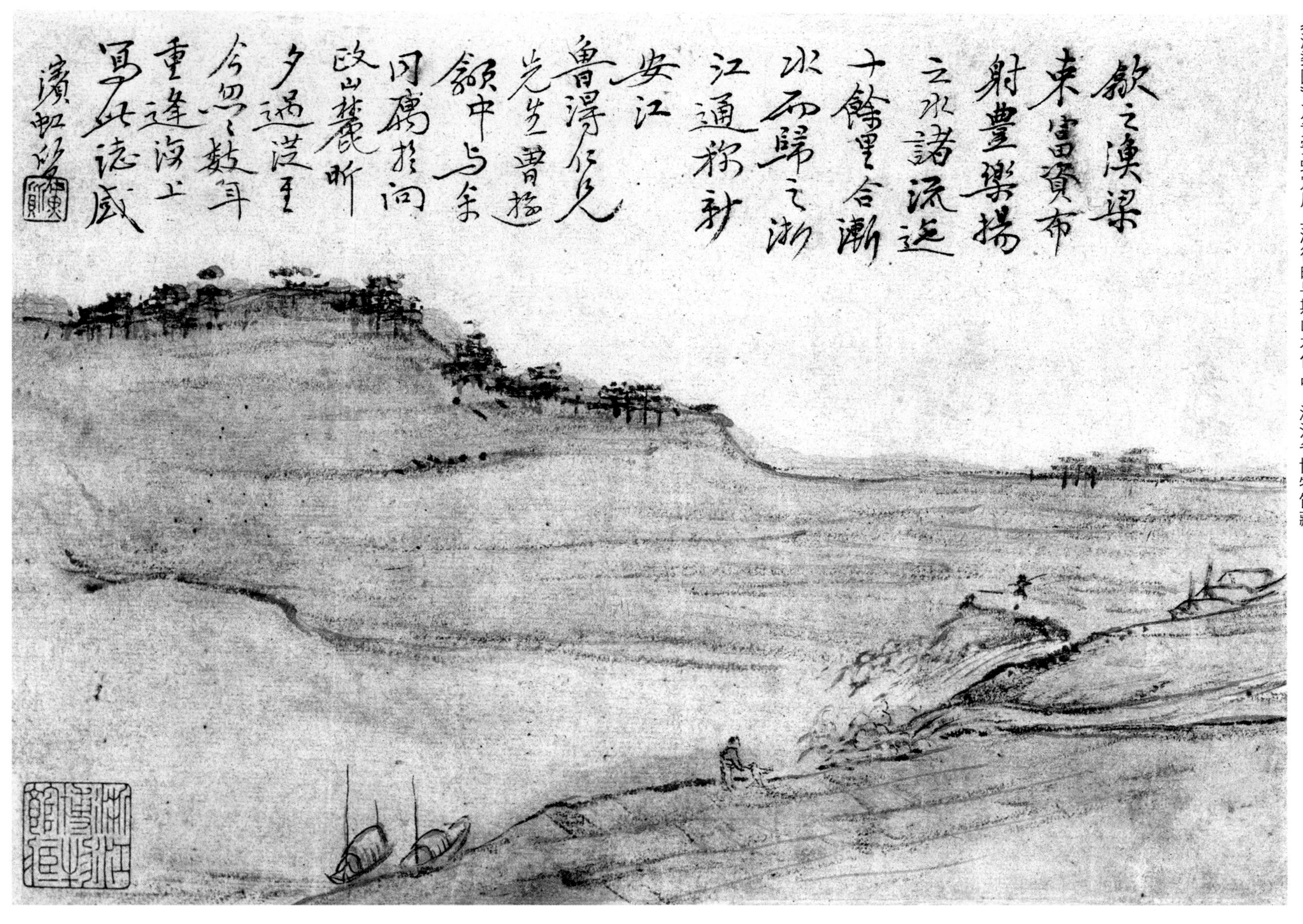

《漁梁圖》爲黄賓虹定居上海後的早期山水作品。浙江省博物館藏。

同月，南社針對袁世凱政府欲向列强銀行借款之舉，邀集社會各團體在叚虹園商討國民募捐辦法，先生撰時評，力主『群策群力，能收衆擎易舉之效』。

同月《神州日報》創刊五周年紀念，先生在『神州月旦』專欄撰評：『近者民國始建，設施孔亟，而唯國民捐之問題爲最要。愛國君子，奔走呼號，不乏熱心毅力，圖自救于危亡，一躍千丈，植萬世無窮之基，端在斯舉。』

先生另有畫作《泰岱圖》登載五月十五日日報，以爲創刊五周年祝賀。

同月各地爲追悼黄花岡七十二烈士紛紛召開集會，先生撰評云：『痛定思痛，尤其無負于諸先烈。』

六月，高劍父、奇峰來滬後創辦《真相畫報》，先生邀爲襄辦，爲撰《真相畫報叙》一文。該報以『監督共和政治，調查民生狀態，獎進社會主義，輸入世界智識』爲宗旨。按高劍父（一八七九—一九五一）、高奇峰（一八八九—一九三三）係兄弟，廣東番禺人。嶺南派畫家。當時高劍父是廣東同盟會會長。黄花岡之役曾任支隊長，事敗幸脱。弟高奇峰同爲嶺南派畫家，亦有革命經歷。

先生揭露中國古文物被盗竊，作漫畫于《真相畫報》，又作《海西庵》《焦山北望》國畫，筆名『予向』『大千』等。

按先生《八十自叙》有云：『嘗遇張季爰、溥心畬諸君于稷園。繼而壽石工君亦至，素喜詼諧，因向衆云：「今日我當爲文藝界辨一公案。」衆皆竦立而聽，乃云：「張大千名滿南北，諸君亦知其假借于黄賓虹，至今尚未歸還乎？請諸君决議。」即以《真相畫報》爲證，衆乃大笑。』

六月，上海國學保存會停刊《國粹學報》，改出《古學彙刊》。

六月三十日，高吹萬等在金山張堰召開國學商兑會成立會，文美會并入該會。該會以『扶持國故、交换舊聞』爲宗旨，故定名國學商兑會。商兑類分四項：甲、經學（附小學）；乙、史學（附政治、輿地、掌故學）；丙、子學（附理學、佛學）；丁、文學（附美術學）。先生名列商兑會會員名單，至九月由國光印刷所印制的《國學叢選》第一集出版。

八月一日，《真相畫報》第六期發行，先生以筆名頎厂撰《論魏晋六朝記載之名畫》等。十一日，第七期發行，以筆名頎厂撰《論畫法之宗唐．上》等。

八月，兼任競雄女學教席。女學『采取實利主義，授以女國民應有之智識技能，俾得自謀生計爲宗旨』。由徐自華、陳去病爲紀念秋瑾女烈而創辦。同時執教者有胡樸安、陳去病、葉楚傖等。教事之外，諸人常爲詩酒之會。

按徐自華（一八七三—一九三五），字寄塵，浙江桐鄉人。少與秋瑾友。秋瑾遇難，與友人吴芝瑛收其骨而葬之。辦競雄女校，以繼秋瑾未竟之志。

九月一日，《真相畫報》第九期發行，以筆名頎厂撰《論畫法之宗唐．下》。十一日第十期發行，以筆名頎厂撰《論五代畫院界作之創體》。二十一日第十一期發行，以筆名頎厂撰《論五代荆浩關仝之畫》。

本年遷居上海甘肅路永慶坊。

本年有江蘇鎮江人吴巽沂與友人合組『和光閣』古玩鋪于上海，地址在今西藏路西首及人民公園對面。吴寫詩工書，擅畫山水，清末曾任廣州廣雅書局提調。吴祖籍安徽歙縣，與先生同鄉，經人介紹兩人訂交。先生與龐元濟、吴昌碩等常至店鋪鑒評書畫古玩。兩年後店鋪關閉。

按吴昌碩（一八四四—一九二七），名俊卿，浙江安吉人。海上書畫篆刻大家。龐元濟（一八六四—一九四九），字萊臣，號虚齋。浙江湖州人。近代實業家、書畫收藏大家。編有《虚齋名畫録》十六卷等。

公元一九一三年　民國二年　癸丑　五十歲　在上海。

二月一日，《真相畫報》第十四期發行，以筆名頎厂撰《論北宋畫學之盛》。

三月二十日，袁世凱派人刺殺宋教仁于上海火車站。

真相未白，先生撰時評抨擊：『齷齪小人，犯此不韙，何其有恃無恐如斯也！』同月，《真相畫報》因揭露袁是宋案真凶，被迫停刊。

作黄山等《十二景山水圖册》寄贈蔡哲夫。

六月，因安徽省霪雨成灾，先生與旅滬同鄉發起賑灾活動。

與吴昌碩合作《蕉石圖》。先生補石，僅加一印，未署名。吴昌碩題云：『耕民將東渡，索余畫已久，寫此以應。適樸存先生來，補一石，增色不少。吴昌碩時年七十。』

冬，與蔡哲夫同訪宣古愚（哲）于歸仁里，并晤程雲岑（文龍），遍一九一六年，應康有爲之聘，曾任《國是報》編輯。黃賓虹爲《國是報》約稿，書致陳獨秀。這是陳獨秀的復函。

觀宣氏所藏金石書畫，題跋以歸。

同年，爲潘蘭史作《剪淞閣圖》。爲劉三作《黃葉樓圖》。爲龐檗子作《龍禪語業室圖》。爲秦更年（曼青）治印。

夫人洪四果與三子用明歸歙。

公元一九一四年　民國三年　甲寅　五十一歲　在上海。

一月，蔡哲夫去山東。

爲蔡哲夫作《岱宗游迹圖》。又作《衡雲訪碑圖》，題曰：『哲夫社長殫精金石之學，將游齊魯，道經滬瀆，余與同醉黃葉樓。』

七月，英人史德匿編印《中華名畫集》，先生作序，并撰玉器、瓷器、銅器總論三篇。

本年，爲葉楚傖作《分湖吊夢圖》。

爲昆山胡蘊（石予）作《近游圖》，題詩云：『漫天一色亂雲浮，黃葉蕭疏已入秋。却喜南華剛讀罷，會心濠濮惠莊游。』

爲陳樹人《新畫法》一書作序，提倡『溝通歐亞，參徹唐宋』，『上追往古，下啓來今』，振興國畫。

用斧劈皴筆法作《黃山湯池一角》圖卷。

四子映發（一九一四—一九二二）生。

公元一九一五年　民國四年　乙卯　五十二歲　在上海。

與宣古愚合辦『宙合齋古玩書畫店』，設上海老垃圾橋。李瑞清（梅庵）爲書招牌。自撰齋聯云：『宙有古往今來之訓，合于天工物巧而珍。』函柳亞子有云：『宙合齋之設，藉此可多讀古人書畫，以與同人作叙談之所。』

兼任《上海時報》編輯。

爲柳亞子作《分湖舊隱圖》（今藏蘇州博物館）題云：『亞盧先生自撰《分湖舊隱記》，飄零湖海，與郭靈芬同有身世之感。僕亦羈旅人，游踪萍梗，遥望故山，因寫斯圖，不禁爲之槩欷也。濱虹黃樸存。』

按當時袁世凱籌備稱帝，先生痛憤，同年所繪秋景山水特多，題語多感慨。

八月，收到黃節致『籌安會六君子』之一的劉師培公開信，先生交付南社刊于《南社叢刻》。

作畫贈二弟仲方，題云：『余村居潭上，距黃岳百里而近，祖惟貞公築課耕樓，自撰聯云：「教子遲眠，數卷讀殘窗外月；呼童早起，一犂耕破隴頭雲。」今先人敝廬，即其舊址，仲弟讀書耕田里居以爲樂，兹秋適值五十初度，率成詩作畫記之。乙卯七月質并題，時客滬瀆。』

下半年，辭去神州日報社職。袁世凱稱帝前，《神州日報》爲帝制議員孫震東所收買，次年轉讓他人。日報换主後，先生自行離去。此前，籌安會成員謝蓮蓀誘説他北上共事，許以厚利。先生毅然拒絶，并對朋友説：『助紂爲虐，不是君子所爲。』

十二月，袁世凱稱帝，下令改明年爲『洪憲元年』。

本年，《美術叢書》再版發行，先生增編四十册。

爲徐仲可作《天閣圖》。爲謝英伯作《抱頭室圖》。

公元一九一六年　民國五年　丙辰　五十三歲　在上海。

一月一日，雲南軍政府成立。蔡鍔任總司令，起兵反袁。各地響應。

三月二十二日，袁世凱宣布取消帝制，六月病死。

春，寫陸放翁詩意，作山水大堂。夏，游雁蕩。

作《黃山獅子林圖》，款署『濱虹散人』。

秋，康有爲在滬創辦《國是報》，以宣揚『共和君主立憲』爲宗旨，邀先生爲副刊主編，『强爲之助，未幾亦謝去，皆非先生所樂也』。爲主編副刊，曾向陳獨秀、高吹萬等約稿，通訊往還。與在滬行醫的鄭文焯結識交往。按鄭文焯（一八五六—一九一八），字俊臣，號小坡，又號叔問，晚號大鶴山人。光緒十四年中舉，曾任内閣中書。爲著名詞家，兼書畫家。

作《池陽圖》并詩，有『我思結廬就雲窟，坡陀歷落神怡懌』句。

同季訂『濱虹草堂山水畫格』：扇册每件二元，青緑、雙款加倍。

冬，魯迅過滬，偕友人至『宙合齋』，閲嘉祥畫像石拓本，并與先生談及琉璃厂古玩肆近況。魯迅日記載有至神州國光社選購碑版事。

公元一九一七年　民國六年　丁巳　五十四歲　在上海。

先生題『造化爲師』『逸在布衣』及畫件等以應香港《天荒畫報》特約撰文。

函李尹桑（壺父）論金石，極推垢道人程邃、巴予藉慰祖，并作《秦齋治璽圖》寄贈。

爲皖派金石家巴慰祖、董小池、胡長庚、王振聲合刻印譜作序，有『四子宗風宣尼，藝成一家，遠溯皇古，新安諸子繆篆一燈，當宗予藉而祖穆倩。穆倩上窺周秦，極工古璽。予藉尤精漢魏，多摹官印，……開浙皖先聲，振今爍古』語。

本年，爲文翰繪《澗水林木圖》。

爲傅熊湘（屯艮）作《紅薇感舊圖》。

爲潭渡春暉堂族祠繪山水大幅四屏。

公元一九一八年　民國七年　戊午　五十五歲　在上海。

春游杭州，回滬作册頁六幅贈廣州李尹桑，寄書論浙皖金石篆刻，并提及『杭州師範學堂學生能篆刻者有五十餘人，以李子息霜爲之提倡』。按李息霜即李叔同，後出家稱弘一法師。

五月，爲汪彭年主編《戊午》雜志第一期第二號撰文《籀厂摭談》，署名『賓拱』。

此年南社内部糾紛，柳亞子暫退社，姚光主持社務。南社傅熊湘寄書先生，提及：『今社事已交姚石子，兩方意氣猶未能平。我公品誼學問，素爲同社所服，遇有機緣，能以一言互解，必可見信。』

爲諸貞壯繪《楊華圖》，黄節題詩。

初夏，與趙叔孺、丁輔之等送作品參展廣倉學會特邀舉辦的古物陳列會，地點在哈同花園。先生又出藏品『匈奴相邦』玉璽，王國維與羅振玉書提及：『又黄濱虹出一玉璽，文曰「匈奴相邦」，此印果真，則于學術所關甚大，因向索印本二份，到後當以其一寄呈，請鑒定之。』此後與王國維時有面晤往還，商討金石學術。

五月上旬，蘇曼殊病逝于上海瑞金醫院。

六月，與黄節赴杭州視蘇曼殊殯。

在杭期間，黄節出友人伍莊（憲子）《優曇花影》一書，請先生作序。後，先生序言：『《優曇花影》者，狀窈窕含睇之姿，寄離合相思之概。』

爲李根源（印泉）印行《曼殊上人妙墨》畫册題簽。

十一月，由新安江舟行返歙，再游黄山。在舟中得遇浙江雁蕩人蔣叔南，兩人言談甚歡。在歙嘯琴山館重觀所藏古書畫及古器物，鑒定後親製目録。

冬，回上海。思撰《任耕感言》：『戊午十月，余旋歙，月餘回滬，訪悉義田所失達三四十畝，族衆感憤，咸思徹究，藉復籌辦興學振族諸義舉，垂示永久，爲述墾復義田始末。』

一九一九年，陳師曾致黄賓虹書。可見兩者爲研究金石、書畫已早有交往。

宋若嬰小影。

公元一九一九年　民國八年　己未　五十六歲　在上海。

年初，與傅熊湘往還，爲之作山水畫，題詩：『青山歷亂水潺湲，中有仙鄉可避喧。落盡桃花漁父去，韶光不似武陵源。』

四月，高吹萬、傅熊湘、胡蘊玉（樸安）等游鎮江、無錫，三人作《京錫游草》詩一册。先生爲製圖卷。

本月，偕西醫師赴無錫視三弟廉叔病。

五月，三弟廉叔卒，年五十。

八月，《時報》創《美術周刊》，任主編。出十一期後，又以《文藝周刊美術附》名目刊發，刊至一九二一年六月，共出八十餘期。

十月，二弟仲方卒，年五十四。

黄賓虹在滬與友人合影。（左爲黄賓虹）

十二月，《濱虹雜著》印行（詳見本譜一八九五年條）。

本年遷居威海衛路三百〇九號半有正書局印刷所樓上。

公元一九二〇年　民國九年　庚申　五十七歲　在上海。

三月，上海專科師範學校爲提高學生的藝術水平，支持學生組織國畫研究會、篆刻研究會、書法研究會等，并多次舉辦展覽陳列作品，特邀先生等名家莅會指導。

秋，宋若嬰女士來歸，偕游杭州西湖、餘杭、天目諸名勝，作詩寫生。月餘返滬。

按宋若嬰（一九〇五—一九七一），安徽無爲縣人。宋父爲小工藝商，有兄弟四人，家貧收入少。宋十多歲時被拐賣給上海一位蘇州人邵姓鴇母爲乾女兒。一九二〇年春，洪四果夫人連喪子女，內心悲痛，不願久居滬上，勸夫再納。有人介紹宋女士于先生。先生見其時正在灑掃，手脚利索，遂有再納之意。宋身高一米七，相貌厚道，性情柔和。本不識字，來歸後，先生教之，能熟讀《唐詩三百首》，并學會寫字畫畫。尤喜烹飪，宴客皆自掌勺，色香入味。待洪夫人恭敬如親。平素快人快語，出手大方。先生日常皆由宋伺候。先生逝世，又率子女將所藏文物兩次悉數捐獻國家。惜『文革』中屢遭揪鬥，一九七一年含冤而死。（據黄映宇給王中秀信）

冬，擬各家畫法，作山水小品百幀。

按先生晚年曾語王伯敏：『畫中以宋元諸家筆法爲多，有設色、有水墨、有没骨法、有粗筆寫意。亦有界畫樓閣，用筆工細者，纍月而成。除朋友索去數十幀外，余則移家散佚。署款有「濱虹生」「賓弘」「虹廬」「冰鴻」「黄山山中人」等。』

十二月，浙西金石書畫會在上海成立。會長吴琛。爲浙籍旅居上海的書畫家雅集組織。先生與宣哲等亦有參與書畫雅集活動。

作設色山水大幅，款署『賓虹』。

刻『十日水五日石』朱文圓印。

一九一九年黄賓虹作四屏山水之一、二。浙江省博物館藏。

公元一九二一年　民國十年　辛酉　五十八歲　在上海。

春，黄節寄書索長條細筆山水畫，書中言：『公畫當代第一，此非弟一人之私言，而僉論尤以細筆仿宋元爲至品。』

五月，胡樸安携女胡漳平造訪，并觀先生藏畫。翌日，先生致書胡樸安，就明清以來中國畫直抒胸襟：『蓋世俗以水墨淡雅爲氣韵，以筆毛乾擦爲骨力，因此誤入此途，幾數百年無人力辨其非，以學四王徒襲其貌而未沉思耳。墨法高下，全關用筆。用筆以萬毫齊力爲準，筆筆皆從毫尖掃出，用中鋒屈鐵之力，由疏而密。二者雖層叠數十次，仍須筆筆清疏，不可含糊。』『明人從石田築基，尚有骨力；清代徒崇石谷，雖得貌似，去古益遠。』

五月曾爲黄節作山水，款署『賓鉷質』。爲高燮作《黄山圖》。

秋，陳叔通介紹任上海商務印書館美術部主任。辭去《時報》之職。此前因《時報》創辦人狄平子資金周轉不靈，不得已將報社轉讓松江人黄伯惠。先生遂離《時報》。按陳叔通（一八七六—一九六六），杭州人。清末進士，授翰林院編修。近代實業家、社會活動家，時兼上海商務印書館董事。生平收藏周秦迄宋元印章近千枚，故以千印名齋。

爲陸丹林作《碧江柳岸釣月圖》。

公元一九二二年　民國十一年　壬戌　五十九歲　在上海。

與汪鞠友、汪聲遠、汪珊若、楊雪瑤、楊雪玖等合作《寒松遠岫圖》，賀吴淑娟七十壽。按吴淑娟工畫，有《杏芬老人遺墨》行世。

五月，宋若嬰夫人生子映宇（一九二二—一九九八）。

六月，寓所遭鄰里失火之險，珍藏古璽被劫。

按石谷風撰《現代著名畫家黄賓虹》，文中有云：『先生收藏古璽印章二千餘枚，其中以「右丑王鉩」「上陽行邑大夫」和「辟兵龍蛇」等璽爲最精。當時上海有人欲强買先生藏品，先生答以「我爲求知」，不爲交易。未久（舊曆五月十八日）鄰居失火，有人闖入，部分古璽精品即于此時遭劫。』遭劫後，遷寶山路景德里。

致函歙縣鄭村鄭履端詳談藝事，兼論碑帖。

校訂盛鏞輯《清代畫史增編》。

秋冬間，爲徐珂作《天蘇閣》《純飛館》兩圖。按徐珂（一八六九—一九二八），字仲可，杭州人。近代著名學者、南社詩人。有《康居筆記匯函》，編《清朝野史大觀》《清稗類鈔》等。時供職書館，編輯《東方雜志》，與先生爲同事。

冬，中國書畫保存會成立于上海。先生與王一亭、吴待秋、章一山、陳師曾等發起，并分工主持日常會務。會員三百多人。保存會後創辦《國粹月刊》，發表書畫作品和論文。

一九二二年黄賓虹作《山中人家》。刊一九八五年浙江人民美術出版社、上海人民美術出版社合編出版《黄賓虹畫集》。

公元一九二三年　民國十二年　癸亥　六十歲　在上海。

孫中山開府兩粤，以黄節爲帥府秘書長。

偕宋夫人至安徽貴池。應友人汪鞠友之約，興養漁湖，并擬卜居，旋遭水灾，返上海。

按先生《九十雜述》云：『申滬米珠薪桂，不易支持。平時所蓄長物，劫餘售千金，偕友人至貴池邑西烏渡湖興漁湖。……擬卜居，時頻逢水灾，屢修皆廢弃，……』

三月，因胡樸安介紹，黄君素向先生拜師學畫。

按黄君素（一八九六—一九八六），字静生，廣東中山人。早歲留學美國，回國後任中山縣縣長，一九二四年孫中山任命其代理國民黨海外部部長。曾任陳炯明機要秘書，因政見不同，與陳銘樞北上學佛。這次拜師，先生贈以一方古硯爲紀念。

爲胡樸安主編《民國日報．國學周刊》撰《賓虹畫語》。

七月，《國學周刊》連載先生撰《中國畫史馨香録》。

撰《畫話》連續發表于商務印書館之《小説世界》。

弟子朱君實（延齡）卒，爲題遺墨。

爲陳去病五十壽辰作畫題詩《題畫壽佩忍先生五十》：『李白桃緋繞屋栽，山光澹冶水瀠洄。草雲亭畔揚舲至，知有侯芭載酒來。』

擬杜東原筆意，作設色山水大幀。

偕宋夫人游常熟虞山。

九月十六日，上海書畫會、題襟館柬上海書畫名家集議協濟日本震灾辦法。先生出席會議。

十月二十二日，停雲書畫社下午舉行社員大會。到會者八十餘人。會上有張繼、于右任、黄賓虹、查烟谷等先後發言。李懷霜作會議報告，該社在半年前由畫家任伯年長子任堇叔創組。地址在法租界麥底安路（今山東南路）明德里。

爲章心丹作《天南賞楓圖》。

爲陸丹林作《項湖感舊圖》，題詩云：『隔斷仙緣結墨緣，强將煉石補情天。分明哀樂中年事，寄托丹青尺幅間。别緒頻教縈燕雁，憐朿况復擬夔蚿。新圖舊恨重棖觸，痴絶相同有鄭虔。』

冬，自訂《山水畫啓》：『夫月下寫竹，報估客以籓材，石邊看雲，添緇流于畫幅；玄賞斯契，墨趣同參，自謂因緣，非關勉强。爾乃小米雲山之筆，無妨逮于閑人，大痴富春之圖，豈待見知後世。王元章何慚乞米，唐子畏不使業錢，遂賣畫中之山，爲煮林間之石。至若倪迂高逸，設色僅贈于徵君，曹髦風流，寫真必逢夫佳士，只可偶然，不在斯例。直幅四尺二十四元，五尺三十六元，六尺四十八元，八尺八十四元，横幅加倍，屏條六折。以上均照直幅爲次。扇册每頁十元，手卷每尺十二元，青緑、泥金加倍，點品、劣紙不應。癸亥冬日賓虹父識。』

公元一九二四年　民國十三年　甲子　六十一歲　在上海。

一月二十三日，參加江蘇省第一届美術展覽會的籌備工作會議，爲中國畫部審查員。同爲國畫部審查員有王一亭、吴昌碩、唐吉生、吴湖帆、陳伽仙、樊少雲、程瑶笙、諸聞韵等，後又增高劍父、潘天授。

二月曾游蘇州，友人金天翮（松岑）招飲于虎丘冷香閣，與鄧春澍、雪蕎即席合作《冷香閣圖卷》，并爲金天翮作《虎阜探梅圖》。

三月九日至十八日，江蘇省第一届美展在上海中華職業學校職工教育館展出，先生以美展審查員身份展出作品并談觀感。

始編《黄山畫家源流考》，一名《黄山書畫佚史》，木刻綫裝，止印一百部。後復分册印行十數種，名曰《新安畫派别傳》。

應有正書局狄楚青邀，監印《中國名畫集》。是時神州國光社已停業。批訂林散之所編《山水類編》之序目。

與蘇仰周游齊山，吟詩志興。詩載《國學彙編》。

春重訂潤例。《黄賓虹書畫格》：『書畫雅事，可贈可索，興來揮灑，工拙不計也。至若諄諄于尺寸之間，必如其意之所欲得，則務酬大痴子之酒資，供獨往客之游橐。爰訂斯例，鑒者諒之。四尺六十元，五尺八十元，六尺一百元，條幅同例。卷册每頁二十元，扇頁每頁二十元，雙款設色加倍，花卉篆書减半。題跋另議。潤須先惠，約期取件。甲子春訂。』

九月，因江浙軍閥齊燮元與盧永祥開戰，與宋夫人携子偕保姆經大通至池州天湖避居，『歸已冬盡』。

本年三月，宋若嬰生子黄鑒（映字）。

黃賓虹撰《中國畫史馨香録》初稿。本文一九二三年至一九二五年連載于《民國日報》副刊《國學周刊》。年近六十的黃賓虹，這個時期的著作大多與畫史有關。

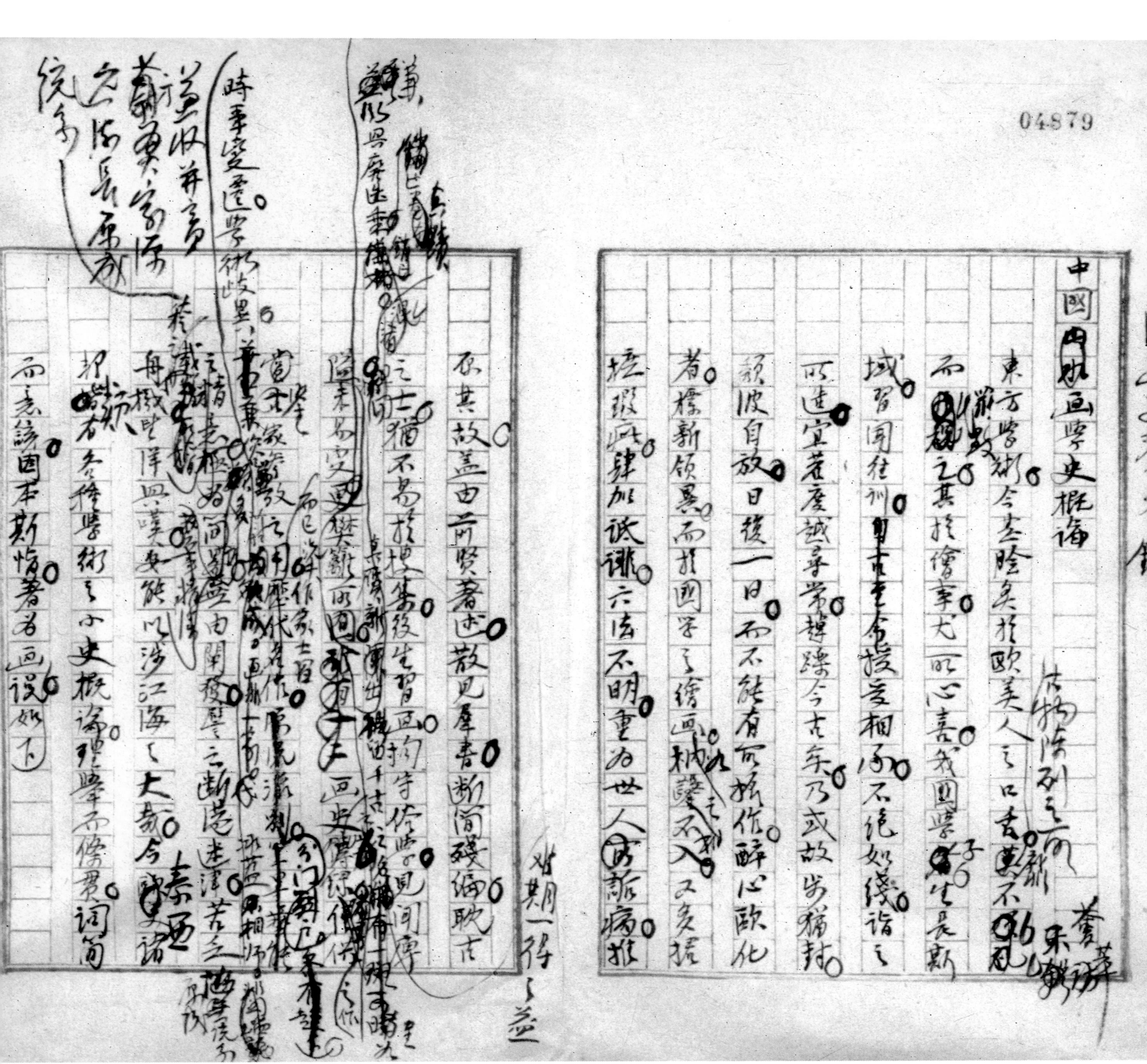

二十世紀二十年代中期至三十年代初，黃賓虹在金石、古文字的研究上，刻苦鑽研、逐漸積纍、拓展深入，已非朝夕之功。此爲黃賓虹在這個時期撰寫的金石學著作手稿。

一九二四年黃賓虹撰《古文字原始》文稿。

一九二五年黃賓虹作《擬宋人山水》（局部）。瀋陽故宮博物院藏。

荆関李范皆能脱去唐人纖靡之習獨以雄厚見長墨井道人於北宋大家多所神悟非徒貌貌似黄石已寫似環其化免有道博咲

黄賓之虹

乙丑二月

藝觀

藝觀字集金文

一九二六年出版的《藝觀畫刊》，黃賓虹題字。

公元一九二五年　民國十四年　乙丑　六十二歲　在上海。

本年在家撰《古畫微》，至十二月由上海商務印書館出版。

按《藝觀》第一期《古畫微》廣告：『是編爲黃賓虹君所著，探抉唐、宋、元、明名畫精意，分别源流派别，考證優絀得失，以資近今專攻六法者之研究。援引豐富，議論明暢，洵習國畫者必備之書。現由商務印書館出版，本會代售。』

按先生《九十雜述》云：『《古畫微》原稿四册，經商館以小叢書出版，篇幅所限，僅前六篇存原，餘多删減，非完本。』

撰《鑒古名論略》一文，連載于《東方雜志》第十三卷二月號至四月號。

辭去商務印書館職務。重入有正書局，遷居舊威海衛路三百〇九號半，編輯出版《中國名畫集》。

自刻『黃賓虹印』（白文）。

按先生治印，初宗巴慰祖，後法秦漢，加以冶化，有空山無人、自成馨逸之概。惜不輕奏刀，流傳極鮮。

秋，『素月畫社』創立，先生參與，詩酒聯歡。

十一月，易孺（大厂）審編《華南新業特刊》雜志出版，專載有關金石碑版書畫文物，特約撰文，先生承擔編輯。本年先生曾爲易氏作《嘉陵山水圖》。按易大厂（一八七四—一九四一），名孺，原名廷熹，字季馥，别署大厂居士。廣東鶴山人。好收藏。精研書畫、篆刻、碑版、音韵、文字源流、樂理等。

同月，于右任、查烟谷發起組織『海上書畫聯合會』，查烟谷任會長。該會以研究發揚中國藝術爲宗旨，吸收居住上海的書畫家，共同研究。先生與王一亭、吴昌碩、張大千、劉海粟、謝公展等皆爲會員。

十二月，中國金石書畫藝觀學會籌組于上海。先生參與發起并任會長。『集合金石書畫或收藏賞鑒各家同志爲本會會員，藉以互通聲氣而資研究』。約稿出版畫刊《藝觀》。發起者有江旭雲、徐積餘、王雪帆、宣愚公、李公度、姚石子、朱伯蔭、秦曼青等。會址初在上海威海衛路三百〇九號半神州國光社内，一九二九年四月遷址汾陽坊四百十八號。

是月，先生名著《古畫微》由上海商務印書館正式出版。後又收入《國學小叢書》《萬有文庫》再版發行。

是年，臨王晋卿《瀛山圖》，高三十三點六厘米，長五百三十六厘米（有黃居素題跋）。

公元一九二六年　民國十五年　丙寅　六十三歲　在上海。

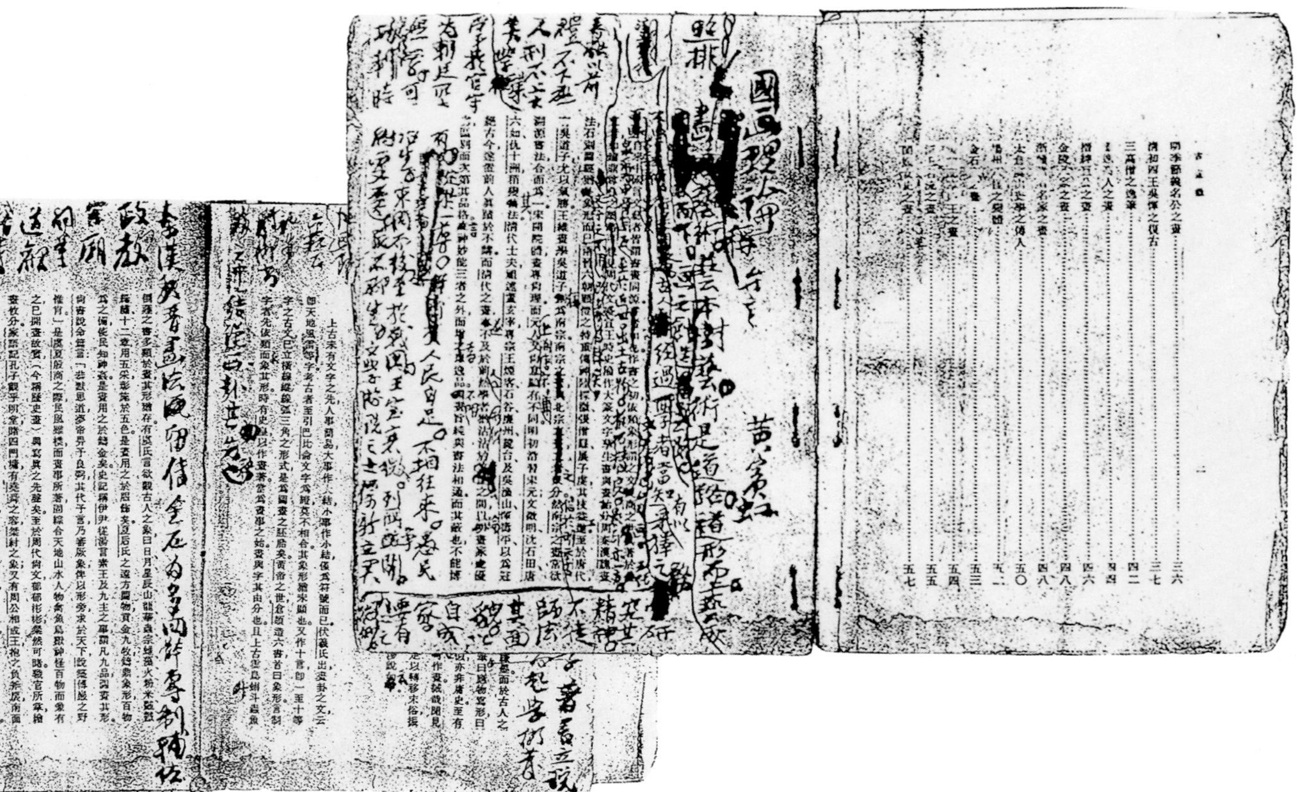

一九二五年十二日，黃賓虹著《古畫微》作爲國學叢書之一由上海商務印書館出版。此爲《古畫微》修訂稿。

二月，《藝觀畫刊》首號出版，三月二號、三號出版，四月四號出版。中國金石書畫藝觀學會《簡章》有云：『近今萬國交通，凡極文明之國皆寶愛其國之土物，而考古之士益多。如歐美列强，其博物院、博覽會等，幾無處無之；故能擴充博大之學識，創造精美之工藝，固結貞堅之志操，養成高潔之性情。今我社員，凡隸于國籍之秀士淑媛，皆可入社，惟以收藏金石書畫，以及研究書畫篆刻之藝術者爲限，相期集思廣益，臻于美備。』『以保存國粹，發揚國光，研究藝術，啓人雅尚之心爲宗旨。』先生有《雨後游齊山圖》等載畫刊。先生爲主編，江旭雲爲理事。

六月十日，畫刊改名《藝觀雜志》第一集出版，登《藝觀學會徵集同人小啓》，重訂《藝觀學會簡章》。

六月二十六日，東亞藝術協會在禪悦齋舉行職員選舉大會，先生與章太炎、王一亭等參加會議。會上提議章太炎爲委員長，王一亭爲副委員長。

得濰縣陳氏初拓《十鐘山房印譜》一集。

夏，爲黄般若作《擬李晞古江寺圖》，設色山水，題云：『李晞古江寺圖，唐子畏、惲南田皆深得其筆意，而秀逸過之。』款署黄賓虹。

十一月十九日，鼎巒美術周刊社書畫展在蓬路日本人俱樂部舉行，先生以社友身份送作品參展。

十二月二十日，參加鼎巒同人書畫展覽會。鼎巒同人書畫會廣告：『鼎巒同人胡佩衡、黄藹農、鄭午昌、張小樓、黄賓虹、許徵白、錢化佛、温彝罌、王楊弇等以書畫作品，自本月二十日起（星期六）念一止，陳列于蓬路日本人俱樂部，同時并有宋元以來古畫精品百餘件，歡迎參觀，各界惠臨，無任欣盼。』

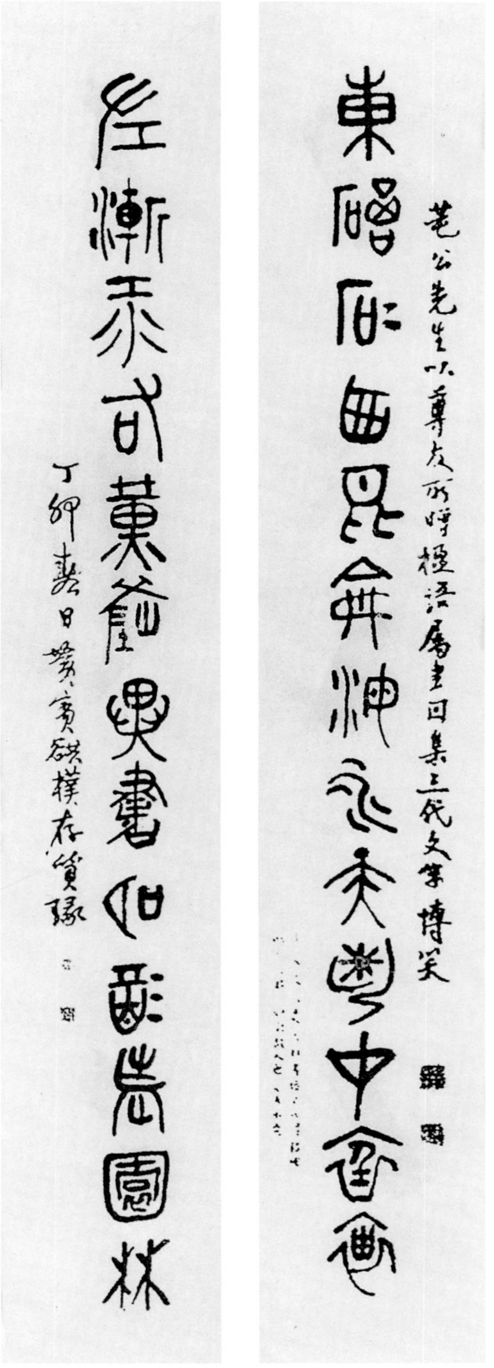

公元一九二七年　民國十六年　丁卯　六十四歲　在上海。

一月，爲陸丹林作《篝燈紡讀圖》，題曰：『萱堂課讀夜鳴機，風雨今看游子衣。難忘髫年慈蔭重，茅檐冬日有晴暉。』

二月，有正書局出版《清代畫史》，由先生審定。

續得濰縣陳氏戰國秦漢銅玉璽印譜二厚册，多爲罕見之品，影印分贈同好。

徐積餘贈精刻影宋善本《永嘉四靈詩》，作《勘書圖》報之。按徐積餘（一八六二—一九三六），名乃昌，號隨盦。安徽南陵人。滬上著名藏書家，多清代稀本、善本。著述有《吴越春秋札記》等。

海鹽朱端（硯英，又字研因）從先生學畫。

爲馮文鳳作《碧梧仙館圖》及《丹楓白鳳圖》卷。

爲陸丹林作《紅樹室圖》，劍川趙藩（樾村）題詩云：『陸天隨紅樹屋，黄子久寫碧山圖。老我爲題廿八字，報君還代一封書。』

十一月二十九日，金石書畫大家吴昌碩在上海寓所逝世，終年八十四歲。

約本年，始與畫家朱屺瞻常往還。據馮其庸等編《朱屺瞻年譜》一九二七年條：『時黄賓虹以精鑒賞著名于世，先生亦好收藏，凡得一字一畫，便携之共賞，品評優劣，辨識真僞。先生自謂得益于黄賓虹者甚多。』朱氏言：『我愛齊畫之「野」，我愛黄畫之「厚」。』按朱屺瞻（一八九二—一九九六），江蘇太倉人。曾赴日本學畫，歸國後常居上海。現代畫家。

這是黄賓虹早期的篆書，字體較方，體勢整肅，用筆嚴謹。
黄賓虹自二十歲起臨寫篆書，一生幾無中輟，且繪畫主要得益于篆書的用筆，成爲他繪畫藝術成就不可缺少的組成部分。

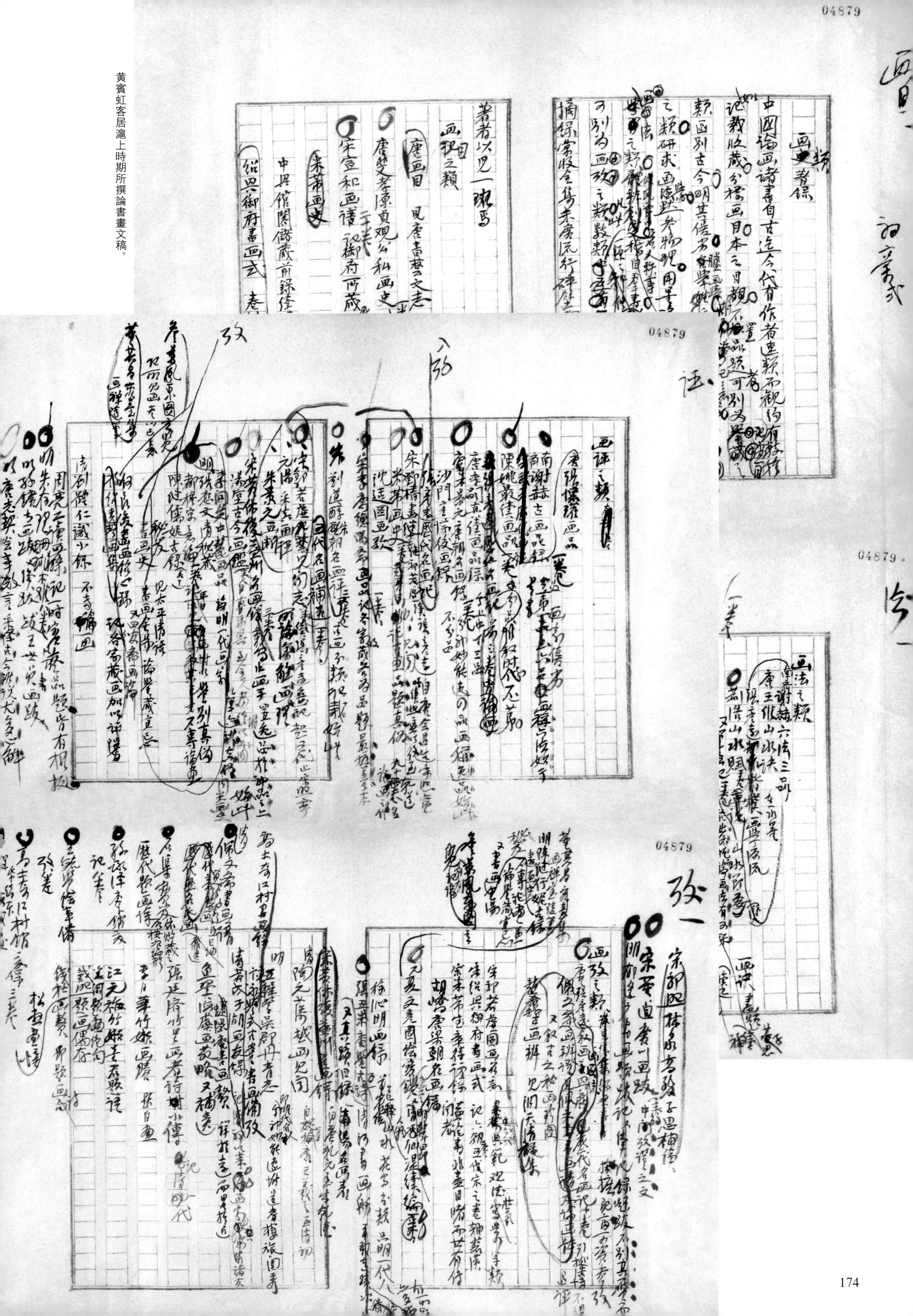

黃賓虹客居滬上時期所撰論書畫文稿。

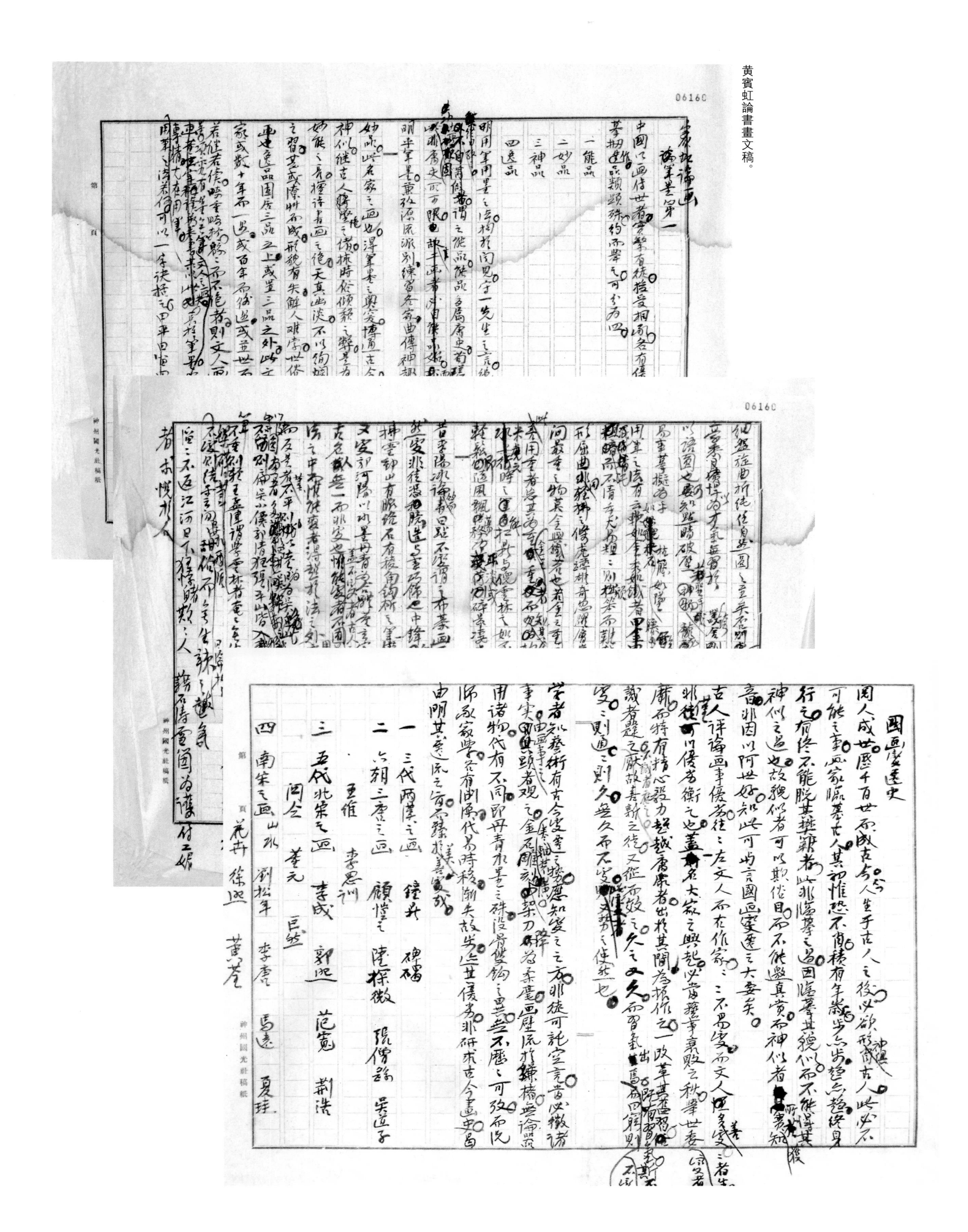
國畫變遷史

一 三代兩漢之畫
二 六朝三唐之畫 顧愷之 陸探微 張僧繇 吳道子
王維 李思訓
三 五代北宋之畫 李成 郭熙 范寬 荊浩
關仝 董元 巨然
四 南宋之畫 山水 劉松年 李唐 馬遠 夏珪
花卉 徐熙 黃荃

黃賓虹論書畫文稿。

一九二八年夏，黃賓虹赴廣西桂林講學途經香港，香港報界同人歡宴講師團一行。（第二排左起第二人爲黃賓虹）

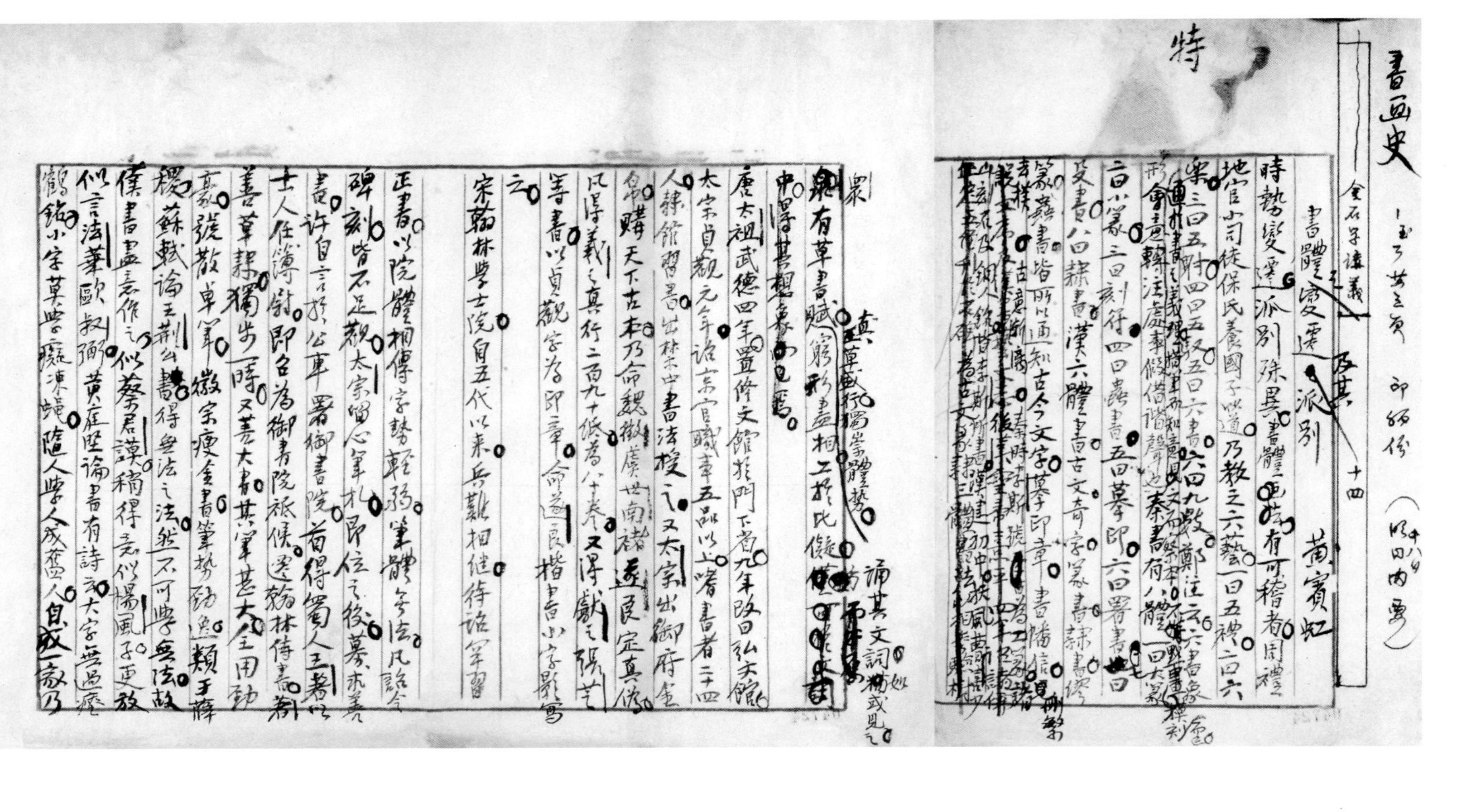

書畫史
金石學講義
書體變遷及其派別
黃賓虹

時勢變遷，派別殊異，書體之法，有可稽者。周禮地官小司徒，保氏養國子以道，乃教之六藝，一曰五禮，二曰六樂，三曰五射，四曰五馭，五曰六書，六曰九數。鄭注云：六書，象形、會意、轉注、處事、假借、諧聲也。秦書有八體，一曰大篆，二曰小篆，三曰刻符，四曰蟲書，五曰摹印，六曰署書，七曰殳書，八曰隸書。漢六體，書古文、奇字、篆書、隸書、繆篆、蟲書，皆所以通知古今文字，摹印章，書幡信也。

唐太祖武德四年置修文館於門下省，九年改曰弘文館。太宗貞觀元年詔京官職事五品以上嗜書者二十四人隸館習書，出禁中書法授之。又太宗出御府金帛購天下古本，乃命魏徵、虞世南、褚遂良定真偽。凡得羲之真行二百九十紙，爲八十卷；又得獻之、張芝等書，以貞觀字爲印章，命遂良楷書小字影寫之。

黃賓虹撰《書體之變遷及其派別》文稿。本文爲廣西夏令講學會書畫史講義。

公元一九二八年　民國十七年　戊辰　六十五歲　在上海。

三月，舉辦國畫補習社，發起人爲黃賓虹、胡樸安、蕭蛻公、汪聲遠。社址在上海老西門内翁家弄鼎新里三號。

春，神州國光社以四萬圓價出讓給陳銘樞，由黃居素接辦社務，先生任美術部編輯主任。遷居汾陽坊四一八號神州國光社樓上。

四月中旬，書畫團體爛漫社在上海創立，由先生與張大千、馬駘、俞劍華、陳剛叔等發起組織，公推正副社長爲黃賓虹、陳剛叔。出版《爛漫社同人畫册第一集》。

四月二十一日，作品參加許士騏主辦之中國古今名畫展覽會。與張宗祥訂交，論石谿、石濤用筆异同。按張宗祥（一八八二—一九六五）字閬聲。浙江海寧人。學者、書法家。建國後爲西泠印社社長、浙江圖書館館長。

六月，先生被大學院藝術教育委員會（即後之教育部）推舉爲全國美術展覽會審查委員。同月，先生作山水畫參展天馬會第九届美術展覽會。

夏，因徐悲鴻函薦，先生被上海暨南大學中國藝術系主任陶冷月聘爲中國畫史教授。暑期，先生游桂林，并應廣西省教育廳舉辦的暑期講學會之邀講學，回滬後先生兼職暨大任教。一年後藝術系停辦。按徐悲鴻（一八九五—一九五三），江蘇宜興人。著名畫家、美術教育家。建國後任中國美術家協會主席、中央美術學院院長。

在桂講學期間，曾參觀廣西藝術展覽會，發表觀感。爲陳柱作《八桂豪游圖》山水長卷。陳柱有文，記與先生數人暢游桂林、陽朔山水名勝及互以詩詞唱和之事。

返滬途中，經粵閩，暢游羅浮、武夷，均作紀游畫册，題詩寫興。在廣州，廣東國畫研究會舉行歡迎大會，先生在會上作即席演講。期間，曾拜訪蔡哲夫、高劍父等。

在廣州游文德路古畫店得族祖黃鳳六《村居山册》，册中有潭渡八景諸圖。

按畫册由神州國光社影印，民國十八年九月出版，題簽爲『黃鳳六村居山水』。計八幀，末幀左角有『嘉靖丙辰冬日，五峰文伯仁寫潭渡八景于停雲館』等字，并鈐文伯仁方印。先生嘗云：『鳳六山人畫山水極類文五峰，得山人畫者，入市估手，往往改爲文伯仁。』

秋，徐悲鴻因繼林風眠任北平藝院院長，仍聘齊白石爲國畫系教授，又專程赴滬聘先生北上任國畫系主任。先生因社務在身，婉言謝辭。徐十月正式上任，次年一月辭職。

爲陶冷月作《灕江山色圖》。

黃賓虹粵西紀游寫生稿。浙江省博物館藏。

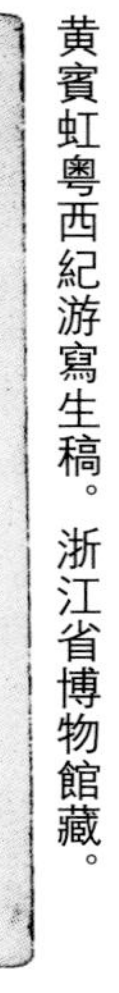
黃賓虹粵西紀游寫生稿。浙江省博物館藏。

黄賓虹粤西紀游寫生稿。浙江省博物館藏。

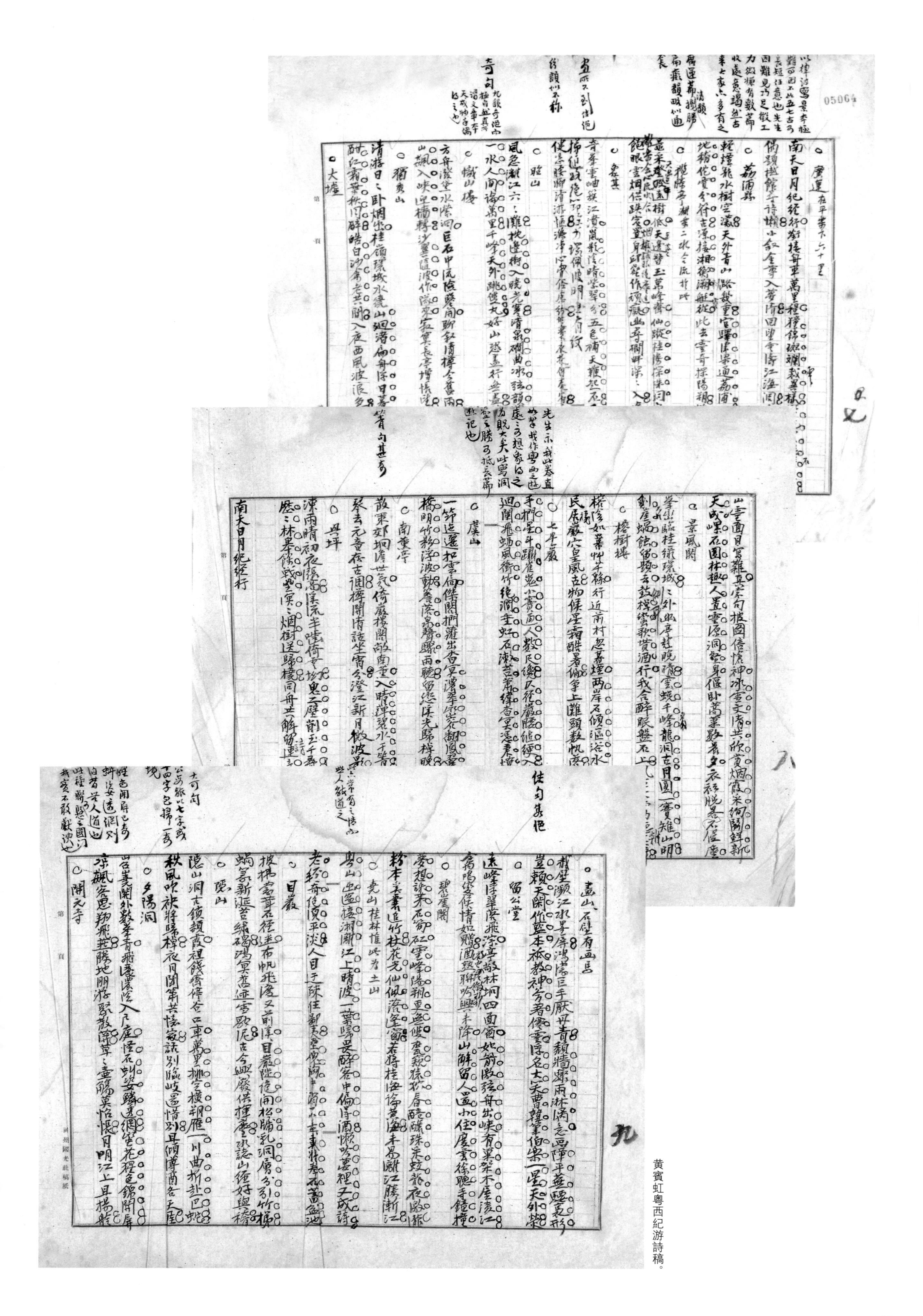

黃賓虹粵西紀游詩稿。

以律詩寫景本極難，可因不比五七古可長短任意也。先生因難見巧，足徵工力。微嫌有數篇收處意竭，然古來大家亦多有之。

清韻

屬運篇攬勝篇癡韻畋似遒

衰

畫所不到佳絕

終韻似不稱

奇句 九疑奇絕而極自然，真所謂文章本天成，妙手偶得之也。

○廣運 在平南下六十里

南天日月絕經行，對棲舟車萬里程。猿錦斑斕裁異樣，縷花穠艷譜難名。

偶題墟館尋詩懶，小敘金尊入夢清。回望雲濤江海闊，千峰身入倪峰嶸。

○荔浦縣

輕煙籠水樹空濛，天外青山路幾重。官驛盡頭通荔浦，人家耕稼住蓮峰。

地稀佗實分符古，源接湘衡溯艇從。此去靈奇探陽朔，望雲深處一扶笻。

○攬勝亭 湖南二水合流於此

最采登覽遠樹低，天邊替玉萬峰齊。仙蹤桂陽探深同，谷路曾丹上

飽眼雲烟供跌宕，置身印壑作魂癡。幽尋礀畔深深入，遍領前村聞午雞。

○象其

奇峯雲岫簇江濆，嵐影陰晴紫翠分。五色補天難起石，千尋拔地劍攢雲。

拂絕痕泥仰之方環佩，波明月有紋。儐

健憑騰踏清游恆，漆心無俗慮，夜花何处

○聆山

風急灘江六六灘，枕邊衝入曉光寒。清泉瀰曲冰弦韻，薄霧樅陰淡墨團。

一水人間論萬里，千峰天外跳丸。好山恐盡行無盡，藥我推篷鎮日看。

○幟山樓

方舟潑篷一水縈洄，巨石中流險礙開。聊叙清樽今舊雨，此聯游袂古邊垓。

山飆入峽迎檣轉，沙鳥隨波作隊來。寂寞長亭增悵望，懸崖千尺白雲堆。

○獨秀山

清游日日臥烟巒，桂嶺環城水繞山。迴渚倚舟停日暮，擎天高閣凝雲臺。

酣紅霜葉秋同醉，皓白沙鳧老共閒。入夜西風波浪急，愁心枕上聽潺湲。

○大墟

黃賓虹粵西紀游詩稿。

黃賓虹在桂講學後返滬途中經粵閩，暢游武夷，均作紀游寫生。浙江省博物館藏。

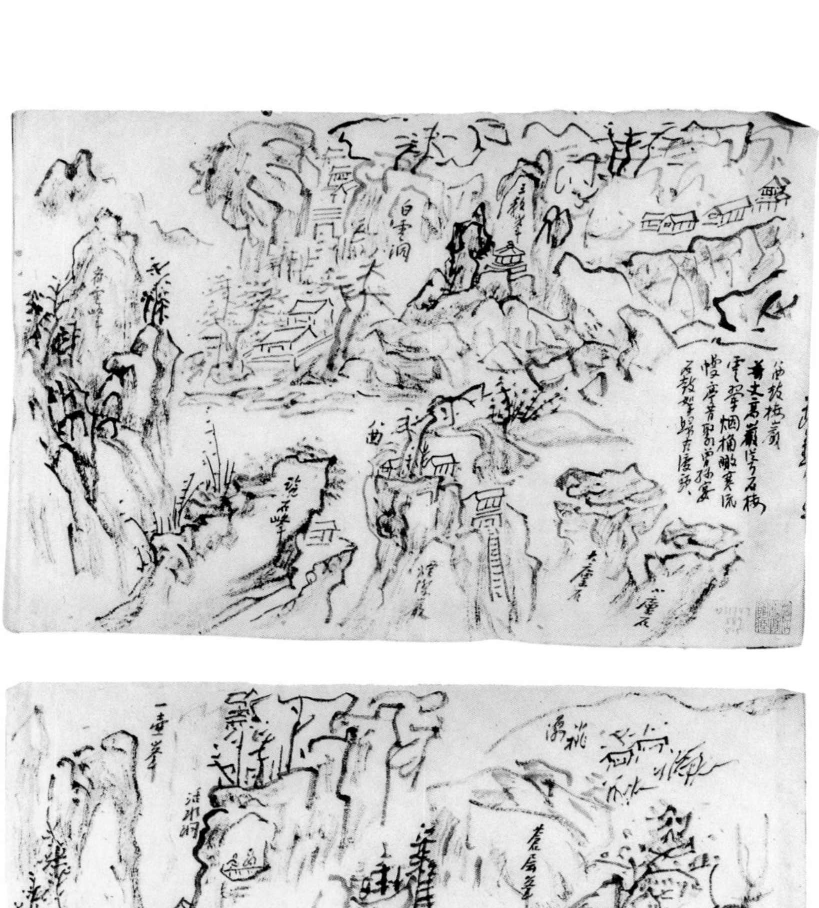

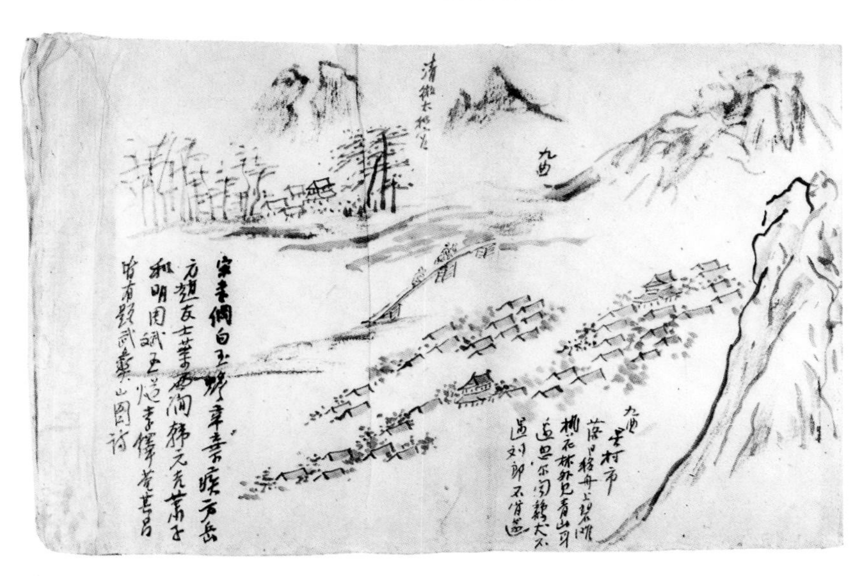

武夷紀游寫生。浙江省博物館藏。

黃賓虹爲鄭午昌撰《中國畫學全史》序。

黃賓虹爲丁輔之撰《商卜文集聯》序。

十月五日，先生作品送上海藝術協會舉辦的第一届展覽會。十日，藝苑繪畫研究所在滬創立。由江小鶼、王濟遠、朱屺瞻、潘玉良等發起，王濟遠主持。先生受邀入會。地址在上海林蔭路十九號。月底，在儉德儲蓄會作公開演講，題目爲《中國美術之商略》。

十一月上旬，寒之友畫社成立于上海。經子淵爲召集人，并與陳樹人、汪英賓、王濟遠、李祖韓爲負責幹事。先生參加爲會員。社無定址，每周在飯館聚會一次，進行書畫交流活動。編輯出版《寒之友》。

十一月，先生作品參展秋英會第一次展覽會。俞劍華《秋英先參記》文中評曰：『濱虹先生山水神似明賢，沉潛于宋元者深，而獨具面貌，集新安派之大成。』同月，赴蘇州參加南社二十周年雅集。

十二月，主編之《神州大觀續集》第一集陸續出版，此外又出珂羅版畫册數十種，計有：《董玄宰山水册》《大滌子宋元吟韵》《王廉州仿古山水册》《程青溪江山卧游圖卷》《釋石濤花卉册》《鄭慕倩細筆山水册》《濱虹藏印二集》《孫雪居畫石譜》《倪鴻寶山水畫石册》《沈子居仿古山水》《邵瓜疇梅花册》《明李僧筏山水册》《顧禹功畫、萬年少書東海志交册》《王忘庵花卉册》《惲南田山水册》《惲南田花卉册》《胡元潤名勝圖》《蔣子延山水》《梅瞿山黃山紀游圖册》《唐静嵒仿古畫册》《王蓬心仿古山水册》《高南阜山水、岳鶴亭走獸合妙册》《五石山房梅景》《皇六子山水袖珍册》《湯雨生梅花册》《戴本孝山水册》《包慎伯書女子白真真詩册》等等。

本年，爲鄭午昌著《中國畫學全史》作序。

爲丁輔之撰《商卜文集聯》作序，有云：『丁君輔之摩挲金石，吟咏篇章。集殷商貞卜之文，繼周魯頌聲之作，育習餘暇，輯爲楹語，嘗數百聯。意尚明通，詞無蹇澀，秉經酌雅，既典麗而喬皇，妃白儷紅，亦文心之綺靡。豈僅臨池引興，笑博籠鵝；行將圜堵争觀，誇傳駐馬。戊辰夏四月，古歙黃質序。』

題嘉興朱其石印存，并談印學。

本年，歙縣鮑錫麟（君白，別號二溪）、談月色、朱硯英從先生學畫。

《美術叢書》第三版發行。

按先生《九十雜述》云：『第一次刊印中國綫裝本一百二十本，與鄧秋枚同編。第二次綫裝一百六十本，補四十本。三次洋裝二十本。三次校對排比中有舛誤，因司事印刷遺漏、誤入未予改正。』又函鄭拙廬有云：『《美術叢書》付印之時，間有爲商業印刷中人抽改之處，經數次查究，未得要領。』

黃賓虹浙東紀游寫生。刊一九六二年人民美術出版社出版《黃賓虹山水寫生册》。

神州國光社印行圖書版權所有之證

《大滌子畫宋元吟韵》

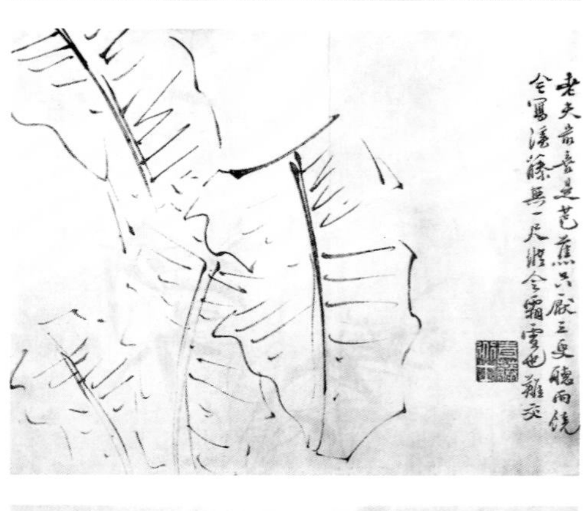

《徐天池花卉册》

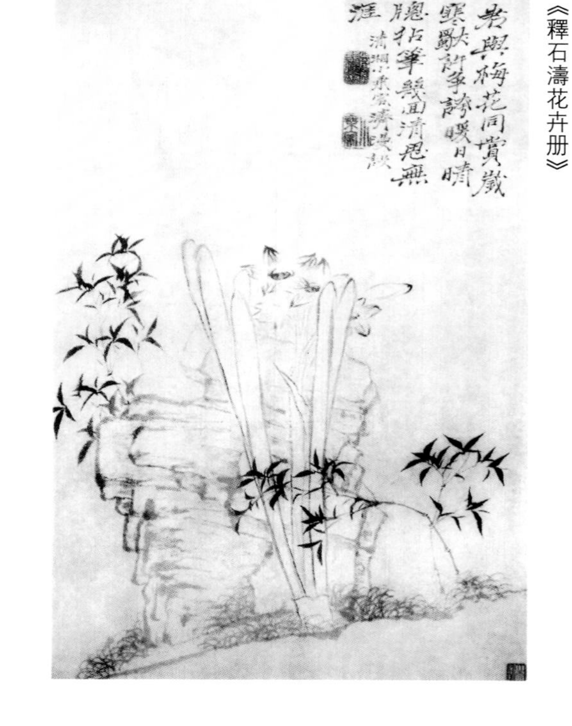

《釋石濤花卉册》

《董玄宰山水册》

《惲南田山水册》

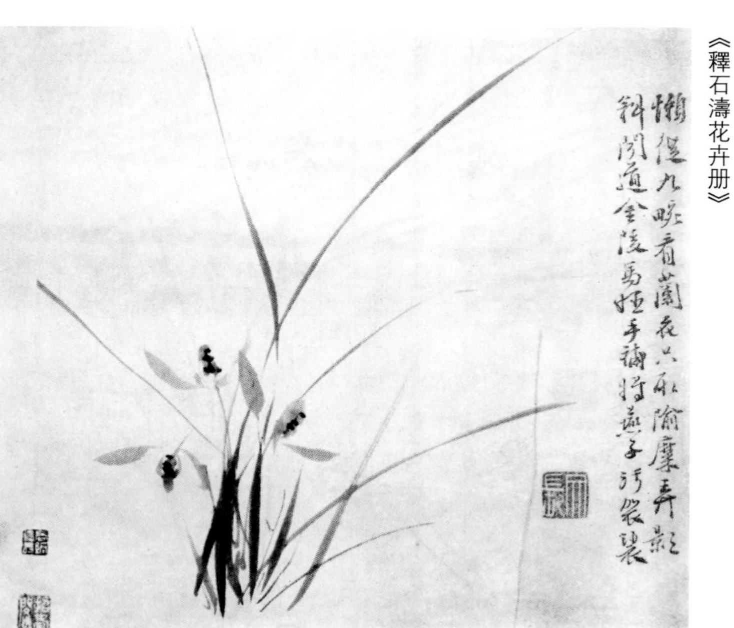

《釋石濤花卉册》

一九二八年由黃賓虹主編、神州國光社出版的珂羅版中國畫册。

由黃賓虹題簽的《大滌子畫宋元吟韻》《釋石濤花卉冊》。

黃賓虹長年積累的鉩文筆記。

公元一九二九年　民國十八年　己巳　六十六歲　在上海。

一月一日，參與發起中國學會，并參加成立大會。據四日《申報》：『中國學會發起，甫經兩月，海内學者來函加入者達八十餘人，爰于元旦日假儉德會開成立大會。到會者有姚明煇、胡樸安、譚禪生、胡惠生、李續川、吕志伊、龐青城、胡寄塵、聞野鶴、周予同、徐蔚南、陳柱尊、葉恭綽、田桐、伍仲文、郭步陶、嚴濬宣、陳乃乾、朱香晚、俞鳳賓、范子美、姚石子、周迪前、高君定、黄賓虹等數十人。當推胡樸安主席，由譚禪生記録，討論會章，通過并推定胡樸安爲編撰部主任幹事。聞該會另行組織一出版部，印刷及發行本會各種刊物，并代會員印刷及發行各種書籍，代會員訪購各書報等。聞該會入會不需會費，由會員二人介紹即可爲會員，通信處暫假新閘路六百三十七號云。』

一月二十三日，先生爲紀念神州國光社創建二十五周年，宴請上海書畫界、文藝界、新聞界諸名流于大東飯店。次日，俞劍華撰文《二美宴記》：『神州國光社在中國書界之貢獻久爲人所稱道，而最初神州國光社之編輯者即爲黄賓虹先生。近年來，鄧秋枚先生因無意此種經營，故出品頗滯。今年夏乃渡讓于黄賓虹先生，將社址遷于同孚路汾陽坊，發行則委托民智書局，現正積極進行。賓虹先生道德文章，久爲人所敬仰，而對于藝術研究之精深，一時無兩，收藏既富，鑒别又精。兹爲聯絡藝術家，以謀中國藝術發展計，乃于昨日招宴藝術界同志百餘人，于大東之大廳，濟濟蹌蹌，爲破天荒未有之盛會。就不佞所能記憶者，文藝界如胡樸安、陳柱尊、王西神等，報界如周瘦鵑、嚴獨鶴、余空我、朱應鵬等，書家獨多，難以縷數，如程瑶笙、商笙伯、汪仲山、張紅薇、鄭曼青、張善孖、熊松泉、陳剛叔、馬企周、蔡逸民、俞寄凡、王陶民、黄藹農、鄭午昌、許徵白、王个簃、王師子等。就座後，賓虹先生强不佞代爲辭。不佞乃半滑稽之口吻，報告宴會之本意，及對于國光社之希望。并祝在座諸君與國光社發生戀愛，一致進行，將神州國光照耀全世界云云。聞者莫不轉槖鼓掌。來賓由劉海粟致答辭。席半，祖韓携昨日未完成合作長卷至，乃臨時觴在座畫家東添西補，怪怪奇奇，蔚爲大觀，鐘鳴十下，尚未已也，可爲豪矣。』

本月，中國書畫保存會創刊《國粹月刊》，章一山、黄賓虹、王一亭、吴待秋爲名譽編輯。

二月，先生與王震、曾熙、志圓和尚等組織發起青青書畫金石展覽會，以『宣揚國光，提倡美育』。《申報》十八日報道：『報本堂青青書畫金石展覽會宣稱：本會歡迎參觀，不收門票，會内布置分參考、研究、賣品、非賣品四室，有中堂、立軸、屏條、對聯、册頁、扇面、琴條、横披大小數百件，古今名人山水、花鳥、人物、走獸、佛像等，莫不應有盡有。書如曾農髯山水花卉、向樂谷山水、倪墨耕仕女、吴仲熊山水、張聿光白鶴、錢化佛佛像、黄賓虹山水、志圓和尚梅花。書如王一亭古詩，陸光嶽、毛公叔、于右任題昆侖匾額，謝復園、戈鵬雲行書。諸名人佳作，聚精會神，莊嚴雄厚，各有所長，琳琅滿目，美不勝收，如瀏覽一周，眼福當不淺也。』

春，受聘上海美術專門學校國畫理論教授。

任新華藝術專科學校教授。

按汪聲遠云：『先生雖受各校聘，但不常教課。學生踵門質疑，却感應接不暇。』

三月，爲神州國光社主編《藝觀》雙月刊，先後撰：《明代畫家沈石田先生傳》《古鉩用于陶器之文字》《畫徵録商兑》《虹廬畫談》《重刊美術叢書序》《籀廬畫談》，在月刊發表。

三月二十日，先生主編《神州大觀續編》刊行，影印明清歷代名畫書法作品共十四頁。

所著《匋鉩合證》由神州國光社出版。又著《匋鉩文字合證》亦神州版，次雖异，内容則同。

爲神州國光社整理文徵明詩文題跋及其他材料，名曰《畫史彙稿文徵明》，并撰引言。按此書于本年出版。

先生經全國美術展覽會第三次參考品部委員會議決：推薦增加爲參考品部委員。出席委員有張大千、張善孖、哈少甫、荻葆賢、陳石珍（榮渭陽代）、吴湖帆、錢瘦鐵、葉恭綽、徐志摩、李毅士、江小鵜、陳小蝶（楊清磬代）、李祖韓等。

一九二九年，黃賓虹所撰《匋鉨合證》（亦作《匋鉨合譜》）由上海神州國光社出版。將古鉨與古陶片文字作對比研究，開古陶片文字研究的先河，是上古文字研究的一個新領域。《匋鉨合證》一書，是黃賓虹一生研究學問的重要著作。

一九三〇年神州國光社出版《陶鉨文字合證》圖録之一。

古匋量器完全與古鉨文字合者。

古匋片器不完全與古鉨文字合者。

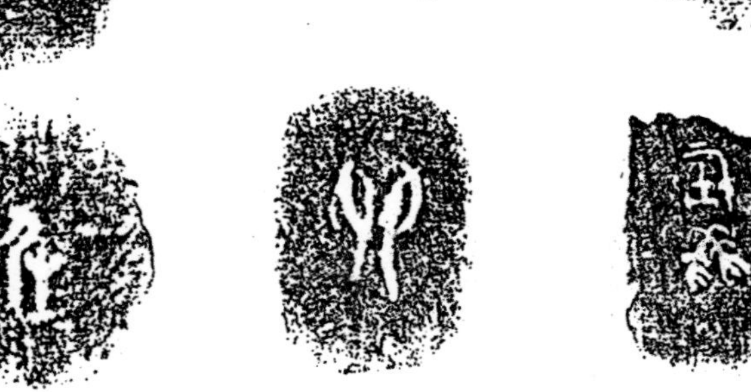

一九三〇年神州國光社出版《陶鉨文字合證》圖録之二。古匋鉨拓片文字，既可實證鉨印之用，書體中有雄渾秀勁的約分兩種，皆可足爲書法源流之參考。

黃賓虹收集的古陶片。

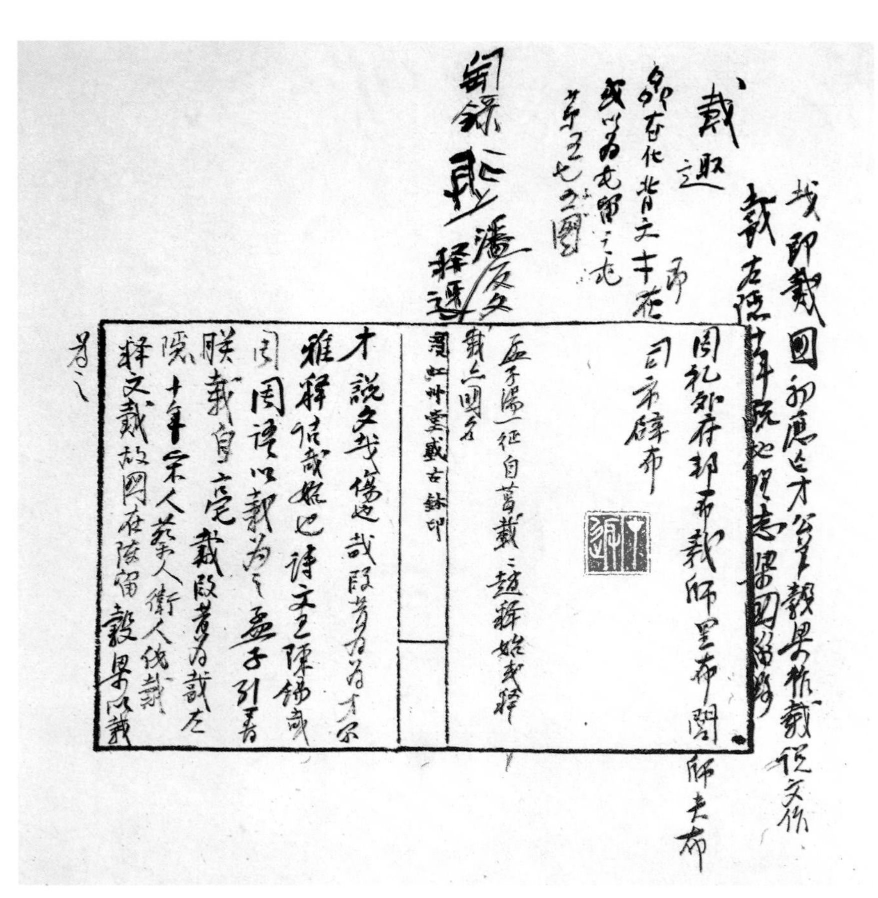

《濱虹草堂藏古鉨印》。

一九三〇年黃賓虹獲比利時國際博覽會優秀獎。

四月九日《申報》載：藝觀學會改名中國藝術學會，重訂章程，『以研究中國金石、書畫、文字、西洋繪畫、雕刻及其他藝術爲宗旨』，設總務、編輯、研究三部分，暫設通訊處于福熙路同孚路（今延安中路石門一路）口汾陽坊四百十八號神州國光社内。

四月十日，第一屆全國美術展覽會在上海國貨路新普育堂開幕，先生作品《桂林叠彩山》《虞山》參展。十一日《申報》報道：『教育部全國美術展覽會于昨日上午十時開幕，到馬叙倫、楊杏佛、張群、褚民誼、葉譽虎等千餘人，并有歐美、日本作家參與。主席馬叙倫，記録陸賓秋，會場布置，异常宏麗。由熊式輝夫人揭幕。』

『教育部全國美術展覽會古畫參考品總目録』記『神州國光社黃賓虹君九十四件』。爲會上提供展品最多者。

張大千以《自寫小像》參展全國美展，先生題寫：『歐陽永叔，年方逾冠，自稱醉翁。今大千社兄，甫三旬而虬髯如戟，風雅不讓古人，觀此自寫照，尤爲欽佩不已。』按張大千（一八九九—一九八三），名爰，四川内江人。喜摹清初四僧。著名畫家。二十世紀三十年代即與齊白石并稱『南張北齊』。

先生在全國美展期刊《美展》第一期撰文《畫家品格之區异》，在《藝觀》第三期撰文《美展國畫談》。

六月十一日至十五日，上海美專國畫系師生書畫金石展覽在寧波同鄉會舉行。先生作品參展。

七月，中日畫家聯歡繪畫展在上海每日新聞社三樓舉行，先生作品參展，售畫所得均贈日本畫家倉橋、渡邊二氏爲歸國旅資。本月，徐志摩等編輯創刊《美周》雜志，先生在第一期發表《虚與實》一文。

八月上旬，黃節從廣東辭教育廳長職來滬，住東亞旅館。余紹宋從杭州來晤黃節。先生與鄧實在葉恭綽請余氏宴會上作陪，初識余紹宋，從此訂交。按余紹宋（一八八三—一九四九），字越園，號寒柯。浙江龍游人。近代方志學家兼書畫家。主編《龍游縣志》，著《畫法要録》《書畫書録解題》等。

九月，先生被推舉爲中日現代繪畫展覽會鑒別委員。《中日現代繪畫展覽會開始鑒别》：『中日現代繪畫展覽會宣稱：本會籌備已久，關于鑒别委員會事，尤爲鄭重，特于上月召集發起人會，用記名投票法選舉之，除到會人當場票選外，其不列席之諸發起人，再由會中備函通知，舉行選舉，以資慎重。結果以狄平子、黃賓虹、王一亭、丁輔之、葉譽虎、趙叔孺、吴湖帆、李祖韓、張善孖、姚虞琴、商笙伯、哈少甫、金潛庵、高劍父爲最多數當選；鄭午昌、鄭曼青、陳樹人、褚禮堂、程瑶笙爲次多數。前日

一九二九年教育部第一屆全國美術展覽會同人合影。左起第一排爲黃賓虹、楊清磬、吴湖帆、張大千、葉恭綽、孟壽椿、關伯珩、張善孖、王濟遠、榮渭陽。

一九三〇年六月，黃賓虹與滬上友人合影。前排左起經亨頤、黃賓虹、王一亭。

（十七日）即行開始鑒別。」（十月十九日《申報》）

本月，先生寄函余紹宋。云欲續編《美術叢書》徵求材料，當告以前三集體例非宜必須改正，録提要一篇寄去。余氏有函回。

十一月一日，中日現代繪畫展覽會正式開幕，先生作品《豐溪舊築》參展，由太平洋藝術社出版《中日現代繪畫展覽會出品》第一輯選印此畫，附作者小傳：『黃質，字賓虹，號濱虹散人。安徽歙縣人。生平酷好金石書畫之學，精鑒賞，收藏漢印之富，推海内巨擘。畫善山水，蒼率渾厚，兼陳眉公、華新羅之妙。好游，所至則圖寫真山水，積稿以千數。年逾六十，走數千里，入桂林看山，所得畫稿益富。教育部全國美術展覽會委員及檢選委員，中日現代繪畫展覽會鑒别委員，上海美專教授。現年六十有五。』

十二月十六日至十九日，新華藝術大學書畫展在寧波同鄉會舉行。先生作品參展。

本月二十一日，畫家馬駘國畫展覽會在寧波同鄉會開幕，先生與曾熙、陳運培、張善孖列名刊登啓事推薦。

本年，林散之因張栗庵介紹，從先生習畫。

林昌庚著《林散之》：『父親懷着誠惶誠恐的心情將所帶的畫呈給黃先生，黃先生見父親樸實憨厚的舉止和衣着，仔細看了父親的畫和畫上的題跋，慈祥而温和地對父親説：「你的詩書畫都頗有一些功力和才氣，但是畫的路子錯了。古來歷代大家，各宗各派，在技法上千變萬化，但都離不開筆墨二字，書畫之道，皆以筆墨爲主。你的畫全靠臨摹珂羅版印刷品，不知用筆用墨之法，無筆無墨，何以成畫！……」父親聞之，赧然汗下，乃于靠近黃先生住處的西門路租了一個小亭子間住下，開始了向黃先生學畫的三年生涯。』按林散之（一八九八—一九八九），别署散耳。祖籍安徽和縣，生于江蘇江浦。現代書畫家。擅山水，工草書。

林散之晚年回憶：『賓老居室有副對聯對我觸動很大：「何物媚人，二月杏花八月桂；是誰催我，三更燈火五更鷄。」』按聯意，人當及時行樂，亦應奮發有爲。原爲清人彭元瑞撰。彭氏字掌仍，號芸楣，江南南昌人。乾隆進士，官至工部尚書，協辦大學士。

所編《濱虹草堂古印譜》印行。

得龔春壺，缺蓋，壺作橢圓松果形，小嘴枯杈，柄作細枝狀，坯胎極薄。柄下鎸『龔春』二字，瘦硬有神。方介堪爲作圖紀念。

蘇州趙含英因張延禮（丹斧）介紹，從先生學畫。

按先生偕王秋湄、陸丹林同赴蘇州，朱苞（竹坪）、何澄（亞農）等排日款接談藝，并同游虎丘、天平、靈岩及各園林。

本年遷西門路西成里一百六十九號張善孖寓所二樓。

公元一九三〇年　民國十九年　庚午　六十七歲　在上海。

一月十日至二十五日，上海商務印書館《東方雜志》出《中國美術號》特刊上下册，先生在上册發表《近數十年畫者評》一文，在下册發表《古印概論》一文。

一月十七日，王一亭、吴東邁創辦昌明藝術專科學校，先生兼國畫理論教席。

女弟子顧飛正式拜師，從先生習畫。

二月，中國文藝學院成立，先生任院長（後改名中國文藝專科學校）。

二月十五日《申報》載中國文藝學院招生廣告：『宗旨：本院以研究關于中國一切文學藝術，培養專門人才，而尤注意于人格感化，以期從事美化社會之建設，進而爲世界文藝之輔助。學額：預科四十名，文學系一年級四十名，書學系一年級四十名，二、三年級三十名，研究科十名。董事：葉恭綽、于右任、經亨頤、黃琬、吴待秋、張宗祥、鄧實、劉穗九、程滄波、李祖韓、王鯤徙。院長：黃賓虹。教授：葉恭綽、張宗祥、黃賓虹、吴待秋、褚德彝、余紹宋、商笙伯、黃藹農、王竹人、劉穗九、謝玉岑、劉貞晦、張紅薇、鄭曼青、鄭午昌、王師子、樓辛壺、胡汀鷺、張善孖、許徵白、徐悲鴻、楊清磬、孫蝫公、馬孟容、馬公愚、方介堪。』院址在福履理路北側建業里，責任董事爲葉恭綽、黃孟圭等。開學典禮日，蔡元培親到會場演講鼓勵。

春，林散之離家來滬，租住西門路從先生習畫。

五月二十一日至二十三日，張大千畫展在寧波同鄉會四樓舉行，先生于二十二日參觀畫展。

本月，中國文藝學院已遵教育部章程改名爲中國文藝專科學校。

六月二十二日，先生出席中國藝專第一届畢業典禮，并在會上作了演講。蔡元培赴會親授學生文憑，并作訓詞。

七月，宋若嬰夫人生三女映家。

八月，先生辭去中國文藝專科學校校長職，專任國畫山水及畫理教授。

九月一日，新華藝術專科學校國畫系加聘黃賓虹、張善孖、張大千爲教授。

秋，爲費範九作《澹遠樓圖》。

十月，比利時獨立一百周年，舉辦國際博覽會，先生作品參加中國美術展覽會，得最優等獎。

被推舉爲海上書畫聯合會的古今書畫瓷銅玉石審查員，同爲審查員的有：狄楚青、姚虞琴、湯臨澤、哈少甫、高野侯、丁輔之、王一亭、張大千。

黃賓虹雁蕩紀游寫生。浙江省博物館藏。

十月三十日至十一月八日，豫園書畫善會舉行書展，先生作品送展。

十一月五日，日本駐滬總領事重光葵于私邸爲上海三井銀行總經理土屋計左右氏餞行。土屋對中日美術多所盡力，先生與王一亭、狄楚青、張善孖、錢瘦鐵等應邀赴會。

十一月十五日，俞劍華書畫展在寧波同鄉會舉行，先生與海上書畫家六十餘人在《申報》介紹畫展。

十二月上旬，先生作《福地洞天圖》，賀贈張善孖、張大千母七十壽辰。時先生居張氏兄弟寓所樓上。

冬，爲許承堯作《石雨草堂圖》。

畫家姜丹書因妻二次中風，久醫未愈，乃置副室朱紅君。紅君小字小紅，姜乃以南宋詞人姜白石與侍女小紅故事比擬，以所居曰『丹楓紅葉室』，畫《丹楓紅葉圖》爲定情紀念，一時名人題繪殆遍。先生亦參與題詩。

本年，趙少昂在香港創辦嶺南藝苑香港分苑，來書請先生作《嶺南藝苑圖卷》。後，先生揮毫并寄畫件。按趙少昂（一九〇五—一九九八），廣東人。嶺南派畫家。

爲《善齋印録》作序。爲張魯庵跋《吴讓之印存》。

爲鄧爾疋作《緑綺園圖》，鄧爲刻『賓虹』二字印。訪收藏家龐元濟（萊臣），觀所藏古書畫，并借宋元名作臨摹。

與葉恭綽、陸丹林商談組織藝術團體中華畫會，聯絡同道，提倡藝術。

撰《近數十年畫者評》發表于《東方雜志》第二十七期第一號，分總論、戴鹿床一門之盛、江浙名家、士夫之提倡、滬上寓公、金石詩文家之畫、名家畫略、結論。

撰《古印概論》載《東方雜志》第二十七期第二號，分文字蛻變之大因、名稱施用之實證、形質製作之代异、譜録傳世之提要、考證經史之闕誤、篆刻名家之法古。

爲汪己文作《卷施閣圖》，題詩云：『解識人生自有涯，樂天順任復奚疑。名山鄭重千秋業，不朽文章比卷施。』

《陶鉨文字合證》一書由神州國光社出版。此係近代首部對陶文的研究性著作，故潘天壽後在《黃賓虹畫集》序中，稱此書『在我國文化藝術史上有着不可磨滅的價值』。

公元一九三一年　民國二十年　辛未　六十八歲　在上海。

一月，先生以藏品周秦漢印譜、隋唐寫經、明陳老蓮繪《博古葉子》刻本參展中國科學社舉辦之中國書版展覽會。

爲黃般若作《桂林山水圖卷》。

陳剛叔畫展在本寓舉行，先生作品參展。

四月，收藏家程霖生出資，成立《安徽叢書》編印處并組織編審會，先生被公推爲編審會會員。

先生作品參加藝苑第二届美術展覽會。

五月十四日，先生作浙江雁蕩山之游，至六月回滬。王伯敏著《黃賓虹》：『一九三一年他游雁蕩山，居靈岩寺。一日曉起對天柱、展旗諸峰，他說看久了，便覺得四山有如生龍活虎出現，有跳有躍。後來他對朋友説：「這次看山，給我印象極深，使我懂得了什麼叫作萬壑奔騰。」』

游雁蕩山，以詩、畫紀游。歸宿南陽吴氏山居。在仰天窩作畫，贈黃賓虹雁蕩紀游雜咏。

蔣叔南等。又作巨幅《大龍湫圖》。

與方介堪談鉨，先生出示所藏鉨文一冊，多爲春秋戰國時期古文字，均有注釋。自言所藏秦漢玉銅鉨印數千紐，三次被劫，尚留一部分，已製印譜。

六月三十日，張大千在嘉善爲兄張善孖五十大壽祝壽。先生與賀天健、錢瘦鐵、馬企周等三十多人往嘉善共賀。酒宴後，張大千特地領先生數十人至元代畫家吴鎮墓參觀游覽，共同合影留念。

七月一日，先生山水扇面參展香祖書畫社舉辦的名家書畫扇面展覽會。九日，吟香書畫社畫展在新世界飯店舉行，先生作品送展。

本月，先生辭退神州國光社社務。

八月，先生作品和藏品參展法租界徽寧公學校長江振華主持的古今名人書畫展覽會。據《申報》載，畫展原定十五日閉幕，因觀者要求延期至二十四日，畫展中以黃賓虹作品最受歡迎。

九月十日，鄂賑會駐滬辦事處在惠中旅館大廳召開徵求書畫籌賑大會，先生到會并認捐畫件。

九月十八日，日本軍國主義者在瀋陽製造震驚中外的『九·一八』事件，侵略中國東三省。

本月十九日，傅雷與劉海粟乘『沙拿逐號』輪船從法國回到上海。下旬，蔡元培在威海衛路中社設宴爲劉海粟歸國接風，傅雷陪席。應邀作陪的有陳獨秀、葉恭綽、許壽裳、楊杏佛、黃賓虹、張大千、朱屺瞻、王个簃等。先生與傅雷初識于此次宴會。

十月九日，正藝書畫社黃賓虹、錢雲鶴、熊松泉、季守正、周冷君、汪聲遠、程萬里、朱文侯的二百餘件作品在西藏路新世界飯店展覽五天。同日，古今書畫助賑展覽會在寧波同鄉會舉行，先生捐作品助賑。

十一月十三日至十五日，現代名家近作展覽在西藏路寧波同鄉會四樓舉行，先生作品送展。

十二月，傅雷應劉海粟之聘，出任上海美專辦公室主任，兼教美術史，得以有所接觸次年二月開始在該校任教的先生。

本年，安徽省發大水，旅滬安徽水災救濟會籌備書畫賑災，先生被公推爲書畫鑒定委員，受委與書畫名家商洽書畫合作事宜。先生大力奔走以襄助。

汪聲遠編《中國歷代名家畫學津梁》書成，先生作序。俞劍華、孫鰆公編《中國畫家人名大辭典》，先生曾爲補充內容，并序言。按書成後，先生言舛誤尚多。

爲俞劍華題《雁蕩紀游畫冊》。爲諸貞壯作《大至閣圖》。爲王秋湄作《北濠草堂圖》。

黃賓虹浙東紀游寫生。浙江省博物館藏。

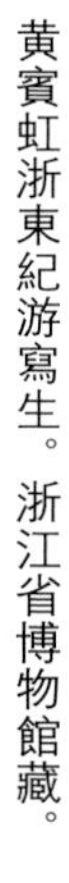

黃賓虹浙東紀游寫生。浙江省博物館藏。

一九三一年夏，黄賓虹游雁蕩山。（左起第二人为黄賓虹）

一九三一年，黄賓虹、張大千等畫家一行赴浙江嘉善掃元代畫家吴鎮墓。（墓碑右起第一人爲黄賓虹，第二人爲張大千）

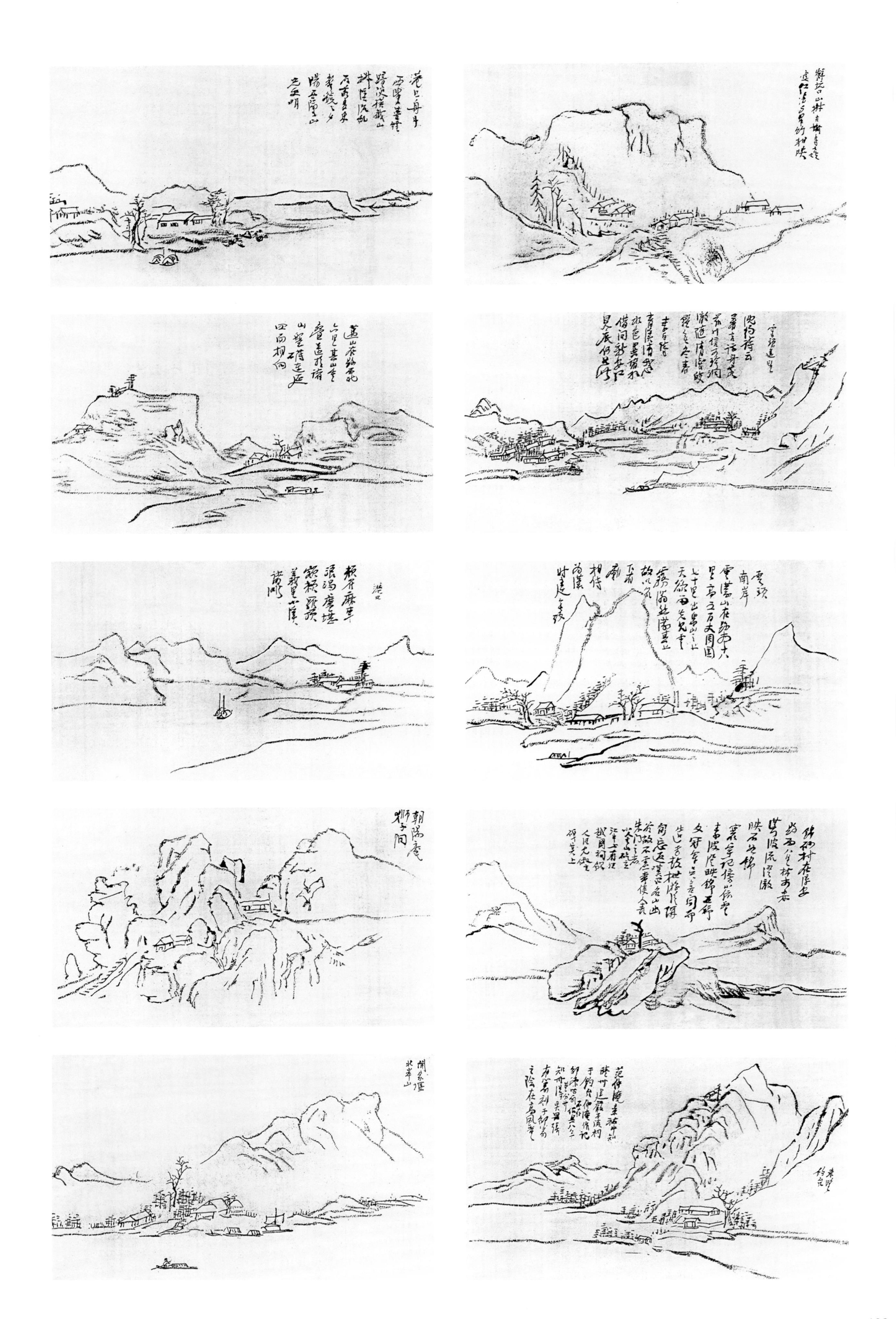

黃賓虹近七十歲時的寫生稿，描繪錢塘江、富春江、新安江一帶的風光。他用的是一管紫毫禿筆，全以墨綫爲骨，用筆精練，章法奇妙。

一九三二年黃賓虹應弟子之邀，游上海浦東周浦鎮，與同行者張善孖、張大千合作《紅梵精舍圖》。

公元一九三二年　民國二十一年　壬申　六十九歲　春、夏在上海，秋、冬在四川。

一月二十八日，日軍進攻上海，製造事變，駐滬中國軍隊十九路軍奮起抵抗，淞滬抗戰揭幕。

二月，中國藝術專科學校停辦。先生受聘上海美術專科學校，任國畫理論教授。

春，與南社社友劉三（季平）劇談，自中午至夜八時許，共飲紹興黃酒。按先生平生不吸烟，每餐飲酒少許，甚少豪飲，惟宴會時常有不醉之量。

偕謝觀虞（玉岑）、張善孖、張大千等游南匯周浦鎮，觀女弟子顧飛顧氏桃園，作畫賦長詩。留宿一夜，并與張氏兄弟合作《紅梵精舍圖》。

爲黃節作《湖荷憶昨圖》，黃節題云：『明月何曾喻此情，人間俯仰覺情生。秋來養菊殷勤意，不及湖荷憶昨行。』

唐天如（恩溥）得潘仕成聽帆樓舊額，先生爲補《聽帆圖》。

夏，游杭州西湖，復至上虞白馬湖與經亨頤等作《寒之友圖》，贈林子仁。

七月二十一日，合衆書畫展覽在五馬路（今廣東路）合衆商場舉行，先生作品送展。

八月一日，中華學藝社新所落成紀念美術展覽在該社舉行，先生作品送展。

八月四日，先生作品參展徽寧學校舉辦古今書畫展覽會。同日，侄女黃映芬與門生顧飛、朱硯英聯合組織女子書畫社，先生亦有作品參與。

十五日，因旅居上海的金石書畫朋友陳澤霈介紹，先生決定入川旅游講學。陳氏曾任川軍第四師師長，特地電告四川友人予以照顧。劉海粟特地親書一函，交先生見上海美專畢業的四川藝術專科學校校長周稷時用，函曰：『周稷弟：國畫重鎮黃賓虹先生入蜀講學，吾弟需隨時頂禮，以敬高賢。海粟。八月十五日。』

九月，上海美術專科學校爲建校二十周年紀念，爲校慶籌備委員會委員。

《畫學月刊》創刊，上海利利公司文藝部出版兼發行。任編輯者有劉海粟、黃賓虹、張孟嘉、賀天健、俞寄凡。月刊以『研究中西畫學，闡古通今，以謀畫學之發展爲宗旨』。先生撰《弁言》《畫學常識》于第一卷第一期。

中秋，應四川友人邀請，先生乘舟西上。同行有學生吴一峰。船上

一九三二年黃賓虹游四川萬縣寫生。浙江省博物館藏。

一九三二年秋，黄賓虹游蜀時與友人合影。（前排左起第二人为黄宾虹）

又遇去四川大學教育學院任教的畫家陶冷月。經三峽，二十七日到重慶，受到書畫界朋友的歡迎，一連十多天皆爲友人鑒定書畫忙碌。

十月中旬，改乘木船溯岷江而上，到嘉定（今樂山），觀樂山大佛、游烏尤寺。次日，兩人游峨嵋山，徒步執杖，經報國寺、伏虎寺上山，在雷音寺投宿。第三日，取清音閣、萬年寺，登太子坡，過十里險坡，投宿洗象池。晨起，慢步下山，一路觀賞談笑。

十一月六日，乘車至成都，夜宿三道街陳澤霈寓所一廬。七日，四川藝術專科學校校長周稷和校務主任劉既明來訪。聘先生爲藝校校董兼國畫系主任，吴亦被聘任教。

十二月十九日，中國畫會在上海正式成立。會員有王震、賀天健、鄭昶、陸丹林等百餘人。按該會會員均係國内名家，該會是當時國内向政府立案批准的不多的較有影響的全國性中國畫家團體。

十二月二十日，先生寄函宋若嬰夫人言：『我今來成都，未滿兩月，四川大學校長王宏實君，又教育院長鄧只淳君，華西大學校長方叔軒君，其餘士紳與我皆甚洽，願我暫時弗離川。然以老年孤客在外，當身體偶有不適之時，非常苦楚。』

一九三三年，黄賓虹與成都學界人士在少城通俗教育館歡迎會上合影。（前排右起第四人爲黄賓虹）

冬，仍寓成都『一廬』，游覽名勝。詩人林思進（山腴）雪中送茅臺酒，先生作《霜柑閣歲寒雅集圖》。山腴題云：『黄賓虹來成都已逾旬，亂後始得相見。長至日招同方鶴叟、龔向農、李亞衡、培甫昆弟、祝屺懷、龐石帚、沈省菴諸君子集飲，賓虹即席作《霜柑閣歲寒雅集圖》以紀良會。百年之後，覽斯圖者，安知其爲兵火餘生也。』

按林山腴（一八七二—一九五三），名思進。四川成都人。近代學者、詩人。工書法。著有《中國文學概要》《清寂堂詩集》《吴游集》，撰《華陽縣志》。

先生住成都期間，遇軍閥開戰，學校一度無法上課。所住閣樓隨帶箱子也被槍彈打爛，先生適避樓下，連稱幸運。

得王懿榮（廉生）蜀中所獲大圓印。

按先生致曹一塵函云：『王懿榮于蜀中得大圓印，文字奇古不可識。陳簠齋謂爲非夏即商。此紐係僕游蜀所得。』又云：『滇中孫硯澄適寓渝，往觀所藏金石書畫，孫愛余行篋中所藏董思翁爲項孔彰畫，乃舉以易得巴王圓印。』

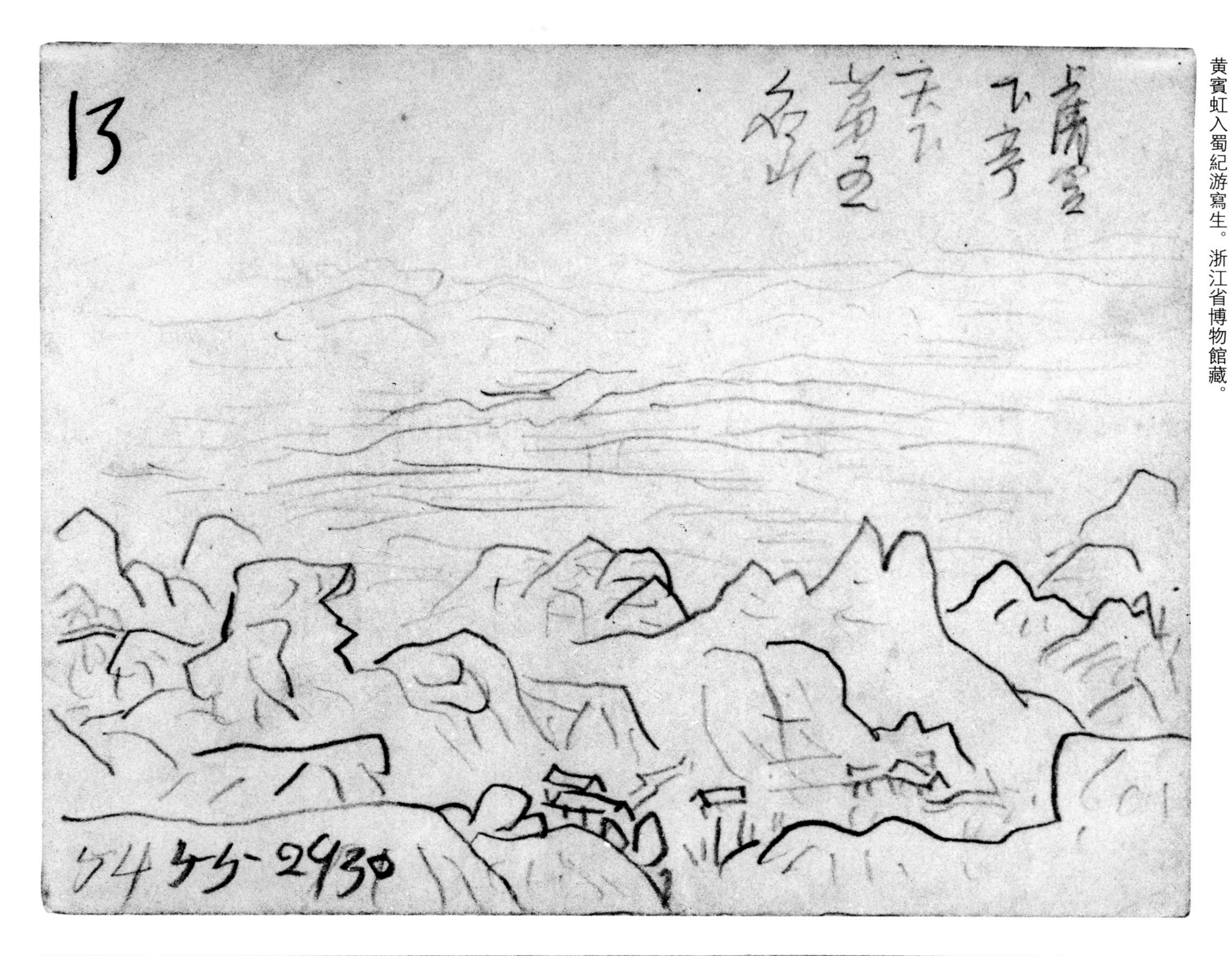

黄賓虹入蜀紀游寫生。浙江省博物館藏。

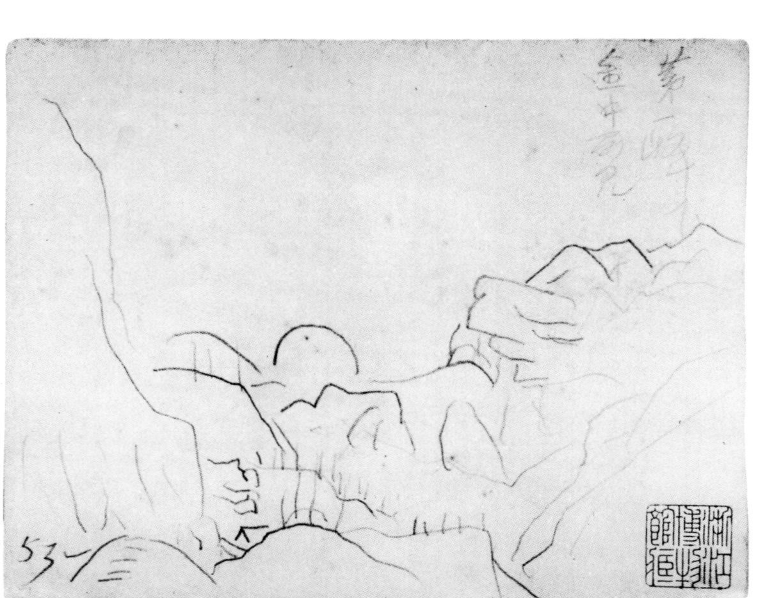

黄賓虹入蜀紀游寫生。浙江省博物館藏。

黄賓虹入蜀紀游寫生。浙江省博物館藏。

《明妃村》《自叙州至樂山乘帆船作》二幅册頁是黄賓虹入蜀行程中所作的山水，筆墨酣暢、淋漓盡致，可見其筆法與墨法已超越他過去的理論，遂入新的境界。刊一九八五年人民美術出版社出版《黄賓虹傳記年譜合編》。

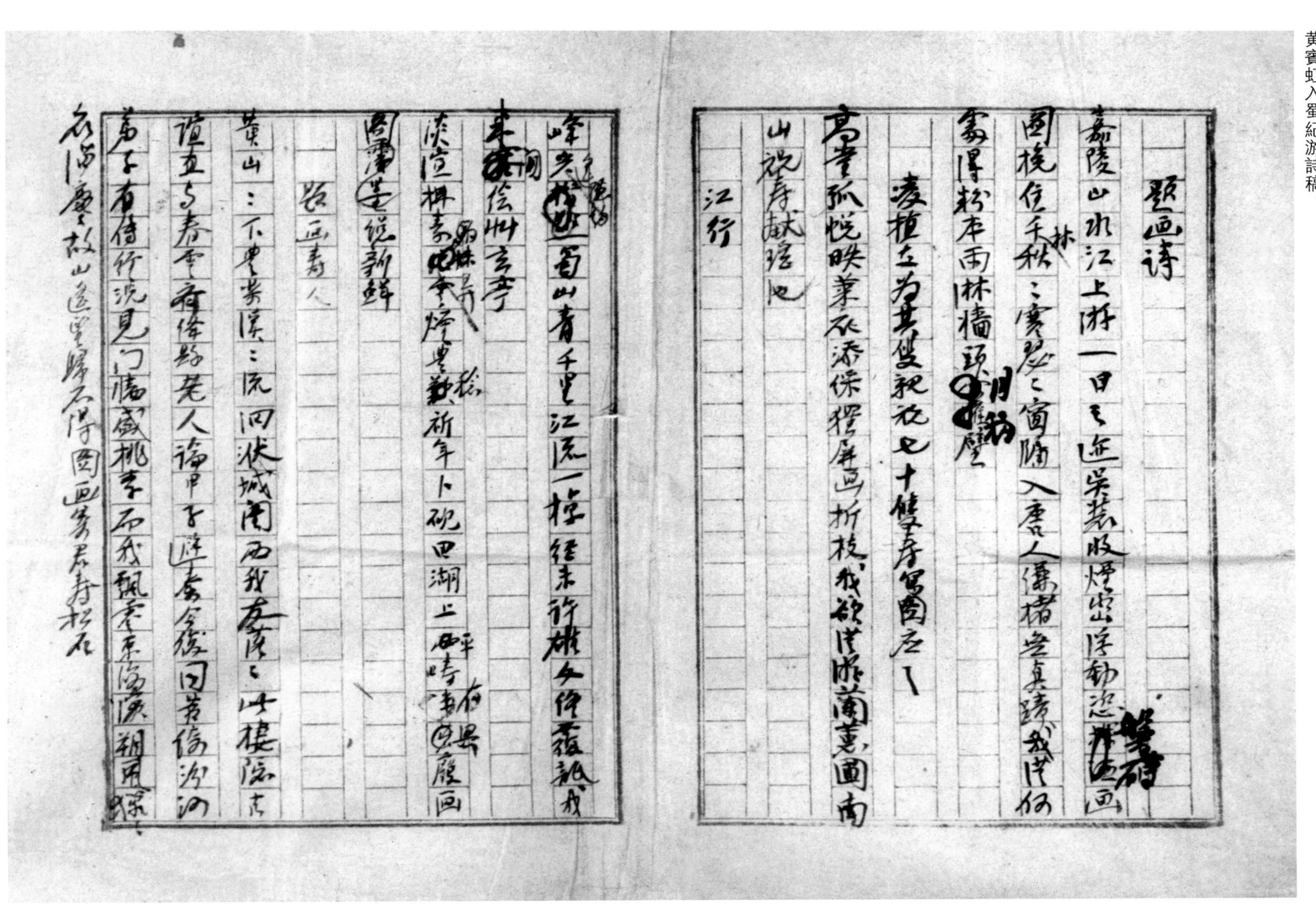

黃賓虹入蜀紀游詩稿。

公元一九三三年　民國二十二年　癸酉　七十歲　由四川返上海。

一月，常與林山腴等詩酒唱和。

二月四日，林山腴、向楚等學藝界人士在少城通俗教育館『歡迎黃賓虹、吴一峰兩先生』合影留念（合影者計二十七人，先生于前排右第四人）。五日在上海冠生園食品店樓上舉辦現代名家小品國畫展覽，先生有小品標價出售，所得款項救濟東北難民。

三月七日，以方旭、向楚爲正副社長的書畫社團蓉社在成都少城通俗教育館成立。先生參與，推舉爲出版部主任。此後，蓉社舉行的數次雅集先生均參與。

春，在成都除了在四川藝專任教，又曾受聘東方美術專科學校教授。陶冷月因事東歸，又在四川大學代爲講課數月。

見黃公望長卷，臨其大意。後自題畫：『蜀中藏大痴長卷者，余假觀旬餘，臨其大意，置行篋者，隨時點染，經有數稔，今足成之。辛巳之春。』

夏，將離成都時，爲蔡哲夫談月色伉儷題合作畫，鈐『賓虹入蜀記』章。

九月，回上海。《申報．黃賓虹簡歷》概括了這次游歷：『黃賓虹先生，近年游覽名山大川，爲增進其詩料畫稿之助，去秋入蜀，溯江而上，經夔、巫三峽至巴渝，由滬，叙往嘉州，登峨嵋，觀雪山紅葉之勝。居成都數月，得瞻公私收藏古物甚夥。春夏之間，往青城，登軒轅峰，出灌縣，觀離堆分江築堰處，逾龍泉驛，渡嘉陵江，下渠河，由合川還渝川，返滬濱，得詩百餘首，畫近二百紙。』

出峽時，友人請先生談感想，他興奮地説：『不入蜀，不知雨中樂。』他在信中也説過：『青城大雨滂沱，坐山中三移時。千條飛泉令我恍悟，若雨淋墻頭，乾而潤，潤而見骨，墨不礙色，色不礙墨也。』爲此曾作《青城烟雨圖》册頁十餘幅。

本月，《古今名畫選粹》由文華美術圖書公司出版，選收《文華》月刊所載之古今中西名畫，先生作品選刊。

十月，遷居薩坡賽路二百〇七號（今淡水路二百十九號）二樓厢房。

秋，暨南大學國畫研究會邀請先生作該會山水畫導師，每周授課兩小時。按蘇乾英函告汪孝文云：時暨南大學國畫研究會會長是劉作籌（君量）、文學院助教蘇乾英，由文學院院長陳中凡介紹，至薩坡賽路黃寓邀請。

手書《蜀游雜咏》一卷。冬，由潘飛聲、許承堯作序，印贈友好。

十一月，與王濟遠、諸聞韵等發起組織『百川書畫會』，畫會以『學藝雖經緯萬端，其歸則一，如百川分流，同歸于海』命名。初設會所于

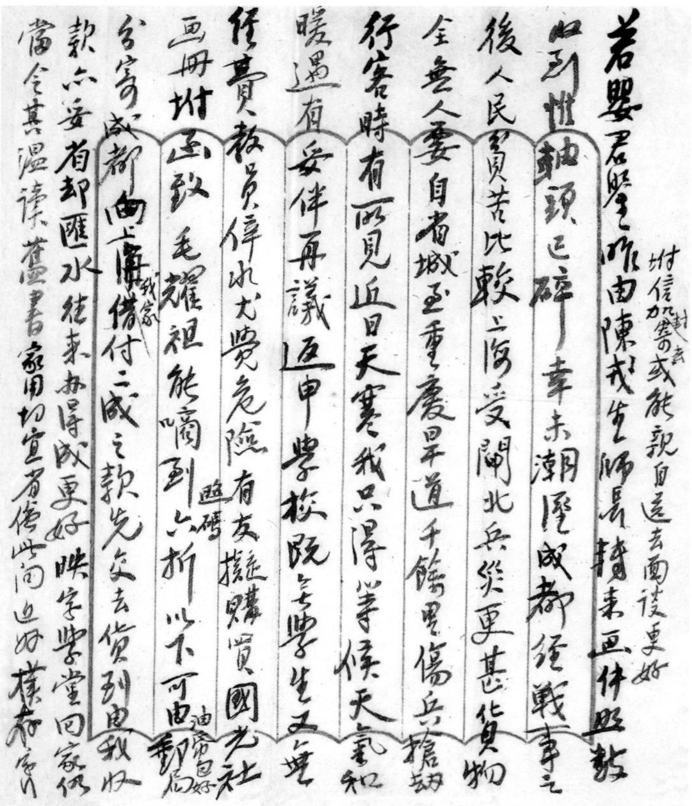
若嬰君鑒：昨由陳戎生師長轉來函件照款
附信加封或能親自送去面談更好
收到，惟軸頭已碎，幸未潮溼。成都經戰事之
後，人民窮苦，比較上海受閘北兵災更甚，貨物
全無。人要自省城至重慶，旱道千餘里，傷兵搶劫
行客，時有所見。近日天寒，我只得等候天氣和
暖，遇有妥伴，再議返申。學校既無學生，又無
經費，教員停止，尤覺危險。有友擬購買國光社
畫冊，附函致毛耀祖，能嘀到六折，以下可由油印包好郵局
寄成都，由我家借付二成之款，先交去貨，到由我收
款亦妥，省却匯水往來，如得成更好。映寧學堂回家，你
當令其溫讀舊書，家用切宜省儉。此間近好。樸存白

黃賓虹入蜀時致夫人宋若嬰書。

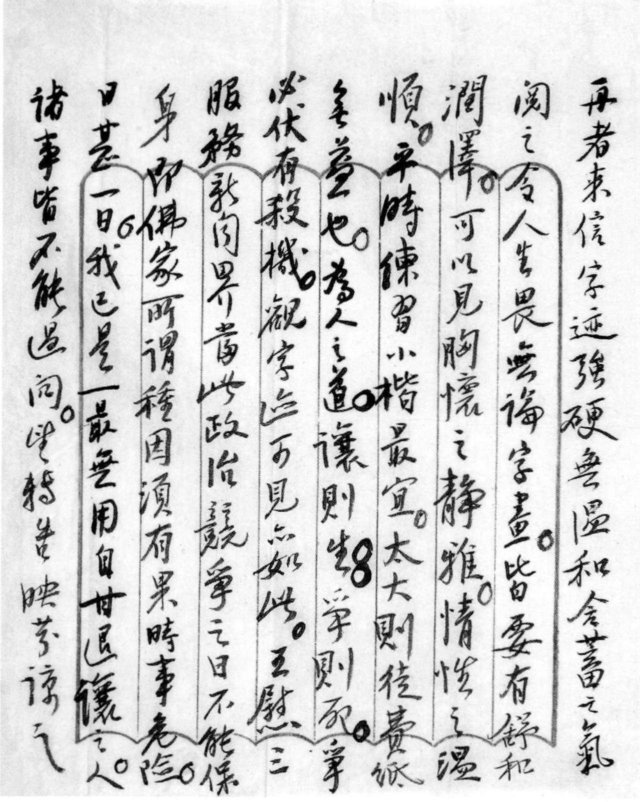
再者，來信字迹強硬，無溫和含蓄之氣，
閱之令人生畏。無論字畫，皆要有舒和
潤澤，可以見胸懷之靜雅，情性之溫
順。平時練習小楷最宜，太大則徒費紙
無益也。為人之道，讓則生，爭則死。爭
必伏有殺機，觀字迹可見亦如此。五慰三
服務新聞界，當此政治競爭之日，不能保
身，即佛家所謂種因，須有果。時事危險
日甚一日，我已是一最無用自甘退讓之人，
諸事皆不能過問，望轉告映蒂諒之。

一九三三年，黃賓虹入蜀紀游寫生。

滬西黃山水南雙塘畫房，集會時每人出數件書畫作品，互相評議，或作理論演講，或即席合作。

得僧漸江畫偈七十五首，寄《安徽叢書》編印處，印入《安徽叢書》第一期第十六卷。

檢寄歙縣畫家凌翔（紫雯）扇面，由金陵大學文化研究院印入《新安畫派册》。

爲吳載和（仲坰）所輯《郘亭印存》作序。

繪《蜀游詩册》十六頁贈陸丹林，林山腴題七古長句，詩云：『賓虹生長黃山麓，七十看山苦不足。南踰五嶺東雁蕩，一棹西南更入蜀。……讀萬卷書行萬里，此老胸懷浩無滓。香光正法本自拈，漫把南宗望庸史。上峽畫稿束笋多，巫峰十二連三峨。詩中有畫畫中句，肯讓巴船出峽歌。到門足音跫然喜，直擬探源溯江水。劫火沙蟲且聽天，布襪青鞋仍命侶。此時陸子却相望，紅樹青山思渺茫。爲想繩窮初見寶，銅梁玉壘森高堂。猿啼峽響風帆張，百丈隱隱疑瞿塘。青城洞天三十六，烏尤聳翠凌雲蒼。一一收拾入畫卷，此行何异千金裝。……百年倪董不可遇，仿佛規榘猶高曾。如今更得賓虹叟，點勒應須嘆高手。海上成連贈與君，丘壑内營君知否？』（摘録《清寂堂詩録》）

十二月，高奇峰病殁上海大華醫院。先生赴殯儀館參祭。《申報》載，汪兆銘、蔡元培、于右任、孫科、經亨頤、陳樹人、吴鐵城、狄平子、馬超俊、褚民誼、葉恭綽、黄賓虹、曾仲鳴、方君璧、伍聯德、梁得所刊出《公祭高奇峰先生通告》。

本月，藝乘社書畫古物展覽在該社舉行，先生作品參展。上海美術專科學校主辦名家書畫展覽，在大陸商場七樓舉行，展品三百件。先生作品參展。

本年曾爲高燮作《蜀中紀游圖》，爲馮文鳳作《嘉陵江山水圖》。

海上友好及弟子于克勛（燮成）、王蘧（秋湄）、朱炎午（鈢文）、朱九苞（竹坪）、李滄萍、李韶清、何澄（亞農）、宋禹（小坡）、宣哲（古愚）、胡有霖（沛然）、秦更年（曼青）、商承祚（錫永）、張澤（善孖）、張爰（大千）、張虹（谷雛）、程文龍（雲岑）、鄧實（秋枚）、鮑鼎（扶九）、簡經綸（琴石）、關藻新（春草）、朱端（硯英）、黄映芬、趙含英、顧慕飛（默飛）等爲先生七十壽謀刻紀游畫册。先生爲作册頁四十幀。

按先生是年足齡爲六十八，以先生自計年齡提早二年。故生前慶祝七十、八十、九十皆提早。

二十世紀三十年代，郎静山爲黃賓虹客居滬上留影。

公元一九三四年　民國二十三年　甲戌　七十一歲　在上海。

一月，爲汪福熙作《蜀西老人村圖》。

同月，《美術雜志》創刊號載先生撰文《論中國藝術之將來》。

二月，中國畫會二届選舉，推選爲監察委員。

三月十二日，百川書畫會在八仙橋青年會舉行第一次會員大會，重訂會章，先生被推爲理事。以『研究書法與繪畫，昌明藝學，促進文化』爲宗旨。海上文藝界黃賓虹、王濟遠、鄢克昌等十一人發起組織，會員名單：黃賓虹、王濟遠、鄢克昌、吴夢非、劉抗、王遠勃、梁書、張弦、陳人浩、莫運選、諸聞韵、陸一飛、胡友葛、吴文質、柯易葉、張曉嵐、諸樂三、容大塊、許徵白、俞劍華、宋邦幹、汪聲遠、張天奇、劉海若、張辰伯。

三月十三日，藝乘書畫社書展在三馬路（今漢口路）雲南路口該會所舉行，展品數百件。先生作品參展。

上海市博物館臨時董事會成立，葉恭綽爲董事長，先生爲臨時董事會董事。

春，歙人陶行知、許士騏來會，商建黃山文物館。創設國畫研究社。

四月一日，東南交通周覽會應徵人作品審查員會議在中社舉行。《民報》載：由葉恭綽任主席，黃賓虹負責審查國畫，汪亞塵負責審查洋畫，朗静山負責審查攝影，陳彬龢負責審查詩詞。

四月五日，《申報·圖畫特刊》第七號刊行。刊有東南交通周覽會審查委員黃賓虹、陳彬龢、汪亞塵、葉恭綽、胡伯翔、胡伯洲、郎静山合影一幅。

四月下旬，中國女子書畫會舉行第一次同人大會。該會是中國美術史上規模最大的女子美術團體。先生女弟子顧飛是發起人之一。主持人爲女畫家馮文鳳。在籌備過程中，先生予以大力支持。

本月，先生被聘爲《美術生活》月刊特邀編輯，并在第一期發表《東周金石文字談》一文。

五月十日《申報》報導《黃、汪、張、陸畫展開幕》：『名畫家黃賓虹、汪聲遠山水，法兼南北，名冠藝林，益以張聿光之人物、陸一飛之花果，均爲藝苑有名人物，各出精品，開畫展于寧波同鄉會四樓，參觀者絡繹不斷。』

五月二十九日，上海美專擬暑期開辦藝術教師進修講習會，由專家任指導。劉海粟爲會長，蔡元培爲名譽會長，先生被聘任教。

六月二日，中國女子書畫展覽會在寧波同鄉會隆重開幕，先生撰文宣揚，譽『洵爲創舉』也。九日，慧天樓書畫展覽也在寧波同鄉會舉行，展出慧天樓主俞寄凡及海上名家書畫共二百餘件，先生作品參展。

六月二十五日，上海美專四十三届成績和現代名畫家書畫展覽在該校開幕，先生作品參展。

本月，先生受聘許承堯主纂的重修《歙縣志》技術、隱逸兩門分纂。

《良友》一百〇一期載，上海攝影界郎静山、陳萬里、葉淺予、徐天章、鍾山隱、羅谷蓀、陳嘉等，應浙江建設廳之邀赴黃山寫生。歸後與黃賓虹、許世英、張善孖等組織黃社。

初夏，由滬至歙縣，掃漸江墓，并游黃山，復由太平返滬。

夏，爲唐天如再作《聽帆圖卷》。

七月三日，名家書畫展覽在上海美術專科學校舉行。出品人有王一亭、王濟遠、黃賓虹等三十九人。

七月八日，新華藝術專科學校主辦現代名家繪畫展覽在牯嶺路十號净土庵舉行，共二百餘幅作品。先生作品參展。

七月十八、十九日，在八仙橋青年會開青年文藝作品展覽會，先生參與展覽國畫部分的評審頒獎。係東南交通周覽會的成績展覽。

八月一日，《中國畫家人名大辭典》由神州國光社出版，先生參與增訂人名。

八月十九日，參加中國畫會、新華藝專等六團體組織的歡迎徐悲鴻宴會。徐氏在歐舉辦中國美術展覽會後歸國抵滬。到會共有五十餘人。

本月，先生以所作《蜀游詩草》寄示余紹宋，余讀後記：『其五言古體，頗有大謝風味。』余又記録：『賓虹來書，詳論畫道興衰得失，意在宗元末明初，而于畫禪一派頗致微辭。持論與余頗合，因廣其意，作書答之。』

秋，偕葉恭綽游覽蘇州園林，在惠蔭山莊觀汪氏蕘施閣藏畫，有藏鄉先哲書畫多種，欣賞不置。

十月三日，百川書畫會在湖社舉行第一屆書畫展，先生作品參展共五件山水，爲黄山、蜀山、貴池、雁蕩、桂林，并爲會展目録寫《叙言》。

十月六日，又在湖社舉行社員大會。先生到會。王濟遠爲主席，鄢克昌記録，議決建議政府繼續舉辦全國美展，宣傳國有文化，表彰民族精神。

十一月，中國畫會的《國畫月刊》創刊，先生參與編輯并撰《畫法要旨》一文，于《國畫月刊》一卷二期連載。

按論述範圍包括：（一）文人畫、名家畫、大家畫及能、神、妙、逸四品，（二）平、留、圓、重、變等五種筆法；（三）執筆法及正鋒、側鋒之宜忌；（四）釘頭、鼠尾、蜂腰、鶴膝四病之祛除；（五）濃、淡、破、積、潑、焦、宿等七種墨法；（六）筆墨與皴染之關係。此著後由陳凡（百庸）輯印單行本，由萬竹堂出版，暢銷國外。

另撰《致治以文説》《國畫非無益》二文，分别發表于《國畫月刊》一卷一期和二期。

一九三四年，中國女子書畫會第一屆展覽會同人合影。（前排坐者左起第四人爲顧飛，後排立者右起第二人爲宋若嬰，右三爲黄映芬）

一九三四年，黄賓虹在上海與黄少强、陸丹林、趙少昂、賀天健、鄭午昌等友人合影。（前排右起第一人爲黄賓虹）

四川詩人林山腴自九月出峽過滬至蘇州小住，十一月過滬回蜀。二十日、二十一日，張善孖、大千兄弟設宴招待，先生均出席。林山腴此次來滬，作詩百餘首，命名《出蜀集》。集中有《别賓虹》：『寂寂黄山叟，倦歸無故村（君買山數處，皆不能隱，故仍僦居滬上）。倏然書畫外，不覺海濱煩。朝夕隨蝦菜，妻兒似鹿門（予時詣君家，君夫人相款，頗有龐德公之風）。我行君倘念，濯錦舊游痕。』

十二月十五日，郎静山等組織之黄社攝影書畫展覽會在八仙橋青年會開幕，先生作《黄山老人峰圖》參展。

十二月二十五日，江西書家黄稺棠在南京中央飯店辦書法展覽，據《中央日報》載：『黄賓虹氏謂見黄君所爲古籀分隸書，磅礴沉鬱，駸駸入古，其後所書各種，益淵懿温雅，雄奇恣肆，由三代而俯視秦漢，睥睨六朝云云。』

冬，《黄賓虹七秩紀游畫册》木刻印行，内分黄山、白岳、雁蕩、四川、桂林、浙紹、蘇錫、皖南諸地勝景四十葉，由王秋湄等校刊，宣古愚序，淡藍色印行。

按先生一九四四年致弟子段無染函有云：『鄙人有滬友爲刻紀游畫木板多片，梓工極精。前擬托友代爲刷印淡色作箋用，以紙厚色濃，不便行遠。』

本年遷居西門路二百十六號（今自忠路四百六十號）。設文藝研究班于寓所，招生授課。畫家賀天健來訪，見先生弟子往來請業者不絶，臨行口占一詩云：『南榮曝背意軒軒，問字人來不掩門。自得王微山水趣，蜀江萬里著吟痕。』

王康樂從先生學畫。

爲易大厂編印的《金石書畫叢刊》審編。爲李拔可作《墨巢圖》。

朱貫成（尊一）爲刻『黄賓虹』『黄賓虹印』雙面印，兩印爲先生晚年常用之印。

一九三五年黄賓虹七十歲時在香港與黄居素（左）、黄般若合影。

公元一九三五年　民國二十四年　乙亥　七十二歲　離上海，重游桂林山水諸勝。

一月，被推舉爲安徽黄山建設委員會經費審核委員，并與許承堯、張大千等同被推舉負責宣傳黄山名勝工作。

中國畫會第三届大會在上海威海衛路舉行，先生與王一亭、陳樹人、張善孖、經亨頤等五人爲監察委員。

黄節病逝于北平寓所，兩人友情相交近三十年。定于二月二十五日在南京華僑招待所舉行追悼會，先生與汪兆銘、蔡元培等三十二人列名《黄晦聞先生追悼會啓事》。

二月，在《國畫月刊》第一卷第四期發表《中國山水畫今昔之變遷》一文。

王濟遠在菲律賓首都馬尼拉舉辦中國現代名家書畫展覽，先生作品參展。

三月十日，與吴稚暉、褚民誼、江亢虎、劉健中、汪錦波、江振華、俞劍華、過惕生等，發起組織黄山琴棋書畫社，在徽寧學校開成立大會。

三月十五日晚，中國畫會舉辦美術講座，先生與俞劍華、賀天健同爲主講，地點在上海八仙橋青年會。其後又兩次參加講座。

本月，先生曾與王濟遠、謝公展游會稽諸勝，歸過西湖樓外樓，合畫《三友圖》贈其主人。

五月，上海金城工藝社印珂羅版本《黄賓虹畫册》出版。英國倫敦將舉辦中國現代畫展，先生與劉海粟等皆有作品參加，英倫各報登載消息。

在《大衆畫報》第十九期發表《怎樣才是一張好畫》一文。在《國畫月刊》第一卷第七期發表《論畫宜取所長》一文。

爲中國畫會編輯《中國現代名家彙刊》，撰序，作品《深山梵音圖》選入。

五月下旬，傅雷在上海買到《黄賓虹畫册》，首次認真領略先生山水畫之美，深爲贊嘆，認爲先生是中國畫壇大師級人物。

六月，陳柱尊創辦《學術世界》雜志，先生爲該刊編輯之一并爲撰文。

夏，携夫人宋若嬰及友人伉儷十餘人同游青浦，觀畫于圓津禪院。歸贈陳柱《蜀中山水》和《西湖勝景》兩長卷。

夏，與陳柱、陳中凡赴南寧廣西夏令講習班講學。

秋初，自廣西經香港返滬。在港逗留期間，訪宋皇臺遺址（先生題畫作宋故行宫）。友人李景康（鳳坡）、黄般若及黄居素等陪游九龍。在香港登太平山頂寫生。居東山臺六號，賦詩作畫，與黄般若、黄居素合影。乘汽艇游大鵬灣。又在沙田慧業山堂小憩，同坐林下，商榷繪事，舉凡筆法、墨法、臨摹、寫生諸法，均有闡述，由張虹（谷雛）筆記，輯爲《畫語録》。

按張虹筆記輯成《畫語録》，鉛印，未公開發行，一九六一年陳凡輯《黄賓虹畫語録》（香港版）收入全文，題爲《沙田問答》。同年七月王伯敏編《黄賓虹畫語録》（上海人美版）亦有摘録。

用焦墨法爲唐天如作《九龍山水圖卷》。爲馬君武作《秋山烟樹圖》。

《國畫月刊》第一卷的第十一、十二期發表先生撰《精神重于物質説》一文。

九月四日，在新華藝專校長汪亞塵家的書畫同人雅集中，先生與徐悲鴻合作《雜樹岩泉圖》，并題字贈黄苗子。十一日，先生與謝公展、諸樂三、李健、夏敬觀在劉海粟寓所聚會，先生對劉海粟説：『我們組織了一個百川畫會。百川歸海，朋友們對你很器重啊！』劉答謝説：『一粟難稱海，欣然匯百川。愧不敢當！』大家談藝多時，合作一幅《蒼鷹松石圖》。

九月十九日，偕夫人宋若嬰、門生黄冰清游黄山，游途中曾登披雲峰，訪漸江墓。

十一月五日，先生與門生戴雲起、柯易葉舉辦畫展。《中央日報》報道：『黄山黄賓虹偕戴雲起、柯易葉舉行畫展，已于昨日在中法友誼會開幕，陳列峨嵋、陽朔、黄山等處寫生作品凡百餘幅，排次整齊，琳琅滿目，遠近參觀者莫不贊賞，以爲是純粹國畫，有士夫氣，與尋常作者不同。蓋專心筆墨者，則少丘壑；富有丘壑者，拘于繩墨，研求古法而不爲古法所拘，遍游名山大川，師古人兼師造化，非易言也，仿佛山陰道上，應接不暇。黄、戴、柯三君皆由規模宋元入手，不懈而及于古。戴、柯二君雖青年，理法兼到，夙聆黄氏之論，尤多心得，同爲識者所賞。』

十一月，汪聲遠、陸抑非等在上海寧波同鄉會舉行畫展，先生爲鼓勵後進，出六件山水畫參加展出。

十二月，南京地方法院爲調查故宫文物失竊，聘先生爲故宫書畫鑒定人。當時選任鑒定人條件：『一、鑒定書畫全部。二、期間暫定爲六個月，于必要時得延長或辭退之。三、鑒定費，每一鑒定人每月至多不得過五百元。四、鑒定首應依刑事訴訟法第一百八十九條之規定具結。五、須作鑒定報告。六、每日鑒定時間以中央銀行開庫之時爲準。』從十二月二十日至一九三六年四月二十八日，在原故宫博物院上海第一庫房鑒定，先生有《故宫審畫録》記録審鑒畫件。

女弟子朱端輯《海鹽畫史》，先生爲之作序，并題詩。

冬，出席南社紀念會。

一九三五年秋黄賓虹重游廣西寫生册。浙江省博物館藏。

公元〇一九三六年　民國二十五年　丙子　七十三歲　在上海。

一月，上海美專聘潘玉良爲繪畫研究所主任，先生與劉海粟、鄭午昌等爲導師。

謝海燕主編《國畫》雙月刊，先生與謝公展、俞劍華、陸丹林爲編輯，先生在四月畫刊第一號有《畫人畫語》一文發表。

因任故宫古物鑒定委員，從上年十二月二十日至本年四月二十八日按日在故宫博物院上海第一庫房鑒定所藏歷代書畫，逐一摘要記録。

三月，《金剛鑽》報載先生爲黟縣人，又言先生已入日本籍，先生作文聲明，略謂：『黄賓虹祖籍歙縣，旅居滬上將三十年，時賢著《金石録續補》作黟縣人者誤，近報作日籍者，尤誤。』載《國畫》二卷一期。

四月，珂羅版《黄賓虹紀游畫册》由神州國光社出版發行。

五月，中國畫會改選，連任第四届監察委員。

先生曾寄函余紹宋，言將輯《新安畫家事略》，徵求意見。余氏答所采諸家宜各取一二幀影印附入，庶可傳信。

十五日至十七日，俞劍華畫展在湖社開幕。先生于十三日《申報》發表《俞劍華畫展志感》一文。

月中到北平，從六月一日至七月二十二日在原國立北平故宫博物院鑒定歷代書畫，七月三十日至八月六日鑒定金石古玩。八月二十二日返滬。同日先生與許承堯書：『燕京寥落，固非昔比，然賓朋之樂，宴會繁盛，酬酢往來。古物弆藏，時流市肆，賞心愜目，尚爲他省所不及。』

八月，先生與陳樹人、何香凝、謝公展、張書旂等發起組織『力社』。『力乃是偉大的寶貴的東西，是生命的表現，合精神上的力與物質上和力，可以百戰百勝，所向無敵』，故以『力』爲社名。八月八日爲成立之日，借上海大新公司畫廳舉辦了大規模的社員作品展覽，應觀衆要求，展覽達十六日之久。

八月三十日，中華美術協會第一届美術展覽會籌備委員會會議在會所舉行，出席者推舉先生等三十四人爲籌備委員。

九月四日至十二月三日，先生在原北平故宫博物院上海第一庫房鑒定書畫。

九月八日，中華美術協會理事會議決定于本月二十四日至三十日止舉辦第一届美術展覽會，先生爲籌備委員。

十月二十三日，中國畫會第六届書畫展在大新公司四樓舉行。出品人一百八十六人，先生作品參展。

十月，洪夫人在歙潭渡村病卒，年六十九。先生撰《洪孺夫人行狀略述》，以志悼念。先生因病留滬，遣宋若嬰率子女赴歙治喪。先生約有半月在家休息，十一月十六日始恢復書畫鑒定工作。

本年，撰《匋鉩合證》一文，由北京研究院史學會收入顧廷龍撰《匋鉩孴録》中。

爲朱屺瞻梅花草堂作圖。

爲樂清宋氏作《錦江圖》長卷，現存温州市文物管理委員會。

《美術叢書》三版四集合編完成。

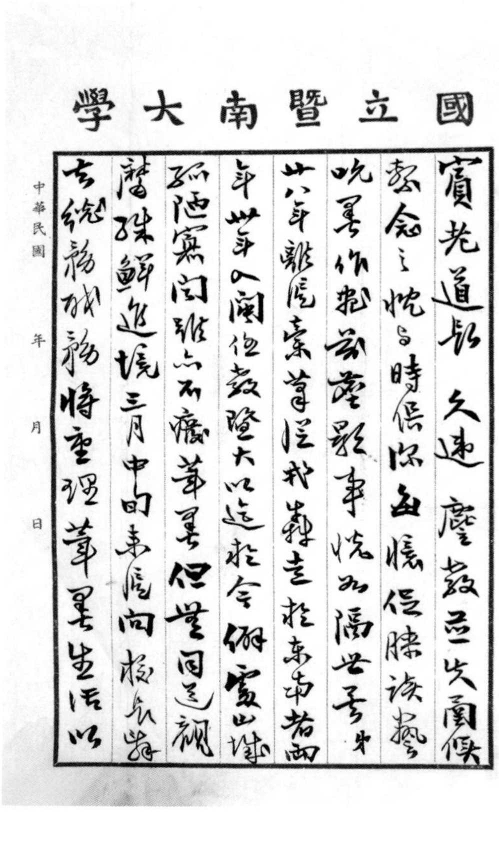

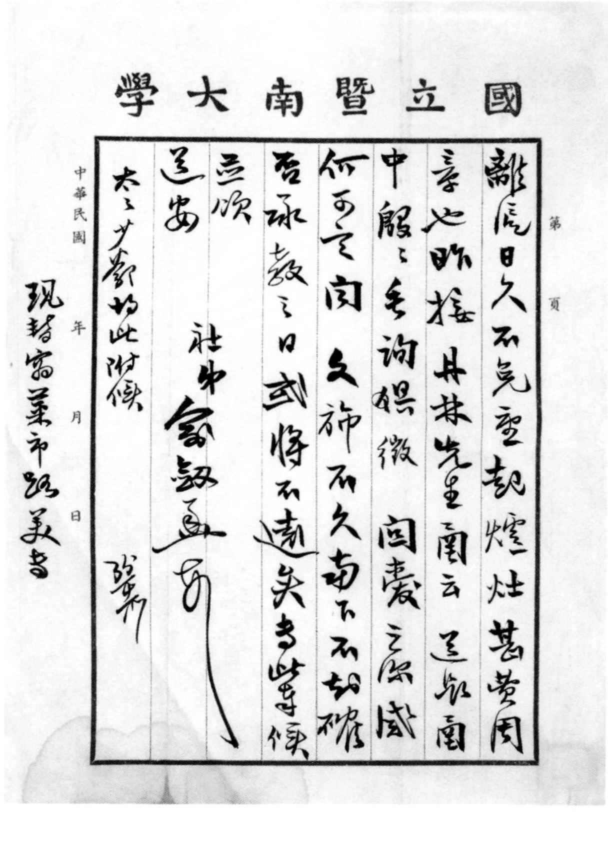

俞劍華致黄賓虹書。

選自一九三六年四月由神州國光社出版《黃賓虹紀游畫冊》中的作品。

一九三六年黃賓虹畫贈朱鐸民《錦江圖》長卷，是他重訪粵西紀游之作。用筆瘦勁峭拔，筆法十分專精，可窺這時期的作品之一斑。温州市博物馆藏。

賓虹

北平時期（一九三七—一九四八）

黃賓虹先生在北平定居的十一年，也是面壁求解的十一年。

身處淪陷區的喪亂亡國之痛，使他『謝絶酬應，惟于故紙堆中與蠹魚爭生活。書籍、金石、字畫，竟日不釋手』。可以説，在上海他已從『師古人』階段轉向『師造化』的新階段，并已纍積了上萬的寫生稿，那麽在北平的專職畫家和藝術教學的生涯中，他則是將前兩階段的繪畫生涯進行了一次人生大總結。潜心反省，使他獲得了前所未有的筆墨意境和技巧上的飛躍，從而真正進入了個人的成熟創作期。

十一年間，他以『予向』筆名發表了一百多篇文章。一九三九年他發表的專論《畫學南北宗之辨似》和一九四〇年發表的《畫談》，是繼一九三四年畫論代表作《畫法要旨》中『大家畫』及『五筆法』『六墨法』的延續和發展。他對個人的筆墨觀至此已經作出完整的闡述。一九四〇年，他又發表了《漸江大師事迹佚聞》，更是以明末清初大畫家漸江和尚的高風亮節，作爲自己的人生楷模。一九四三年，他舉辦了人生第一次個人畫展，并得遇自己在晚年的藝術知音傅雷先生。兩人之間頻繁的通信，給北方寒冷氣候下的先生帶來了心靈上的一些温暖。

通過北平時期的創作總結和對『大家畫』及『内美』境界的不懈追求，可以發現在黃賓虹先生的身上，真正顯現了一種『大器晚成』的景象，他已經開始具備了一位世紀畫家的資望和地位。

公元一九三七年　民國二十六年　丁丑　七十四歲　赴北平。

一月一日至四月一日，暫居南京，鑒定故宫南遷文物。

一月二日，上海新華藝專創校十周年舉辦現代名家書畫展覽，在南京路大新公司四樓展出五百餘件作品。先生作品參展。

一月二十日，黄山天都文物社在南京府東街青年會舉辦時賢書畫展覽會。先生作品參展。

一月二十一日晚，在南京中國社文藝俱樂部作演講，選題爲『畫以自然爲美』。

春，爲王叔平作《城南草堂勘書圖》。許承堯書：『丁丑春，黄賓公爲叔平先生寫此圖。賓公畫精純渾厚，陳柱尊推爲近代第一，余亦以爲不減查梅壑，近人能此者絶稀。此圖尤爲最精意之作，因爲題端，并附一詩。』

三月二日，先生與在南京的南社詩友張𨚗齋、李卣甸、張如頤、蔡守、談月色聚會，并集體留影。

三月十六日至二十一日，以審查委員身份參加第二屆全國美術展覽會審查工作。

在故宫博物院南京分院倉庫鑒定歷代書畫等。

四月一日，教育部第二屆全國美術展覽會在國立美術陳列館開幕。同月，林風眠等發起組織中華全國美術研究學會，先生被選爲臨時理事。

十六日，于滬上起程，應北平國立藝術專科學校校長趙太侔之聘，赴北平任藝專教授。又應北平中國畫學研究會會長周肇祥之聘，與陳半丁、胡佩衡、溥心畬等，同任中國畫學研究會評議。十九日抵北平，宿花園飯店，旋遷居六部口新平飯店，至六月，定居宣武門内石駙馬大街後宅七號。

六月十九日，默社第二屆畫展在上海大新公司四樓畫廳舉行，先生作品送展。

七月七日，盧溝橋事變，中國抗日戰争爆發，從此南北道路梗塞，交通不便。又因家眷已在北上途中，無法與汪采白同行返南。及至家眷至北平，只得潛心待變，立意杜門，專心學術研究和作畫。

八月，應古物陳列所所長錢桐之聘，執教于古物陳列所國畫研究院，每周講學一次。張大千、于非闇皆爲同事。因所長錢桐規定，凡逢黄先生講課，不論導師、職員，一律旁聽，故張、于兩人常坐前排導師座上聽課。時在國畫研究院學習的石谷風憶：『我于一九三七年和先生相識。當時先生每周星期二都來北京古物陳列所國畫研究院講課，風雨無阻，從未間斷。』『先生看字畫，很熟練精確，每看字畫，還未展開全幅，就説此是早年或晚年精品，或説筆墨不對，氣色不正，是僞品。……問先生如何看書畫的「氣色」？回答：看字畫首先要弄清楚書畫家各自不同的筆墨風格和時代特點，再看氣色。字畫上有元氣、氣度、氣息以及雅、俗、正、邪之氣，也就是氣韵生動如何。』

時在北平藝專學習的吴文彬憶：『黄師來校上課無固定進度，亦無固定講義。惟所不同者，每次均帶一二件名畫原作，如果帶來王石谷山水卷，便講王石谷；如果帶來惲南田花卉册，就講惲派没骨花卉。一口安徽鄉音，聽得大家如醉如痴，把同學帶入另外一個境界。』

爲許承堯作《柏園圖》。得無款宋人山水畫幅，時作卧游。函友人汪詡（仲田），有云：『近讀黄石齋詩，卧對宋人山水，不無有感。粤桂荆楚之山，何日可得同游？僕雖衰老，青山則無衰老可憂，以此爲喜。』

作《海山攬勝》大軸，題云：『乙亥自邕寧游勾漏都嶠諸山，道經香島，偕季原先生乘舟駕車，循海而行，遂觀九龍赤柱之勝，至今如懸心目，讀畫之餘，寫此請正。丁丑黄賓虹志。』葉恭綽題云：『香港山水，多堪入畫，自昔無爲之寫真者，此幅焕發靈氣，足導先路。』作畫贈陸丹林，題詩云：『同醉淞南舊酒樓，引觴無計可銷愁。不堪風雨東南急，白浪掀天送客舟。』原注云：『滬陷敵後，丹林赴港主辦《大風旬刊》，爰作《淞南醉别圖》贈行，并繫以小詩。』

與瞿兑之論畫，兑之作《賓虹論畫》一文載北平《古今半月刊》，有云：『先生所居在城之西南隅，破屋兩三間，承塵已傾且漏，所聚書，上充棟而下叠席，案上凝塵不拭，秃筆破硯，零箋殘墨，以至手鎸之印章，散亂無紀，不識者固不料其爲烟雲供養中人，翛然塵堨之表，如太清無一毫滓穢也。』

十二月，教育部第二屆全國美展作品選《現代書畫集》由商務印書館出版。集中選刊先生《黄山紀游圖》。

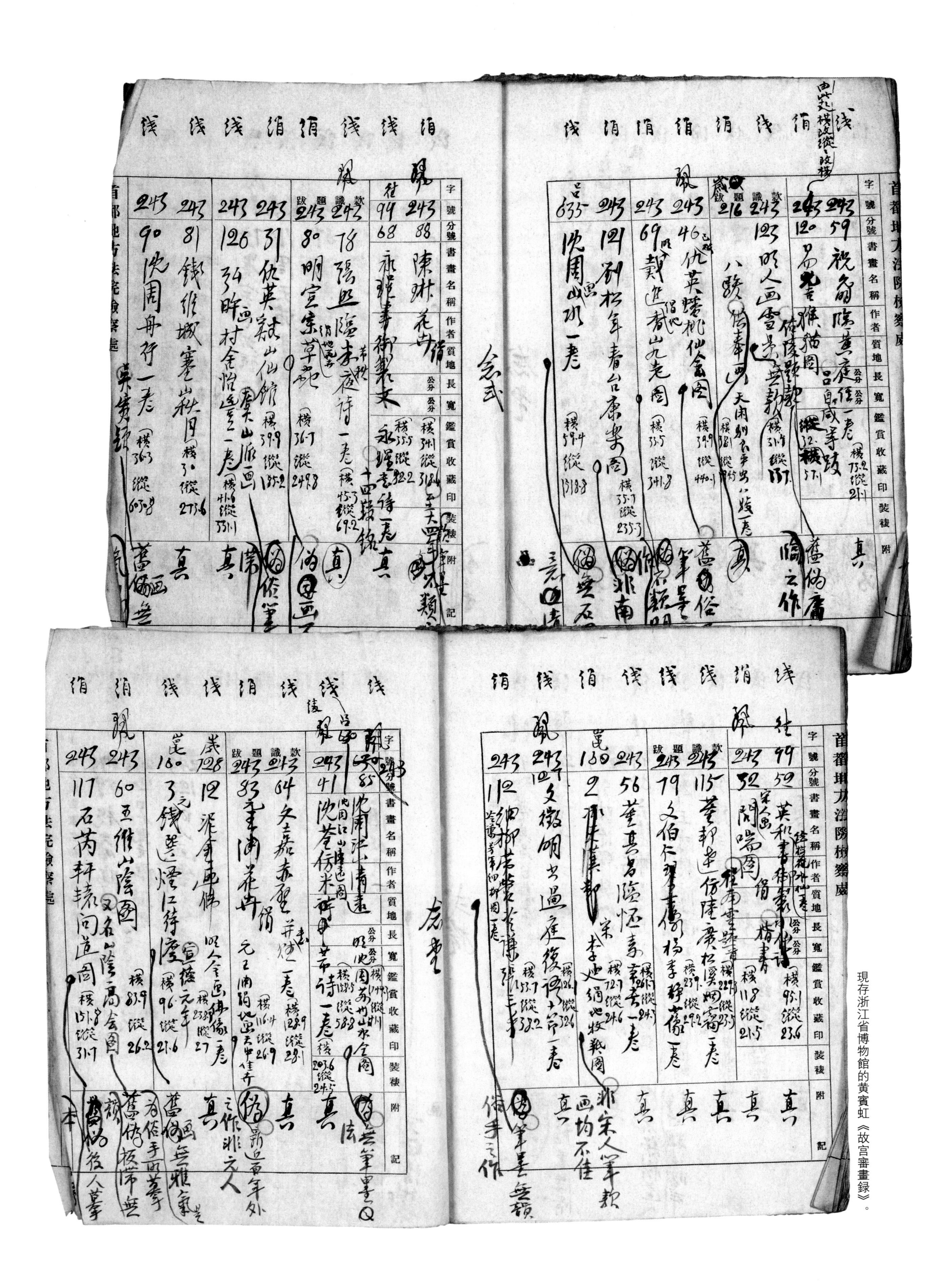

現存浙江省博物館的黃賓虹《故宮審畫録》。

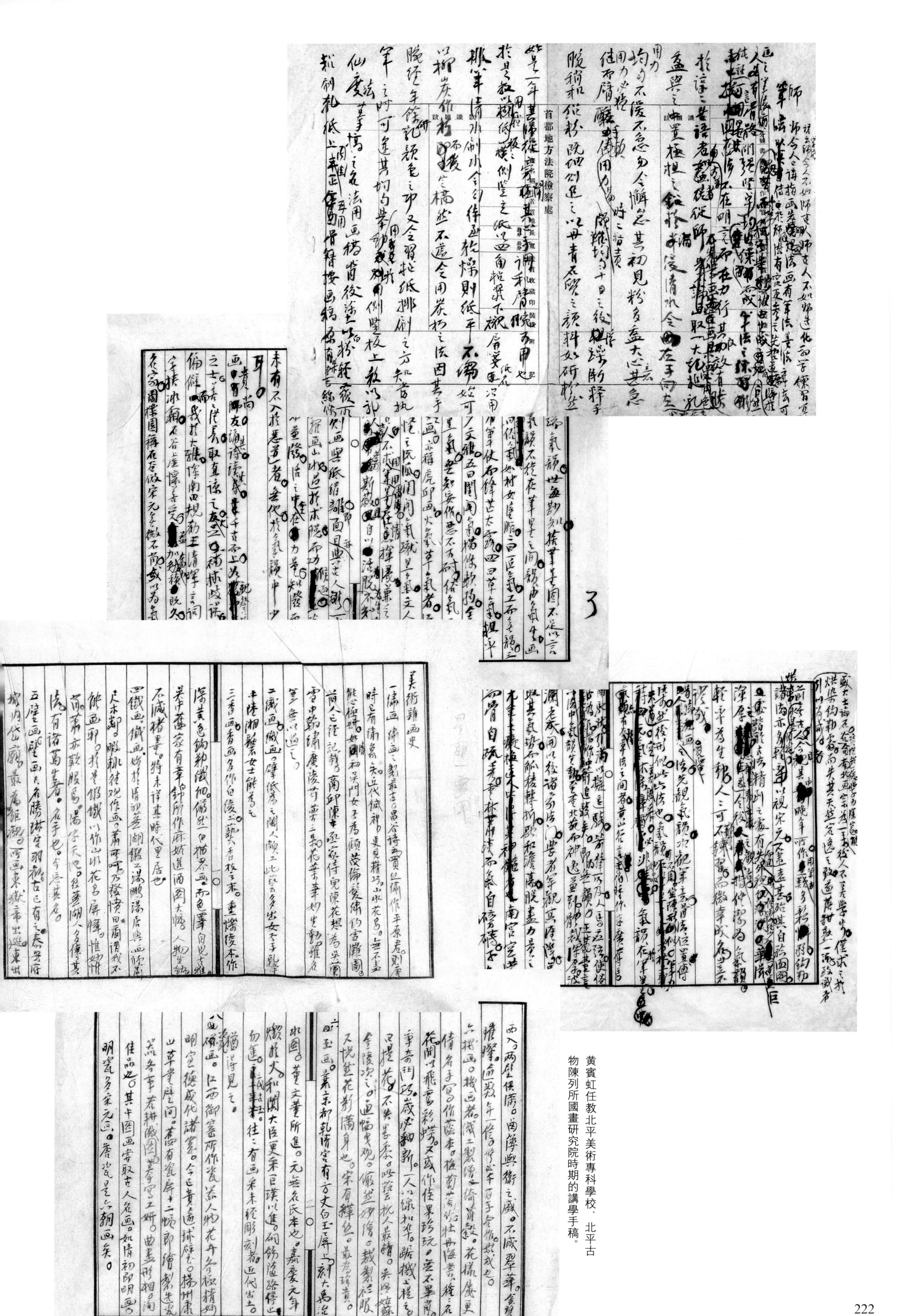

黄賓虹任教北平美術專科學校、北平古物陳列所國畫研究院時期的講學手稿。

一九三八年，黄賓虹與故宫博物院院長錢桐以及畫家張大千等人合影于北平故宫。（左起于非闇、張大千、黄賓虹、福開森、錢桐、周肇祥、徐世昌、江朝宗）

黄賓虹和廣東人很有些緣分。抗戰期間，黄賓虹困居北平，但與南方友朋仍書信不斷。黄居素學畫甚勤，并經常有信向黄賓虹請教，此封信中通篇都談畫學，語言精闢，令人敬佩。

公元一九三八年　民國二十七年　戊寅　七十五歲　在北平。

任教北平藝專等。國畫研究之餘，思研《易》學。該年法國收藏家杜博思在北平搜羅中國書畫，兩人時相往來。

春，爲謝國楨（剛主）作《青緑山水》，跋云：『日久不事丹青，安能擬古人哉，聊借嘔噱而已。』

與于非闇、張大千、福開森（美國傳教士）、周肇祥、錢桐、徐世昌、江朝宗聚會賞花合影。又作《春明館看花圖》贈許承堯。

蕭縣段拭（無染）經謝剛主介紹，從先生問業。

著述繪畫，款多署『予向』。

撰《畫史編年表》，自爲序。次年載《古學叢刊》第一期，筆名『予向』。

撰《梁元帝松石格詮解》有云：『後世學者師古人，不若師造化。有師古人而不知師造化者，未有師造化而不知師古人者也。』

夏，先生曾由人陪同南返，住金華縣南白沙寺，旋因『賤軀畏濕，仍返北就醫』。

秋，應謝剛主之招，飲于謝氏傭書堂，爲弟子段無染講元人寫沙地、山石、陰影法。并題無染所藏李蘭青作青緑山水卷，署名『黄山予向』。

爲姚虞琴（景瀛）作山水畫，并索虞琴爲繪花卉册。附函云：『僕近雅好花卉，搜羅古人及時賢真迹，尚多可觀。』

冬，作水墨山水《宋故行宫圖》寄贈陳柱尊，題云：『曩游粤西還，道經香島，訪宋故行宫遺址（按應作宋皇臺）。九龍海汭，巒嶂沓匝，陵谷變遷，今近千載，俯仰憑吊，偶爲圖此。柱尊先生正之。戊寅冬日黄賓虹。』

本年先生曾作設色西湖山水，上題七絶一首：『約看西湖十月紅，掉頭歸計又成空。年光如水心如夢，人在西樓暮雨中。』

一九三八年黃賓虹作《黃山諸峰》。刊一九八五年浙江人民美術出版社、上海人民美術出版社合編出版《黃賓虹畫集》。

北平時期黃賓虹開始整理大量寫生畫稿。此爲浙江省博物館藏《黃山寫生冊》。

浙江省博物館藏《黃山寫生冊》。

浙江省博物館藏《黄山紀游册》。

浙江省博物館藏《黄山紀游册》。

海子在黃山之巔四面皆
可達東雲舫西翠微南
蓮峰北松谷
庚辰之秋
黃賓虹

一九四〇年黃賓虹作《黃山寫生册》。香港緣山堂藏。

《黃山寫生册》。香港緣山堂藏。

公元一九三九年　民國二十八年　己卯　七十六歲　在北平。

出讓四王畫，易得金石書畫參考書籍，又得歙人羅伯符（文瑞）《仿宋人香山九老圖》，極類丁南羽，審爲真迹。在家撰《醫無閭山摩崖巨手之書畫》一文。

六月，中國畫學研究會成績展覽會在北平中山公園展出，應該會之邀，作品《蜀山紀游圖》參展。石谷風《蟄居十載竹北移》一文回憶：『三十年代北京流行開展覽會賣字畫的風氣，中山公園内畫展絡繹不絶。我想到先生積存成批的畫，若能出售一些，先生可以添置禦寒的衣物。于是就建議先生拿畫去參加展覽。先生很淡然地説：「我的畫很苦澀，不合時人口味，不易出售，留着送朋友吧。」我堅持要拿幾張試試看，待展覽結束，我送去的兩個扇面三幅畫，僅售出一個扇面得三塊錢。我把錢拿去交給先生。先生説三塊錢送給你去買鞋襪吧。我不肯拿，先生又説：「看你的鞋後跟都壞了，走路不跟脚，你剛到巷口我就知道了。」先生的同情心實在難得，我拿起三塊銀元，心裏一陣激動，掉下泪來。』

撰《古鉩印中之三代圖畫》，發表于《古學叢刊》第二期。

夏，應黃居素請，作《息茶庵圖》，題詩云：『閑静中參日月長，息心偏爲看山忙。游歸黃海重回首，雲霧茶留舌本香。』又作《緣山堂》《留今翠軒》二圖附寄贈友人。

秋，復作《息茶庵圖卷》。

作《設色山水長卷》，題云：『甲戌、乙亥、丙子三年中，游蜀粵歸，得寫生畫稿千餘紙；觀故宫南遷名畫，寒暑無間，數以萬計；因采各家所長，參以己意，昕夕染點，置行篋中，自南而北，又歷數年，始足成之。今多懶散，不復能作如此長卷矣。』

十一月十四日，去國畫院講課在石駙馬大街等電車，被人撞倒又被一人扶起，事後發覺大衣内袋所藏兩幅宋、明長卷已被竊。上課遲到，向學生講述經過，并説：『失去的畫爲我身外之物，但是我内心毅力不可奪。』

本年，爲張伯英（勺甫）作《東崖老屋圖》水墨小卷。

弟子林散之于本年專至上海，訪師不遇。因不知先生逃難何方，不勝慨嘆。

北平時期黃賓虹常用的『竹北移』朱文章。

伏居北平的十年間，正是黃賓虹著述最豐、作畫最多的時期，此時著述、書畫款多署『予向』。

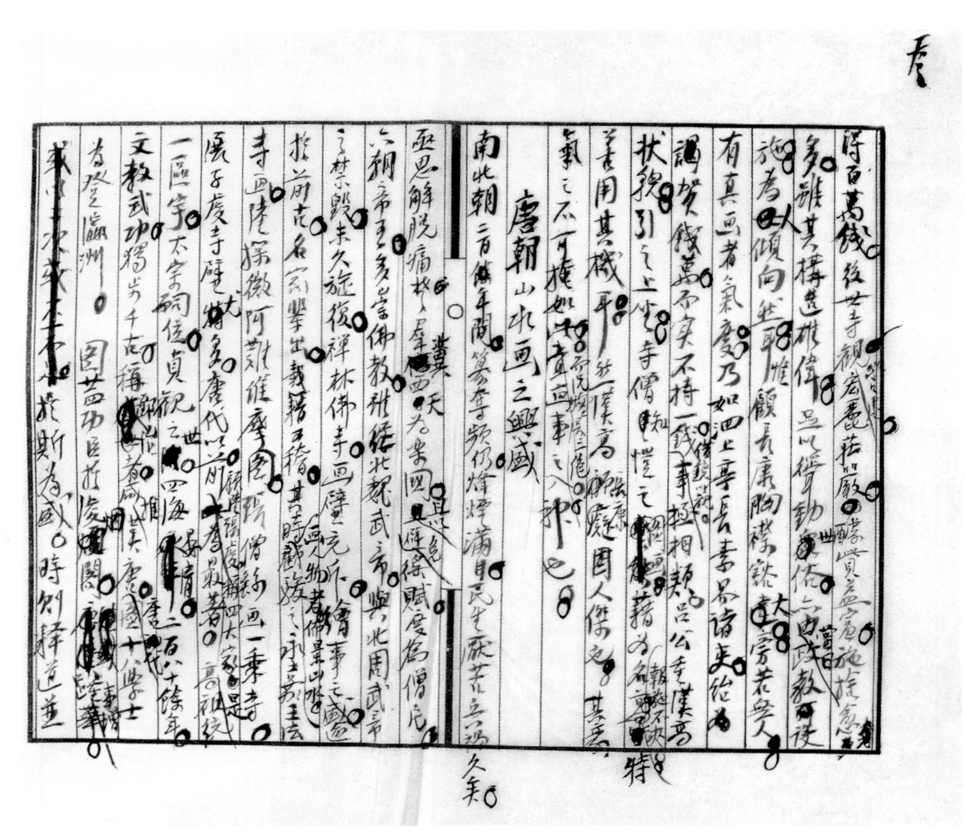

黃賓虹撰《壁畫偶讀》手稿。本文一九三九年載于《中國文藝》創刊號，署名予向。

公元一九四〇年　民國二十九年　庚辰　七十七歲　在北平。

一月，先生將舊作《醫無閭山摩崖巨手之書畫》一文，并新撰《畫談》《龍鳳印談》《庚辰降生之書畫家》《漸江大師事迹軼聞》《周秦印談》《釋儺》等文，署名予向，分期發表于北平出版之《中和月刊》第一卷一至十二期。其中《畫談》一文分二次刊于月刊，主要論述五種筆法和七種墨法及章法因創之大旨。此文歷來爲學者所重視。

七月，聞弟子汪采白卒于歙，大慟。里人有『采白亭』之建，先生爲題『雲海英光』四字。嘗爲唐天如作山水卷册題云：『余近十餘年來瀏覽山水歸，多求觀宋元名畫，以會其趣，喜而有得，圖之卷册。』

致友人吴仲坰，有云：『賤軀目眚臂酸，漸入老景，按日作畫時間，每晨只能一二小時。』

八月，先生與黃居素書：『昨芝加哥畫學教授德里斯珂君來函，極注意中國明代遺民作品，最重簡筆山水，可爲知言。』

夏，爲翁紉秋作《山居清話圖卷》《松籟閣圖卷》。

秋，爲黃居素作《黃山寫生册》十二幀。

冬，作《擬李晞古寫蜀中山景》，題云：『李晞古長夏江寺卷，全用董、巨筆意，而稍變其丘壑。余擬以寫蜀中山景。』

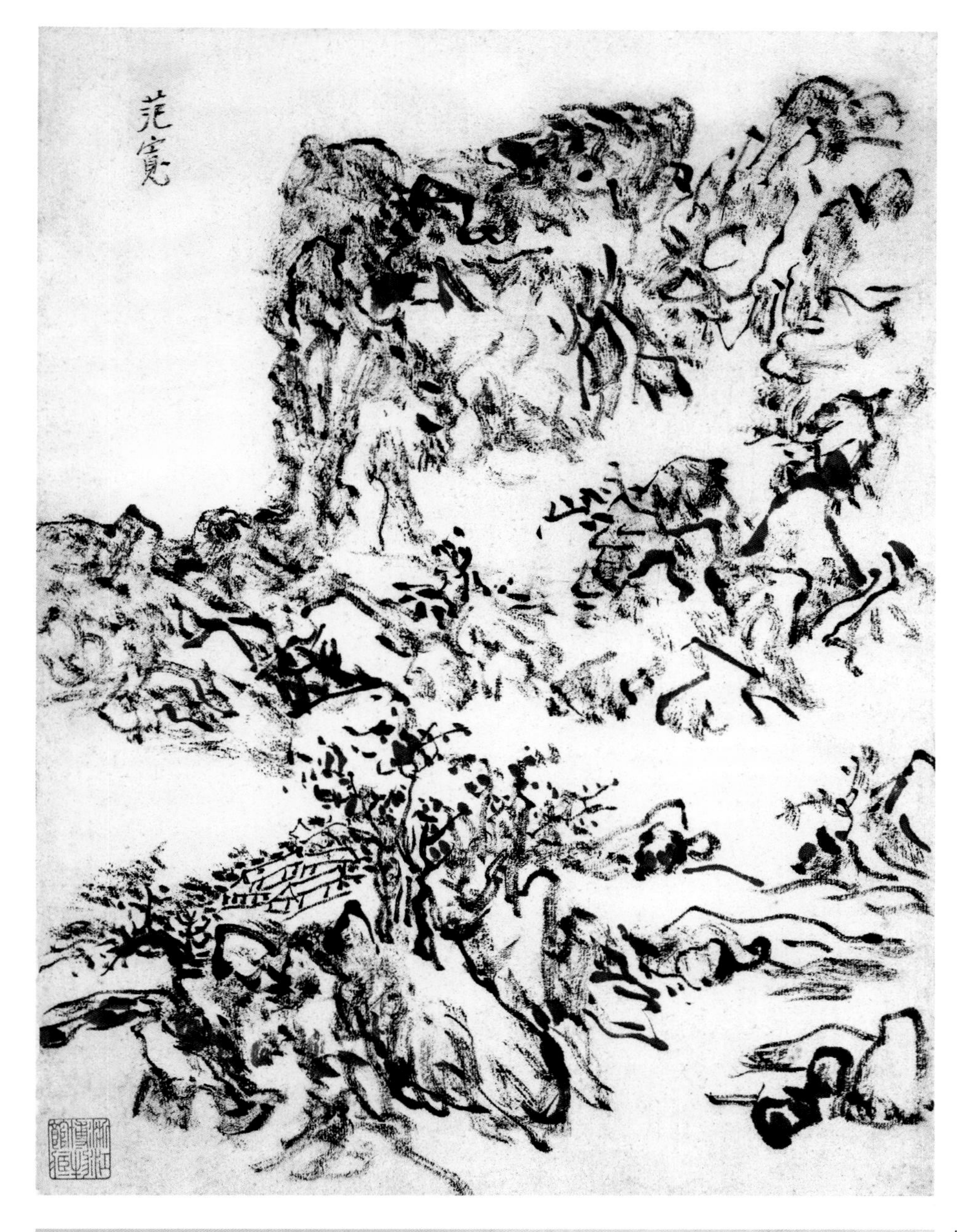

黃賓虹在北平時期，臨習大量古人畫迹，從中深諳傳統中國繪畫所獨有的觀察與表達自然的理念與方法。此爲黃賓虹臨范寬、李成畫稿。浙江省博物館藏。

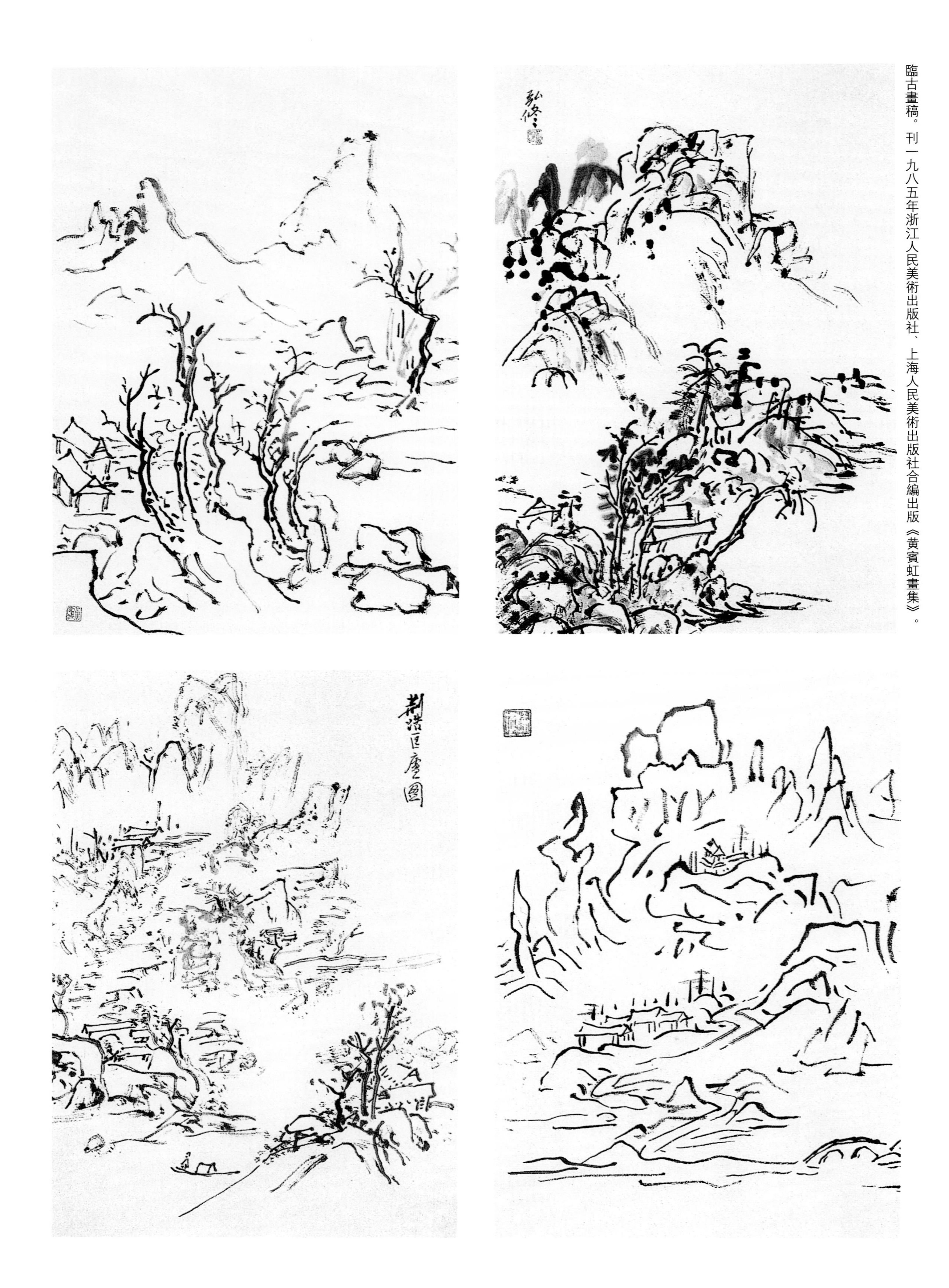

臨古畫稿。刊一九八五年浙江人民美術出版社、上海人民美術出版社合編出版《黃賓虹畫集》。

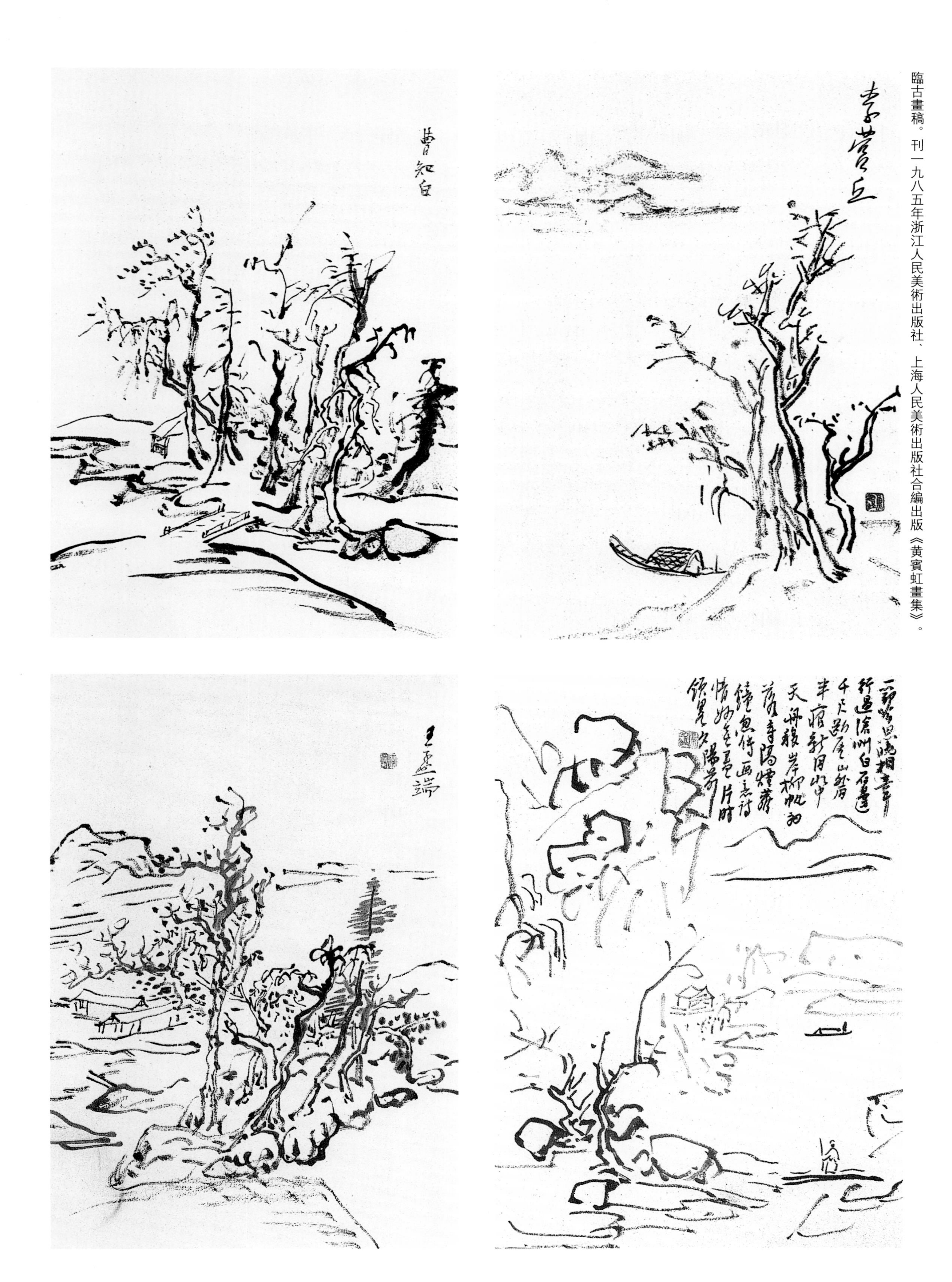

臨古畫稿。刊一九八五年浙江人民美術出版社、上海人民美術出版社合編出版《黃賓虹畫集》。

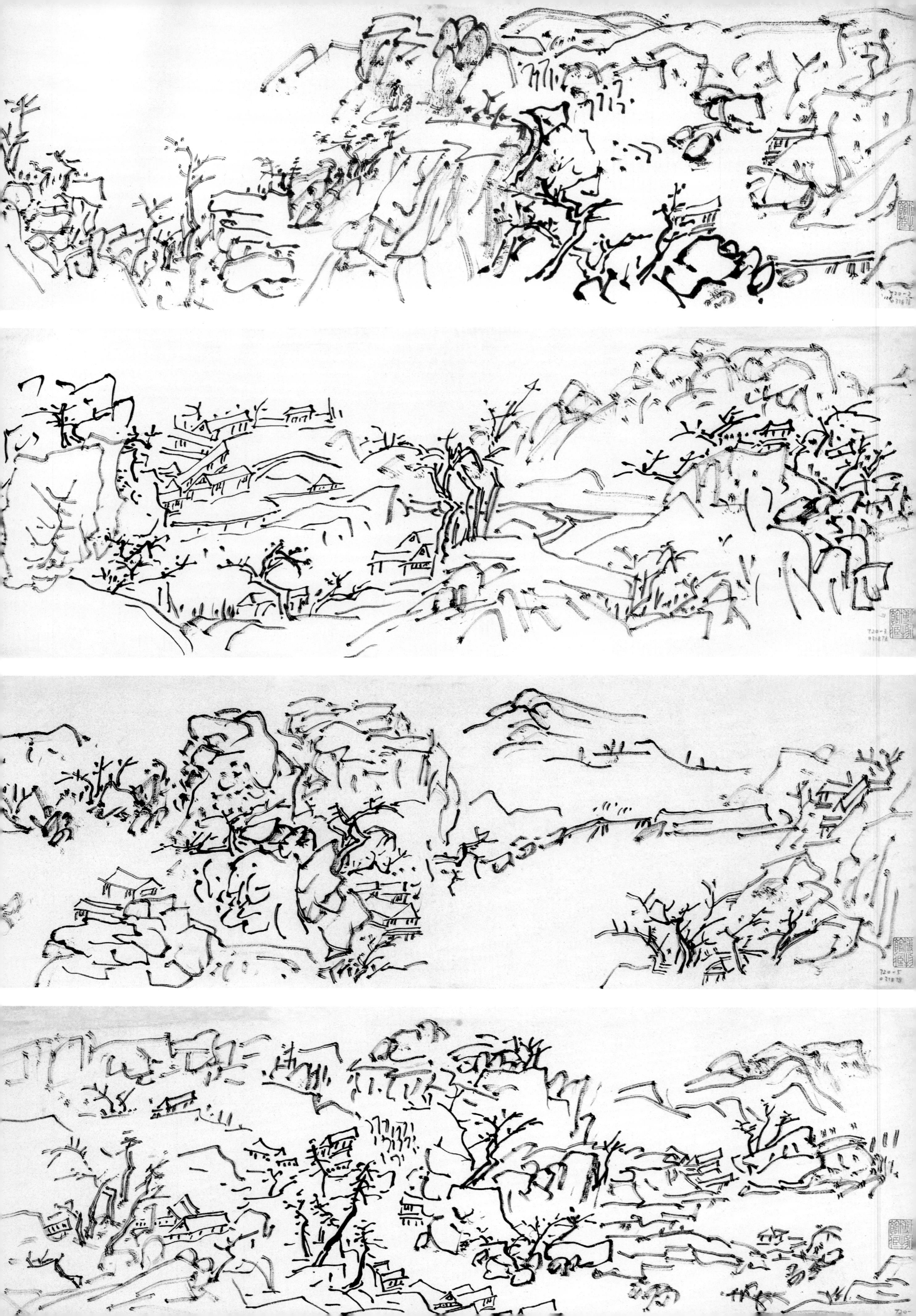

仿倪雲林畫稿。浙江省博物館藏。

臨黃公望畫稿。浙江省博物館藏。

黃山予向

黃賓虹　攝于二十世紀四十年代。

公元一九四一年　民國三十年　辛巳　七十八歲　在北平。

一月，爲陳叔通補繪《聽園校書圖》。

按聽園爲浙江官書局故址，李越縵（慈銘）與叔通尊人藍洲先生同事校讎，爲題《聽園校書圖》五律，時在同治丁卯（一八六七），圖佚，叔通因乞先生補繪。

同月，因高燮囑繪《風雨勘詩圖》。

四月，佛教學者周叔迦創辦華北居士林佛畫研究班，聘先生和卜懷萱任顧問導師。

六月，墨筆山水作品參展中國畫學研究會在中山公園舉行的第十八屆成績展。

七月，與夏劍丞、羅復戡、黃公渚等組織消夏畫社，作品展出于北海靜心齋。

撰《陽識象形商受觶説》《釋綏》《古印文字證》等文，發表于《中和月刊》二月至七月號，筆名『予向』。

夏，爲黃居素作花鳥圖軸。

九月八日，先生參加古物陳列所國畫研究院第一屆學員畢業師生合影，教員有于非闇等，學員有田世光、晏少翔、郭味蕖、陸鴻年、張其翼等數十人。

十月，爲黃居素題石濤畫册：『夫善畫者，築基于筆，建勛于墨，而能使筆墨變化于無窮者，在蘸水耳。米海岳水墨雲山，觀其烟巒明滅，處處是筆。後人摹擬，便落痕迹，惟元之吴仲圭、明之徐天池筆墨兼到，克臻化境，清湘老人繼起，可稱鼎足而立。此册渲淡入雅，興會淋漓，得有「丹青隱墨墨隱水」之妙，其以筆勝也，可弗寶諸？』

冬，爲陸元同撰《釋石谿事迹彙編》作序，署名『黃山予向』。次年發表于《中和月刊》。

是年先生被日軍逮捕，不久釋回。

按瞿兑之言：『賓虹在北平淪陷時期被日軍逮捕，原因不明，恐與南方人時有通訊之故。幸未拘押過夜，審問時間則甚長。賓虹告余，以年高得面包兩枚充饑，旋即釋放回家。』段無染《虹廬受學札記》云：『壬午春，傳言先生在燕，偶携愛犬及古畫二軸，乘人力車他往，中途遇一外籍無賴將車攔住，强奪先生所携犬。先生與之理論，被無賴迫至巡警閣子（北京人舊稱警察派出所），巡警不問緣由，竟將先生强留所中。愛犬爲無賴劫去。二畫遺留車中，不知去向。先生三月二十八日函云：承詢去臘途中被劫事，近案已破獲，失物盡去，亦見行路之難也。』上二説，宋若嬰夫人云：『實爲一事。』

函福建弟子黃羲，内言：『風雨摧殘，繁英秀萼亦不因之消歇。』

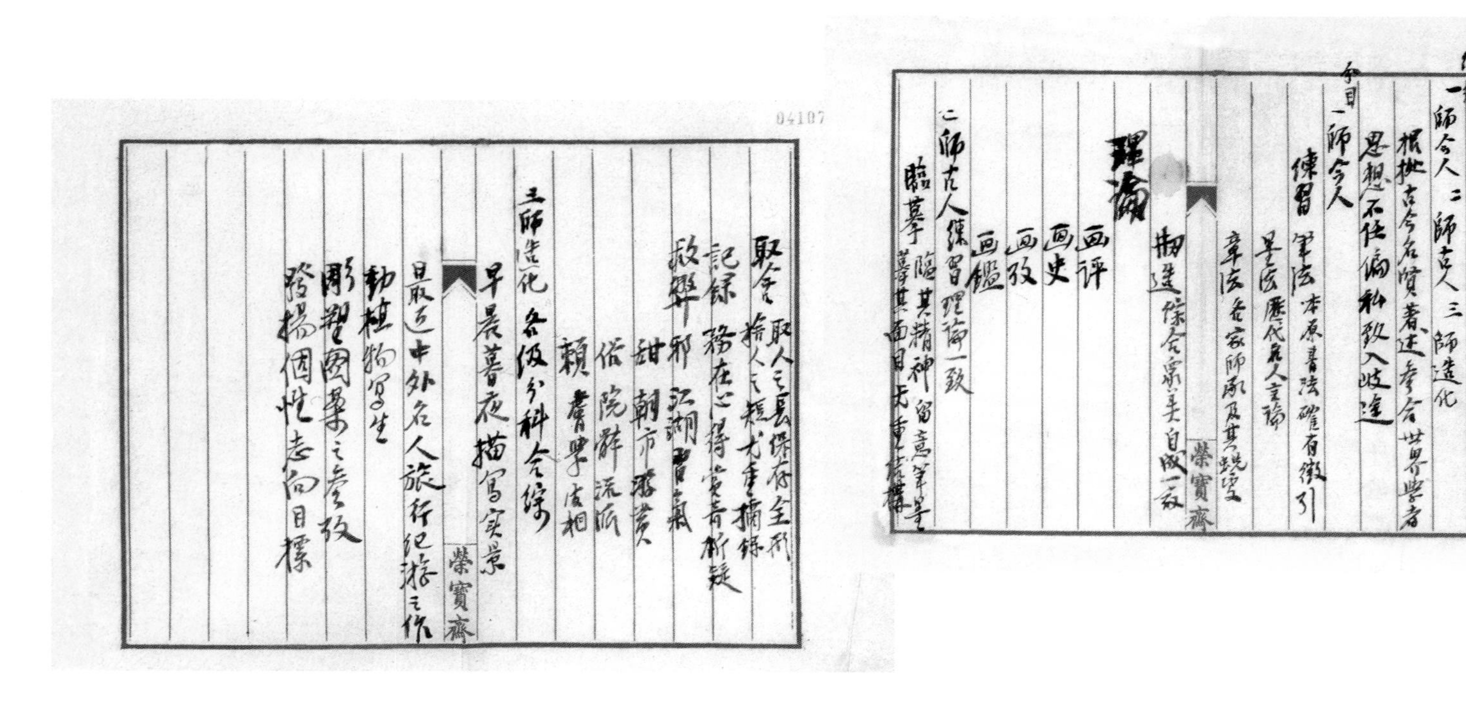

國畫教授方針及分年法之意見講義。

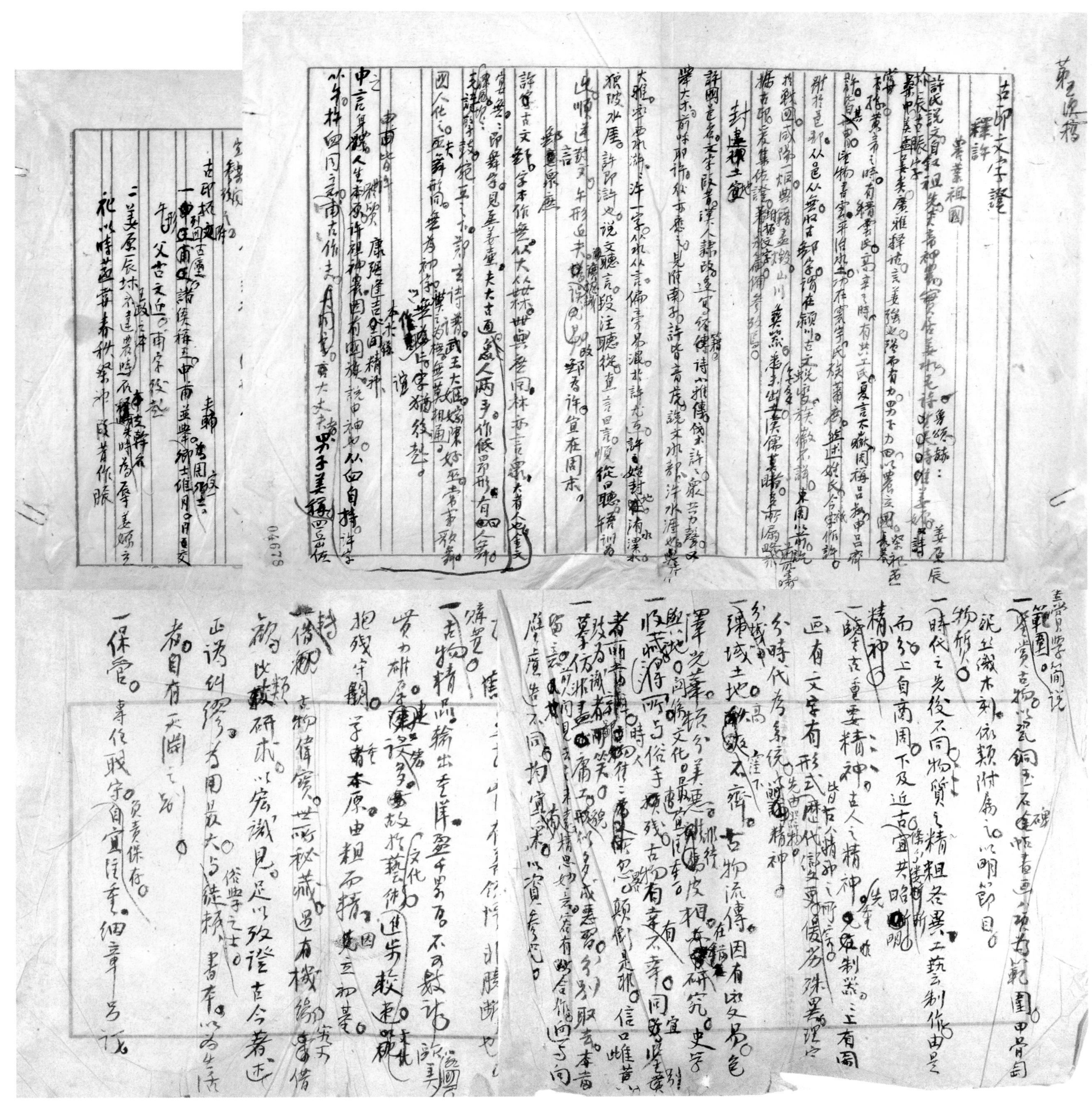

黃賓虹撰《古印文字證》第五次修改稿，載于一九四一年《中和月刊》。

黃賓虹撰《鑒賞學簡説》手稿。

一九四一年九月八日，北平古物陳列所國畫研究院第一屆畢業時師生合影。（中間前排左起第二人爲黃賓虹）

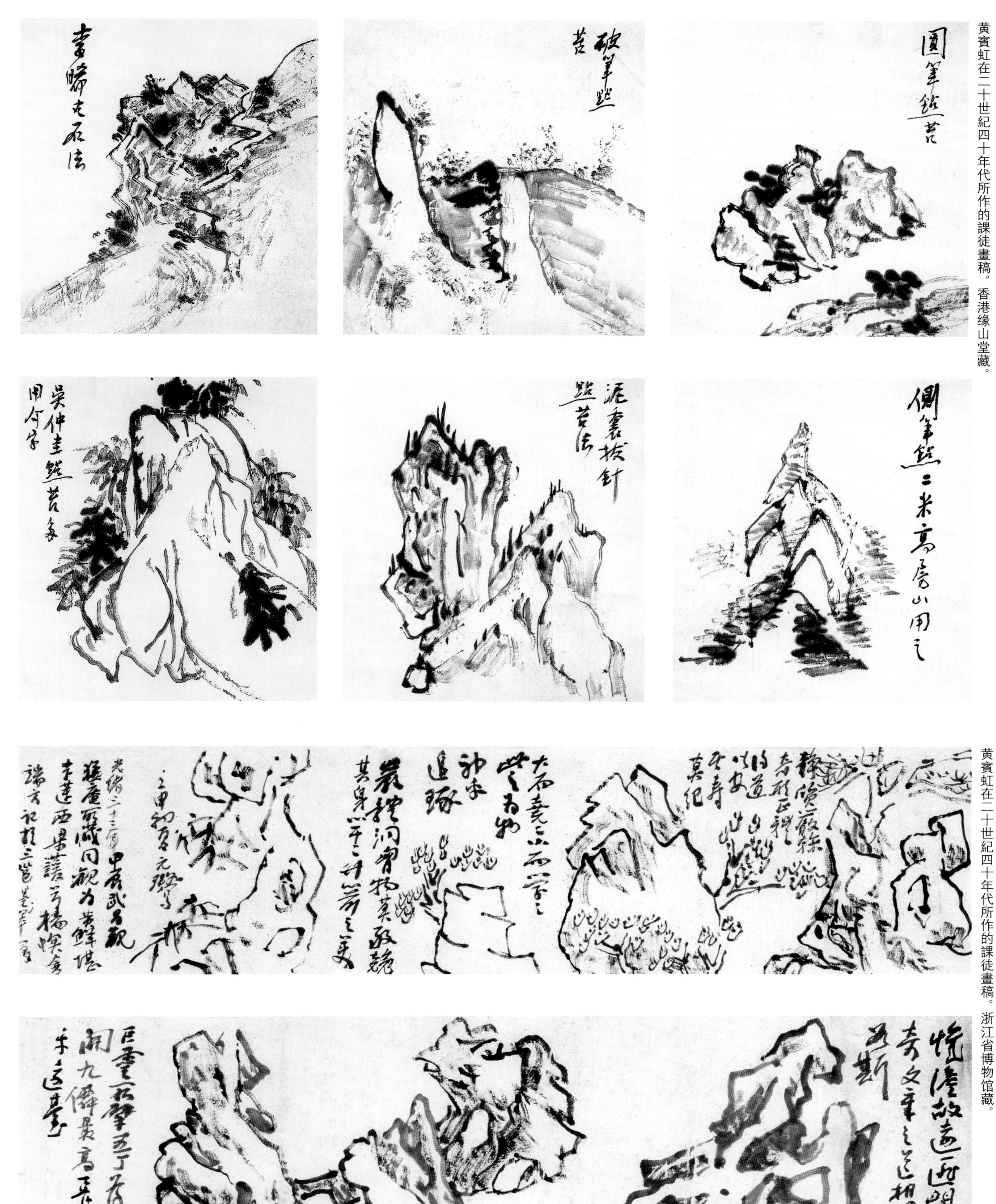

黃賓虹在二十世紀四十年代所作的課徒畫稿。香港缘山堂藏。

黃賓虹在二十世紀四十年代所作的課徒畫稿。浙江省博物馆藏。

伏居北平時期，黃賓虹目擊時艱，但他畫的乃是南國風物，以作畫寄托對故土之思情。這是黃賓虹爲弟子顧飛作池陽山水冊頁十二幀中之兩幅。

公元一九四二年　民國三十一年　壬午　七十九歲　在北平。

函友人言：『北平不可久居，南返之念，無時或釋。』又言：『擬出讓所藏部分書籍，作移居計。』

二月，汪采白遺作展覽會在王府井頤園飯莊開幕。先生與友人刊登啓事發起，又與齊白石、陳半丁、蕭謙中、瞿兑之、周養庵、吳鏡汀、王雪濤諸畫友捐贈作品展覽出售，所得款項皆匯汪君之父，以緩老幼燃眉之急。

春，展讀陳春帆丁丑所作《家慶圖》賦詩志感。詩曰：『衛蘧進德樂知非，庭韶般般勖紹衣。山色金華今不改，佩觿舞勺戀春暉。』『屈指明正我八旬，夢談哀樂憶前塵。陳翁留駐韶華筆，六十六年圖畫新。』

作水墨山水《寫李空同詩意圖》：『空亭無一事，竟日看泉坐。日落江雲生，忘泉亦忘我。』寄黃公渚。

四月，雪盧畫社在中山公園舉辦畫展，展出作品數百件，先生特爲文介紹。

按雪盧畫社由晏少翔、鍾質夫、季觀之于一九三八年創辦，曾延先生講學，每周一次，講義用《中國畫史馨香録》。

本年曾致函朱硯英，有對時局看法：『壞劫非人力可挽，委心任運，務以達觀。古今賢者莫不皆然。當此狂風暴雨中過去，自有晴霽之望。』

擬李檀園筆意作水墨山水。

繪没骨山水屏幅，題云：『董玄宰仿張僧繇作没骨山水，余就友人丹青偶爲之。』款署『予向』。

爲翁紉秋作《碧山草堂圖卷》。

爲談月色輯蔡哲夫《寒瓊遺稿》作序。

黃賓虹致顧飛書。

《筆法圖》。

一九四二年黃賓虹作《筆法圖》一幀寄顧飛，并于信中説：『女棣深造畫理，請先究筆法，附《筆法圖》，并拙畫，可細按之，要使無一弱筆。』五年之後，黃賓虹又在圖上加題『畫法簡言，隅舉三反可耳』數字。

一九四三年冬，『黄賓虹先生八秩書畫展』在滬寧波同鄉會開幕。廣告在展覽期間刊登上海《新聞報》《申報》，署名的有：張元濟、陳叔通、鄧實、王秋湄等。

公元一九四三年　民國三十二年　癸未　八十歲　在北平。

八十壽，海内外友好函電馳賀。齊白石作《蟠桃圖》賀壽，文藝界亦多以詩畫郵祝。

撰《八十自叙》及《八十感言》詩寄陳叔通及諸友好。

按先生《八十自叙》，文長約千五百言，末云：『近伏居燕市將十年，謝絶酬應，惟于故紙堆中與蠹魚争生活，書籍金石字畫竟日不釋手。有索觀拙畫者，出平日所作紀游畫稿以視之，多至萬餘頁，悉草草勾勒于粗麻紙上，不加皴染。見者莫不駭余之勤勞而嗤其迂陋，略一繙覽即弃去。亦有人來索畫，經年不一應，知其收藏有名迹者，得一寓目乃贈之 。于遠道函索者，擇其人而與，不惜也。』

北京友人傅沅叔、郭嘯麓、瞿兑之、黄公渚等數十人，分别在北海及東四十二條蟄園設宴爲先生稱觴。

作《蜀山山水册頁》十二幀，寄贈傅雷。

五月二十五日，傅雷因通過表親顧飛獲先生作品，寄函致謝。函中寫道：『八年前在海粟家曾接謦欬，每以未得暢領教益爲憾。猶憶大作峨嵋寫生十餘横幅陳列美專，印象歷歷，至今未嘗去懷。此歲常在舍戚默飛處，獲悉先生論畫高見，尤爲心折，不獨吾國古法賴以復光，即西洋近代畫理亦可互相參證，不爽毫厘，所恨舉世滔滔，乏人理會，更遑論見諸實行矣。』

六月四日，先生復函：『頃誦教言，過承獎借，領及畫潤，彌覺增慚。滬濵晤後，僕擬游終南太白，旋以阻兵不果，蜷伏舊京，零縑殘楮中時見古人真迹，因循度日。嘗悟筆墨精神千古不變，章法面目刻刻翻新，所謂師古人不若師造化，造化無窮，取之不盡。』

六月中旬復函中曰：『比居滬上，得見名畫較夥，因師造化，一意游山，兩至桂省，經灕潯諸江山水，探其奇奥；再登峨嵋至青城留年餘。旅滬三十年，而游山之日居多，未嘗有一日之間斷于作畫，自信好之之篤耳。然觀古名畫，必勾其丘壑輪廓，至于設色皴法，不甚留意。當游山時，途中飆輪之迅，即以勾古畫法爲之，寫其實景 。因悟有古人之法，以寫實而得實中之虚；否則實而又實，非窒礙阻隔不可。由此每年所積臨古寫實兩種畫稿，已不止于三擔，從不視人；有索觀者强而出之，見者輒避去不復談，而鄙人不自暇逸也。』一直到先生逝世，兩人交往通信不絶。

舉辦上海畫展前，先生寫信給裘柱常、顧飛，信中以中國畫的筆墨精神作爲個人繪畫的宗旨：『鄙意以爲畫家千古以來，面目常變，而精神不變。因即平時搜集元明人真迹，悟到筆墨精神。中國畫法，完全從書法文字而來，非江湖朝市俗客所可貌似。鄙人研究數十年，宜與人觀覽。至毁譽可由人，而操守自堅，不入歧途，斯可爲畫事精神留一曙光也。』

十一月十九日至二十三日，上海傅雷、裘柱常、顧飛發起，由張菊生、陳叔通、李拔可、王秋湄、鄧秋枚、高吹萬、馬公愚、徐端甫、秦更年、闞春草、鮑扶九、吴仲坰等聯名，在上海寧波同鄉會舉辦『黄賓虹先生八秩誕辰書畫展覽會』。并印《黄賓虹先生山水畫册》及《黄賓虹書畫展特刊》，遥祝先生壽誕。陳叔通、鄧秋枚、高吹萬、秦更年、徐端甫等俱有詩文。女弟子顧飛輯先生畫論爲《論畫鱗爪》載于《特刊》。傅雷主持展覽事務，出力尤多，又在《特刊》中發表《觀畫答客問》一文。傅雷論畫，深得先生贊許，遂爲忘年之交。先生致女弟子朱硯英函云：『鄙人慨畫學少人研究，已二百餘年矣。今得渠所論畫，頗有見解，以爲知己。』

按先生平生從未舉辦個人畫展，此係第一次，亦係應友好之請，非出先生主動。畫册由秦更年作序，上海鑒真社承印。

弟子段無染郵贈《丹徒柳氏復印書籍七種》，祝先生壽，先生以畫册答謝。

南方嘗發現先生贋作，先生致段無染函云：『南方且有冒賤名贋作及收藏獲高價者，敝藏書畫從不蓋印，有題跋亦視其未經前人所道者，偶爲之。』

撰《垢道人軼事》《畫家軼事》等文，載《中和月刊》三月至四月號，筆名『予向』。

秋，作《黄山圖》，郵賀許承堯七十壽，題詩云：『崖懸百級梯，高瞰白雲低。矯健松千尺，黄山壽與齊。』

冬，爲翁紉秋作《萬松巒翠圖卷》。

與女弟子顧飛書：『前數年多學北宋，近思參以唐法，而以元人爲歸。』

本年，北平藝專日本主持人伊東哲委托學校二位先生出面，提出讓先生舉辦畫展和八十歲祝壽儀式，均被先生婉言謝絶，并不參加任何儀式。

甲子冬乙丑年元日生

黃賓虹《自叙》手稿。

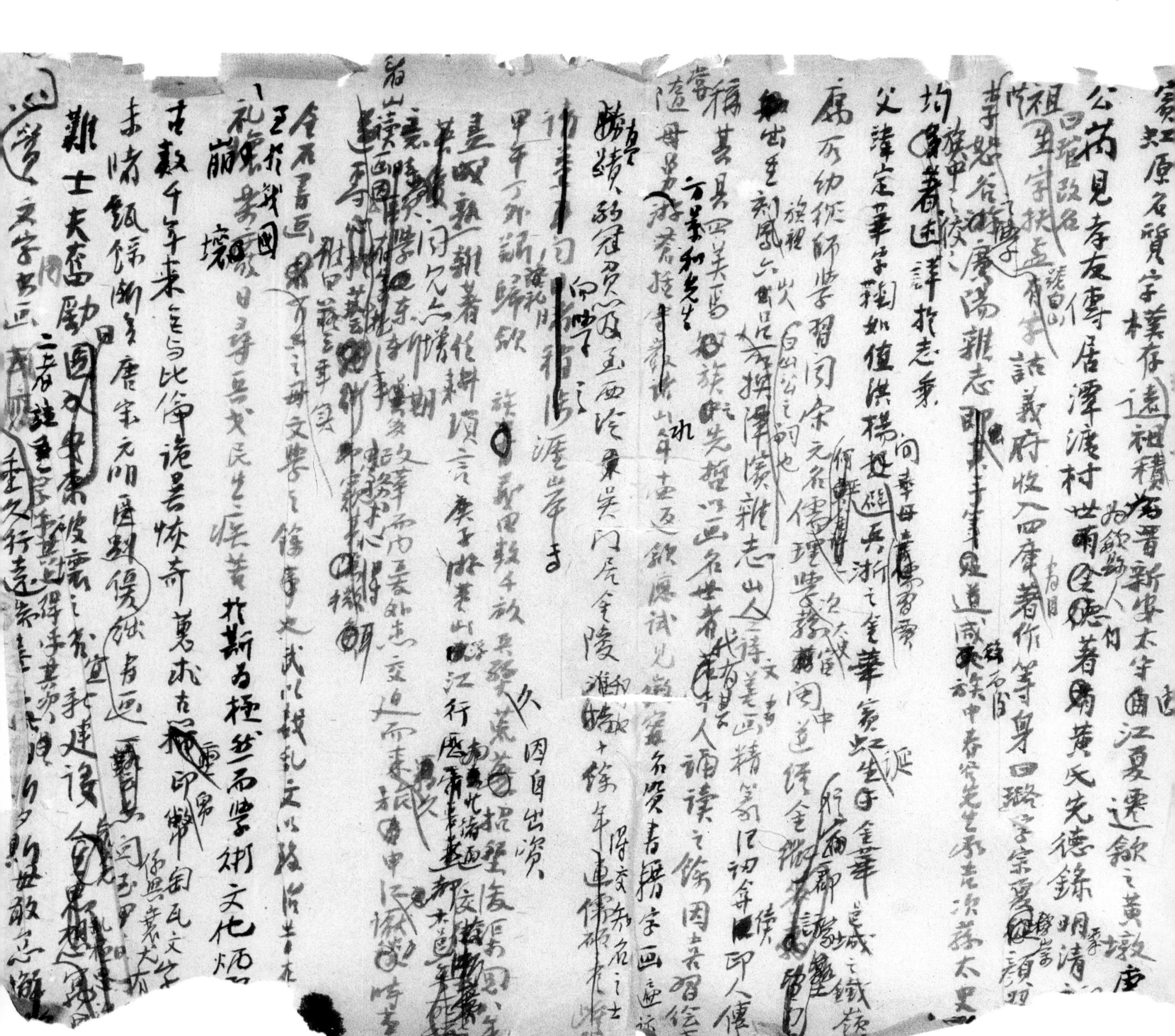

一九四三年上海舉辦黃賓虹平生第一次個人書畫展前夕致弟子顧飛書。

《東坡詩意》與《賈島詩意》二圖均爲黃賓虹在北平時期的作品。刊一九八五年浙江人民美術出版社、上海人民美術出版社合編出版《黃賓虹畫集》。

黃賓虹蟄伏北平年間，所書篆籀數量最多，許多饋贈友人的楹聯都在這個時期所寫。這一時期字形結體略有動勢，外柔内剛，可爲他篆書成熟的特徵。

黄賓虹自刻閑章「冰上鴻飛館」

公元一九四四年　民國三十三年　甲申　八十一歲　在北平。

一月二十五日春節，游廠肆，得孫子大竹册，仿大蘇，至可喜。夜作畫酬學校同人。因本月藝專同人劉凌滄、劉玉初、朱德甫、邱石冥、趙夢珠、黄均等曾在中山公園爲先生作壽畫畫。

春，在東單目睹日軍結隊新華門前，甚憤。歸作《黍離圖》，題詩云：「太虚蠓蠛幾經過，瞥眼桑田海又波。玉黍離離舊宫闕，不堪斜照伴銅駝。」

作畫嘗用濃墨，有人驚爲「黑墨一團」，先生自謙功夫尚未做到。高吹萬寄詩有句云：「方今畫匠徒紛紛，隨波頼媚風斯下。世人愛甜每憎辣，先生之畫俗駭怕。」許承堯題畫亦云：「潭上多畫家，賓虹最後起。地靈發妙悟，邈然得其理。」

按林北雲（辛平）題先生畫云：「賓虹先生早年畫多作淺絳山水，低巒錯落，不以突兀峻拔取勝。七十以後，作風一變，濃墨巨嶂如積鐵，米老《畫史》謂范寬晚年用墨多土石不分，殆爲似之。茅康伯繪妙云，范寬之筆，遠望不離坐外。以是知水墨畫可與油畫相通者，油畫有遠觀，范寬用墨，土石不分，亦惟遠而望之，乃得其趣耳。賓虹晚年畫，即用油畫法，最近用青緑與濃墨相襯托，彌見精彩。」宋文治題先生山水有云：「賓老用筆豪而有韵，曲折多姿，能從實處見精神，劃沙拆壁之遺，王孟津後三百年來一人而已。」按先生平生僅言畫理中西一致，絕未提及油畫技術，平生所見油畫亦不多，以上云云爲評家以先生作品與油畫比較而言。

爲高燮作《閑閑山莊圖》。

五月，爲姚光作《懷舊樓校書圖》。

六月十六日、二十三日，先生以筆名予向撰《畫學臆談》分二次載。

七月七日，致傅雷函：「昔大痴自謂五百年後當有知音，梅道人門可羅雀，而自信己畫在盛子昭之上；倪雲林謂其所作畫，懸之市中，未必能售。古代且然，今以拙筆，幸得大雅品題，知己之感，爲古人所難，而鄙人幸邀之。非特私心竊喜，直可爲中國藝事大有發展之慶也。」

七月十四日，署名予向在《華北新報》載《書法臆談·總論》一文。

八月，應《華北新報》約稿而撰《改良國畫問題之檢討》，刊出。

夏，爲郭味蕖編《宋元明清書畫家年表》作序。

十月二十五日，重九畫《風雨樓圖》贈鄧秋枚先生，題一絕：「風雨綮清夢，瀟瀟又值秋。還期江上棹，重訪讀書樓。」身在北平，心在南方。

擬董巨二米大意設色大幅山水，題「山静似太古，日長如小年」。

十一月，古物陳列所國畫研究院師生畫展在中山公園水榭展出，先生作品參展。

公元一九四五年　民國三十四年　乙酉　八十二歲　在北平。

一月一日元旦，訂《虹廬潤例》：「堂幅、屏幅，每方尺二百元。扇面、手卷、册頁，按方尺計。設色、雙款加倍。題跋、點格另議。潤資先惠，立索不應。」

八月，抗戰勝利，日本無條件投降，聞訊至爲振奮，作畫特多。

先生有畫稿《黄河冰封圖》，畫長二米，稿已成。消息傳來時，興奮异常，説：「黄河解凍，來日再寫黄河清。」致函友人，説自己「無异脱階下之囚」，自刻閑章「冰上鴻飛館」。

本年，檢寄陽朔山水十二幀贈陳叔通，另小幅題詩云：「胸儲充棟書，看山理舟楫。知己望天涯，數點霜紅葉。」

致友人函有言：「老且病，不能拔身歸黄山爲恨耳。」

致女弟子朱硯英函：「鄙人近十年見古畫不啻數萬軸，專心于此，不乏酬應，而練習未有一日之間斷也。」

致傅雷函云：「拙筆所存舊作，以法北宋爲多，黝黑而繁，近習歐畫者頗多喜之。然中國畫，仍當以元人爲極則。惟明人太剛，清代太柔，皆因未從北宋築基也。此後有純用綫條之拙筆一種，當奉教。竊以爲可成個人面目或在此，尚未取信。」

在北平期間，黄賓虹與朋友的通信中開始談及花卉畫的内容。此後，花鳥畫一直成爲他創作的一個方面。這幅一九四五年作的《芍藥圖》上有郭則澐、壽石工、張伯駒等八家題跋，可見當時黄賓虹的花卉畫已具自己獨特的面目。

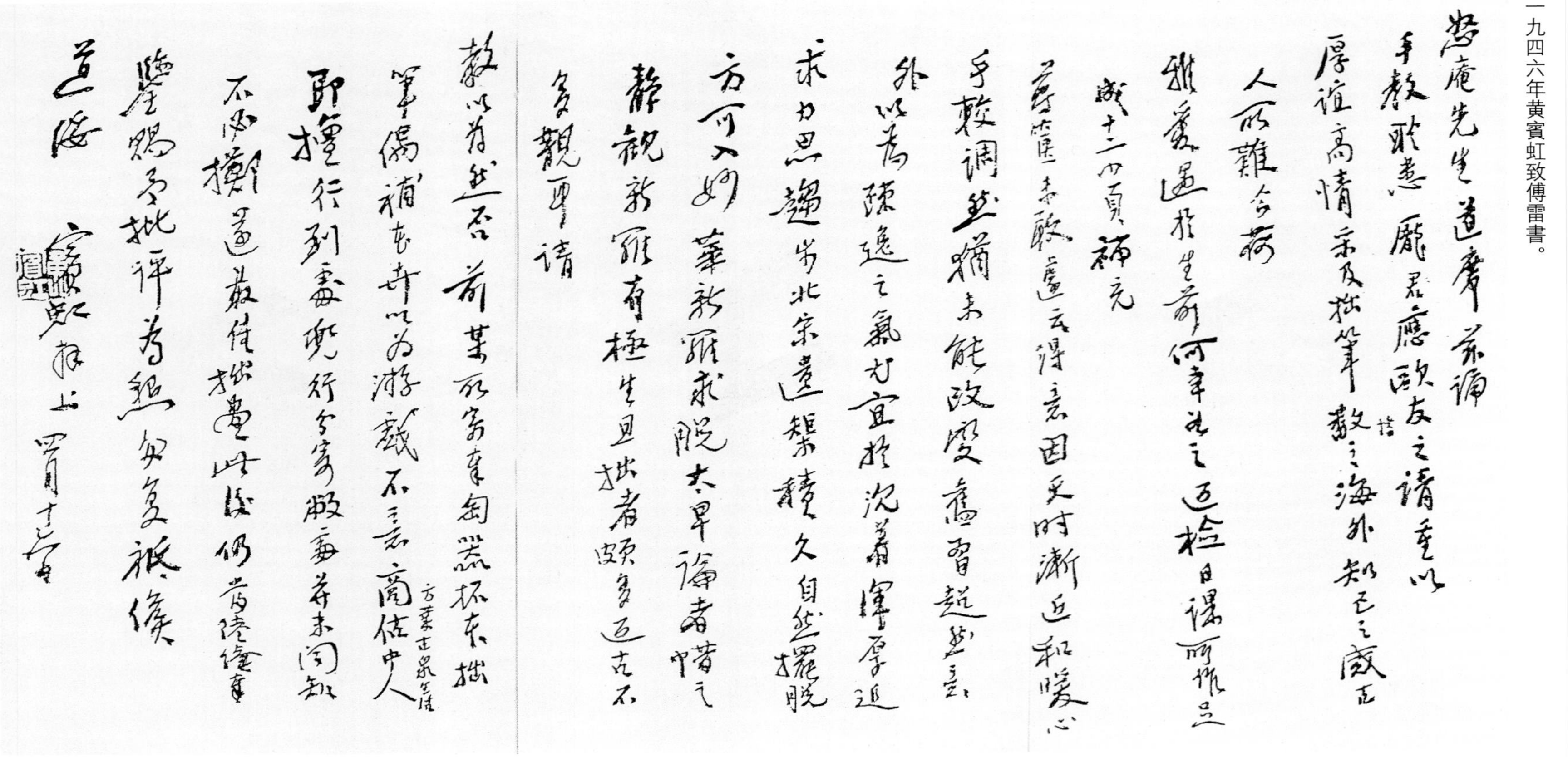

一九四六年黃賓虹致傅雷書。

公元一九四六年　民國三十五年　丙戌　八十三歲　在北平。

三月十二日，參加在中山公園召開的故都文物研究會成立大會，會後與齊白石、溥心畬、陳半丁、胡佩衡等合影留念。

五月，爲黃居素作《海印庵圖卷》。

六月，爲孫會元先生宣和齋作《萱花百合圖》。

七月六日，許承堯在歙縣唐模村病逝，享年七十三歲。先生『聞之不勝悲悼，擬爲誄詞，舉筆沮喪，竟不成篇』，撰《許君承堯誄辭》曰：『嗚呼哀哉！南朔音書，歡言甫迖，離悰十載，聚首無期，感遇知音，愴懷永逝，雲天望極，涕泪潸然。』九日，胡樸安在上海病逝。

八月，徐悲鴻接任國立北平藝術專科學校校長，仍聘先生爲教授。全國學生發動抗議美軍暴行運動，北平藝專學生訪問各校教授，先生云：『吾國文明，不能容忍非文明之行爲發生。』

九月，遷居石駙馬胡同七號至後宅乙三十五號。此時又『欲圖南返，道路中阻，遲遲未卜何日也』。

北平故都文物研究會推先生爲美術館長，堅辭未就。先生給弟子朱硯英書：『北平有一故都文物研究會，由張巡撫使繼、張委員畏蒼領銜。由會員推鄙人爲美術館館長，意不欲就。』

十一月十三日至十九日，齊白石、溥心畬先生畫展在上海西藏路四百八十號寧波同鄉會公展。先生有幾幅山水作品參展。有施翀鵬者，觀後在次年《藝術論壇》創刊號藝術論專號上發表《略有瑕疵的黃賓虹》一文，認爲：『這次附在齊白石畫展中幾幅山水，更覺一團漆黑，毫無層次。我真不懂賓虹先生爲什麼有如此作風？』施氏時爲上海市美術館籌備主任。

本年，齊白石曾來會，暢談畫理、書法。

冬，李可染得識先生，學畫山水。

作《松濤圖》（香港包君藏）。

賓虹吾師大人座右：敬啟者，
福係[illegible]為慰，去年冬日函述
[illegible]二漸，并畫畫大小四五紙，請
示以，其中[illegible]天外飛來，無間別
十餘年者，[illegible]一旦向[illegible]
手教，其快慰為何如，惟以事遠
出，歷久至今未能奉覆，罪甚罪甚。
近以師近況，眼力可恢復乎？[illegible]
宋人[illegible]以後[illegible]的人[illegible]
王孟津，可以此三個[illegible]子，未足与論
也。晚年功力，獨能精進，甚自慚愧。
來諸名公對
師作品，皆謂絕出新安，而吳[illegible]
治乃為確論，[illegible]自遠[illegible]
後於古人筆墨[illegible]實[illegible]
所觀多[illegible]以來[illegible]
[illegible]乃係今時之士大夫家，說師飽
覽[illegible]慚逮遠不能一
一与
師印證之也。今秋雙十節政府開
辦全國美展，以[illegible]
師能為之否？以人擬作三件參
加，并欲請
師加題數語，以光篇幅，寫成當
寄上也。前有紙若干，兒昌午粗
[illegible]用功甚淺。近年來業[illegible]
少部擬考浙江國立藝術專
校，鄭午昌先生擔任國畫教
校啟
師与伊交誼甚切，伏祈賜函介紹
之一通，代為詢說，則便利多矣。
[illegible]杭州外西湖國立藝專
[illegible]考期在即，務祈先函為
薦，不勝感禱。
師母暨師弟均請代道吾意[illegible]
[illegible]日前居滬上，於寓居樓上曾
一度謀師未談，遂不果，日月如
之已十數年，於荒[illegible]
不復想像，每人生如此，實不可
畏。又昔年拙作山水數幅一部
敬乞
師審定，今稿[illegible]仍存在
否？倘未曾[illegible]，煩与友人[illegible]
臨面時交伊帶下，或由其他[illegible]
[illegible]交下，尤為感禱。
專此 請
福安
晚 林散之 敬上 十五日
附午兒小畫三紙呈閱，并祈批示為盼。
此畫乃其生寫稿
再，友人[illegible]
精[illegible]出入石濤八大之間，江上[illegible]
[illegible]
吾師[illegible]
師[illegible]
為求之[illegible]
散又及

林散之致黃賓虹書。

賓虹老先生道席：頃奉
教言並扇冊，屢蒙厚貺，愧何以當！
題詞獎飾逾分，尤增惶悚。近年
尊製筆勢愈雄健奔放，而溫婉
細膩者亦常有精彩表見，得心應
手，超然象外。吾
公其化入南華妙境矣！規矩方圓，擺
脫淨盡，而渾樸天成，另有自家氣
度。即以皴法而論，截長補短，融諸家
于一爐，吾
公非特當世無兩，求諸
古人亦渺絕無僅有。至用墨之妙，
二米、房山之後，吾
公豈讓仲圭？即
設色敷彩，素不為
人見所重者，竊以為亦有繼往開
來之造就。此非晚阿私之言，實乃識
者之論。偶見佈局有過實者，或層
次略欠分明者，諒係目力障害或工
作過多，未及覺察所致。因承
下問，用敢直陳狂悖之處，幸
知我者有以諒我。今夏頗躬善病，右
腕略有異狀，月以來每日體溫皆
有增高，醫囑終日臥牀，即讀書作
文亦被禁阻，苦悶殊甚。今日拜觀
前賜畫冊及便面，精神為之一振，病
中快事，莫過于此。草草申謝，敬候
道綏不一
晚 傅雷拜 八月廿六日
地址改為石駙馬
[illegible]是否更動之
件遺失 又叩

北平宣內石駙馬後宅七號
黃賓虹先生
上海呂班路巴黎新村四號傅

一九四六年傅雷致黃賓虹書。

一九四七年冬，在畫家于希寧的畫展上，黃賓虹與北平藝術界同人合影。（前排右四爲黃賓虹，右五爲齊白石）

美術叢書序

是編刋行肇始辛亥竣工癸丑曾未三稔成書百二十册題籤標帙不脛而走者凡數千部逮乙卯再版至今又十餘年攷古名家如珍瑋寶攤泉冷客頻問陳編旣快睹於爭先或殷情於待後雖鍥而弗舍匪辭僕僕從事之勞而座有向隅時抱姗姗來遲之感因鑒於此不獲自己重擬覆印務益求精剡籐拂素品可逾於舶來宋槧聚珍字必方乎善本所以文章煥發蔚爲國華藝事清高符於古趣先民矩矱重不朽於立言後學津梁在無紛於志道苟眞詮之可得忘有筌蹄亦會心之匪遙游均濠濮尙思廣蒐載籍繼軌前塵續爲四編月刋一輯裘綴粹白價重於千金火候純靑鋼成乎百鍊是則雞多食蹠乃知味之彌珍而豹僅窺斑未足語於斯旨也爰述端末謹爲之

美術叢書　序　一　初集第一輯

黃賓虹爲神州國光社出版二十册《美術叢書》作序。

公元一九四七年　民國三十六年　丁亥　八十四歲　在北平。

一月，張大千來北平，與先生會晤，并談及敦煌壁畫有關情況。

爲賀老友高吹萬七十大壽，輯古籀爲金文聯：『華采擇金新鼓鑄，文辭勒石舊盤游。』

春，李可染携畫求教，先生贊其水墨畫《鍾馗》。先生欲以自藏元人《鍾馗打鬼圖》相贈，可染敬辭未受。後，可染回憶：『有一天，黃老叫我去看他的收藏。他的房子周圍都是畫，房子滿了，空間很小。墻上安一個小滑輪，一拉就把畫挂上去了。我看了二天，他問我：「你看這些畫如何？」我説：「看了黃老師的藏畫，很多都不如您畫得好。」他説：「這些畫都是我的朋友，一個人交朋友多，見識才廣。别人有長處，我就吸收。」』（李著《談學山水畫》）

九月，與江振華書：『一幅畫中，非經數十遍點染不能完工，亦非匆促所可動筆，否則浮華輕薄，即不耐久，爲識者所不取。精工不在精細，而在意味，與時人不同耳。』

十一月十日，上海神州國光社出版精裝二十巨册《美術叢書》，共收書畫類爲主著作二百八十五種。係先生與鄧實合編。

十一月十五日，與齊白石等同出席畫家于希寧畫展，并合影。于希寧《回憶》：『一九四七年我在中山公園舉辦個人畫展時，就是賓翁老師觀畫叫我向白石老翁謁拜請教而得以教誨的，特别是「要老老實實做人」的道理和給予畫展的支持，使我終生難忘。我給賓翁老師治了「黃山予向」「賓虹之鉨」兩方小印。』

十二月十八日，王伯敏在黃震寰、錫拉克（印度留學生）陪同下，拜師于虹廬門下。先生將所撰《中國畫學史綱》贈弟子。本年，爲許士騏作《秋江冷艷圖》。爲汪孝文作《聰訓草堂圖》。爲李研山作《快晴閣圖》。

擬董北苑筆意作《設色山水卷》，題云：『董北苑畫沉雄蒼厚，遠觀層次井井，近視可見筆墨遒勁滋潤，兹一擬之。』

擬元人花卉，跋云：『元人寫花卉，筆意簡勁古厚，于理法極嚴密，白陽青藤猶有不逮，兹一擬之。』

據石谷風憶，約在四十年代後期，他從濟南去北平看望先生時，見到一册有正書局珂羅版印製的《温泉銘》。先生説：『那是唐太宗的《温泉銘》，（原件係）伯希和從藏經洞得到的。我一見愛不釋手。唐太宗不愧是千古一帝，氣魄之大，罕有其匹。在他之前，没人敢用行書寫碑，就他敢。其字初看平平，再看看，用筆綿裹藏針，結體長扁欹正，内在的東西很多。葉公綽的字從明阮大鋮而來，潘天壽的字從黃道周而來，我的字從唐太宗來。』（王中秀記録）

黃賓虹致鄭振鐸書。

美術叢書　目錄

初集第一輯目錄

書筏　畫筌　畫訣

樓讀畫集　摹印述　墨經　琴學八則　觀石錄

藝蘭記　履園畫訣　七頌堂詞繹　七頌堂識小錄

初集第二輯目錄

初月樓論書隨筆　雨窗漫筆　麓臺題畫稿　東莊論

畫　裝璜志　端溪硯坑記　玉紀　玉紀補　金

粟詞話　製曲枝語　前塵夢影錄

初集第三輯目錄

書法約言　畫眼　畫訣　冬心畫竹題記　冬心畫

一

神州國光社刊

美術叢書

梅題記　冬心畫馬題記　冬心畫佛題記　冬心自寫真

題記　陽羨名陶錄　窰器說　後觀石錄　勇盧閒

詰　士那補釋　負暄野錄

初集第四輯目錄

鈍吟書要　畫引　二十四畫品　畫友錄　賴古堂

書畫跋　小松圓閣書畫跋　秋水園印說　墨志　笛

律圖注　書影擇錄

初集第五輯目錄

頻羅庵論書　繪事發凡　頻羅庵書畫跋　古銅瓷器

考　論畫絕句　漫堂書畫跋　怪石贊　雪堂墨品

二

漫堂墨品　筆史　秋園雜佩

初集第六輯目錄

臨池管見　畫塵　繪事津梁　楓江漁父小像題詠

書箋　帖箋　畫箋　琴箋　摹印傳燈　石譜

硯錄　瓶史　天壤閣雜記

初集第七輯目錄

臨池心解　學畫淺說　學古編　附三十五舉校勘

記　續三十五舉　再續三十五舉　續三十五舉　端

溪硯石考　享金簿

初集第八輯目錄

美術叢書　目錄

三

神州國光社刊

神州國光社出版精裝二十冊《美術叢書》目錄。

一九四七年，畫家于希寧在向黄賓虹求教過程中，曾手拓賓公所藏秦漢古印五十八枚，賓師一一口釋，于氏據以注記。本書中載録部分藏印，選自于希寧編著《黄賓虹藏秦漢印拾遺》，該書一九九七年由榮寶齋出版社出版。

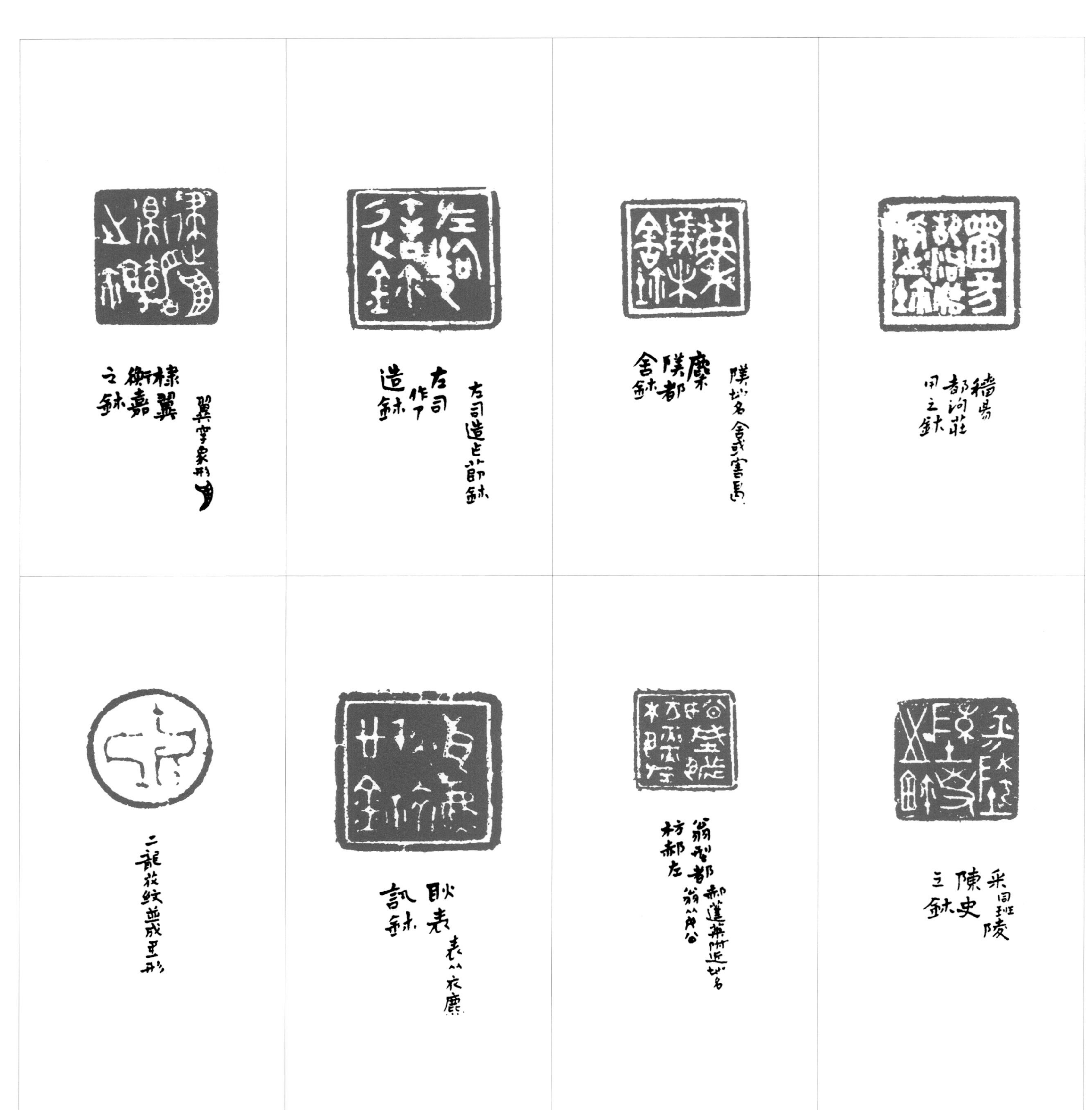

掌卩
为楬
　通用印楬楬卩

外司盧鈢
　墟市や
　司盧官や
　盧武驛盧

窯鈢
　武陵陶州冥禪と
　美人鈢太無聊

安里
之鈢
　里宇斜畫別具風神

酒泉
男章

易
龍栞

南宿
牙鈢
　南宿地名牙交易官や

喬姜
訊鈢
　喬橋用姜或羌

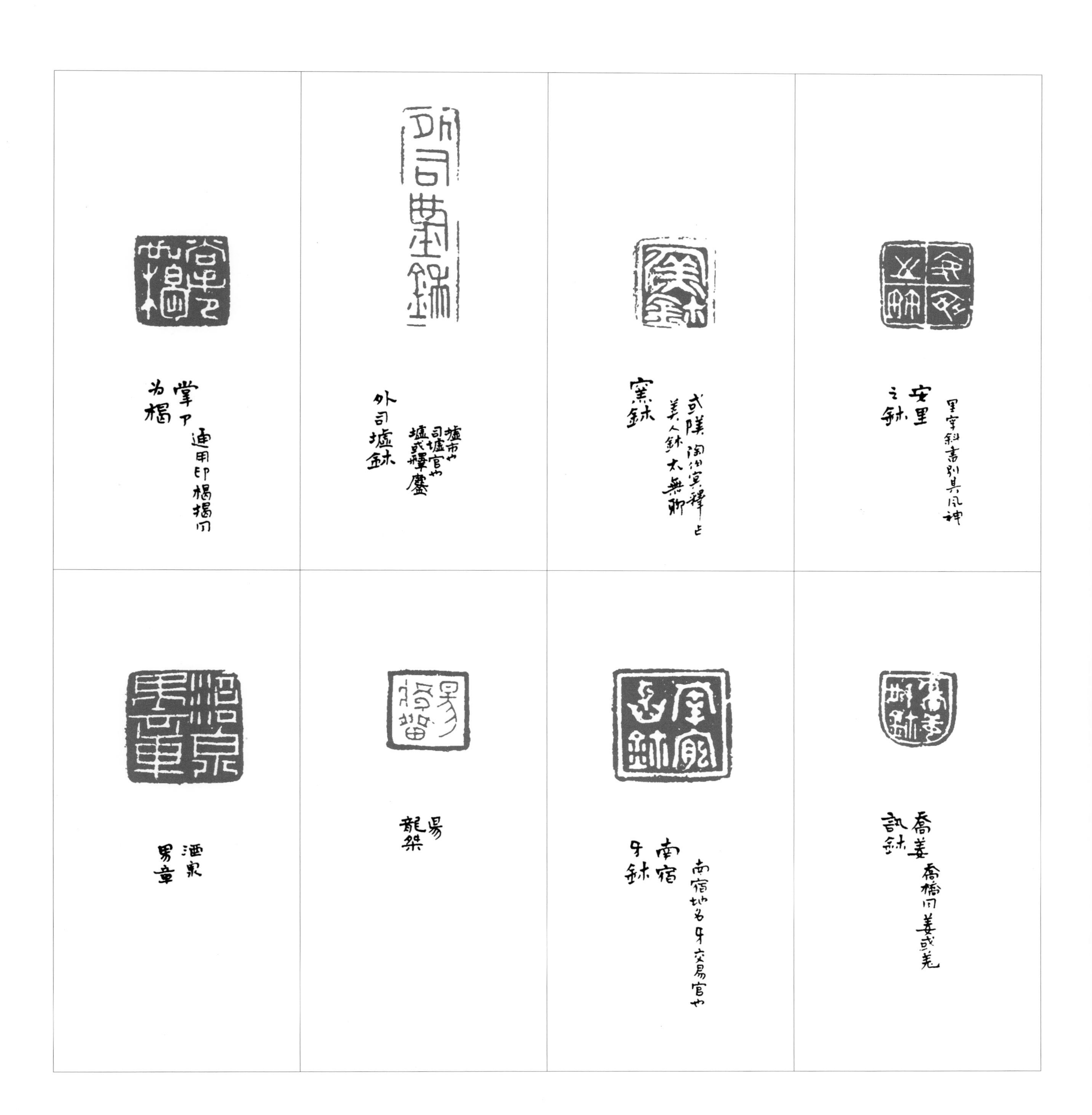

一九四八年五月，傅雷夫婦赴北平拜訪黃賓虹，黃賓虹夫婦與傅雷夫婦合影于北平石駙馬宅院。

公元一九四八年　民國三十七年　戊子　八十五歲　七月離北平。

春，繪《黃山追憶圖》，題：『黃海銀濤泛濫鋪，不期片域具方壺。置身已在光明頂，雲際歸來住足無。戊子初春，别黃山已十年矣，記憶圖此。』

四月十五日《申報》載：旅平老畫家黃賓虹，近寄作品數十件，在黃陂南路義和里徽寧小學展出。

四月二十八日，于右任七十壽辰，先生托江振華面交山水一軸以壽之。

五月，復陸丹林書：『鄙人原屬游覽西北恒嵩而來，不意道途梗塞，十年之間，蜷伏杜門，惟于金石書畫，當離亂中秘藏富豪巨室者，無不發現，得擴眼界。讀書作畫，以此遣日，未嘗作個人展覽，而荷友好索取，四方咸集，尤以歐美人士，如美芝加哥德里斯珂、孔德女士，往來函問，均以文藝溝通中外。即繪畫一事，西人傾向東方古物典籍，融會貫通，勝于中邦學者。與之言論，往往如數家珍，誠是畏友。不出十年，世界可無中西畫派之分。所不同者面貌，而于精神，人同此心，心同此理，無一不合。』

繼續編撰《歙故》一書，致汪孝文函云：『拙撰《歙故》，中有關金石書畫軼聞，爲載籍所未録者。同好中能以所見所聞，隨時寫贈，即是至寶。』又云：『每日分功搜集戰國文字、金石諸器，兼愛明季天啓、崇禎，清順治三朝名人書畫，來者雖破爛楮絹雜投，紛紛不絕，所得考證當時風俗，參合近時如何采擇之方，亦忙碌耳。』

五月中旬至六月二日，傅雷夫婦赴北平，拜訪先生，『暢聆教益，觀賞黃老宋元藏畫』。先生夫婦并與傅雷夫婦合影于宅院，又遣趙志鈞夫婦陪同傅雷夫婦參觀故宫。贈傅雷《塵甸晴初》册頁。

初夏，國立杭州藝術專科學校聘先生爲教授。藝專前校長潘天壽已于一九四七年辭職，繼任校長汪日章。汪聘吴茀之爲國畫系主任，又聘先生爲教授，并曾在全校師生大會上説：『國畫系教授力量不够，我給你們請來了有「南黃北齊」之譽，全國數一數二的黃老先生。他雖年老不能任教，你們將來出去，説聲我是黃賓虹先生門下，也就高人一等了。』

南歸有期，特偕弟子王伯敏等游故宫，登景山遠眺，途中邂逅徐悲鴻，談畫至樂。

又，徐悲鴻爲先生送行，兩人合作《鷹石圖》。先生畫石，徐悲鴻于石上畫展翅雄鷹。

七月，爲汪聰作《送米圖卷》。

二十三日，離開北平赴滬。

一九四八年黄賓虹爲劉作籌作《江南春樹圖》。

賓虹年九十又一

杭州時期（一九四八—一九五五）

黄賓虹先生在杭州定居七年。

北平時期的『作繭自縛』，杭州時期則臻『羽化成蝶』之境。建國後的新生活，使他在一九五三年的自壽詩中寫道：『和合乾坤人不老，平分晝夜日初長。寫將渾厚華滋意，民物欣欣見阜康。』儘管有晚年白内障疾病的困擾，但他不斷努力向個人藝術頂峰攀登，并達到了最使世人驚嘆的筆墨交融和自由揮灑的藝術境界，也獲得了國家給予的『中國人民優秀的畫家』的光榮稱號。

他終于走了一條波瀾壯闊的人生之路，同時也畫出了一幅完整的『渾厚華滋』的人生大畫，更在中國山水畫史上樹立了一座無比輝煌的豐碑，真正成爲二十世紀中國繪畫界少有的當之無愧的藝術大師。

他終于以深厚的中華傳統文化作爲歷史背景而滋養了自身内功，以一代山水畫大師的身份突兀雄視于『西風東漸』的二十世紀中國畫壇和世界藝術之園。

公元一九四八年　民國三十七年　戊子　八十五歲　八月至杭定居。

七月二十三日，由北平乘飛機抵上海，隨身帶兩件物品：一捆約數十幅珍愛古畫，一袋近千方古印章。住黃陂南路九十九弄義和里三號姻親家中，後家屬到滬暫住江振華所辦之徽寧小學，新知舊友紛紛過訪。

上海文藝界人士分別在大觀社、黃山藝苑等處設宴歡迎。并應諸弟子之請，出席講解畫理與畫法。在大觀社的歡迎會上，先生應邀作《藝術是最高的養生法》演講：『長生之義有二，一種是個人的生命，一種是民族與國家的生命。個人的生命短長，無足重輕，所謂長生者，應注意國族的生命。』『藝術就是祛病增壽的良藥。』『且能養成全人類的福祉壽考也。』

在滬期間，又與友人陳叔通、陸丹林、俞劍華、陶泠月及諸弟子等歡聚往來。

八月十二日，家屬離滬至杭州。住國立藝專宿舍栖霞嶺十九號。

八月十五日，先生在上海美術界舉行歡迎茶會上作《國畫之民學》演講：『所謂「民學」，乃是對「君學」以及宗教而言。』『師儒們傳道設教，人民乃有自由學習和自由發揮言論的機會權力。這種精神，便是民學的精神，其結果遂造成中國文化史上最光輝燦爛的一頁。』『民學則在骨子裏求精神的美，涵而不露，才有深長的意味。』『現在我們應該自己站起來，發揚我們民學的精神，向世界伸開臂膀，准備着和任何來者握手！』

九月中旬，先生到杭州。

友人金梁（息侯）、余紹宋（越園）等在西湖劉莊設宴歡迎，先生酒後捨舟徒步回寓，乘興作畫寫詩。

按金息侯函有云：『西湖游宴，賓老年最高而又最健，健談健飲，歸時捨舟步行回寓，同行者追隨不及。各紀有詩，賓老亦有詩畫分贈，蓋當晚所作也。』

十月六日，國立藝專國畫科主任吴茀之教授發起，潘天壽、諸樂三、潘韵等教授參加歡宴黃賓虹教授。席間多有問答，先生謂：『大概中國畫既須有筆有墨，復須氣韵生動，二者兼有，復濟之以時代爲背景，則庶幾近之。吾國科學，遠遜西人，而卓立于世界者，厥維藝術。西人之藝術專尚寫實，吾國之藝術則取象徵；寫實者以貌，象徵者以神。此爲東方藝術獨特之精神。』

九日，杭州《民報》載先生答記者問：『世界上的藝術，只有一種，雖然在名稱上有東方藝術與西方藝術的分別，實只僅在面貌與物質方面稍有相异之點，但兩者之間的精神依然是一樣的，并無差别。東方藝術，像我國的國畫，注重于意境，西洋圖畫注重于形態，在物質上縱有差别，精神上始終融洽。世人只知藝術是一種陶冶性情的東西，其實不然。藝術不但可以怡情悦性，也可以重整社會道德，挽救民族危亡，這在歷史上已不乏先例。』

九日、十日，先生出所藏古今名畫四十幅在外西湖藝專畫廊展出，九日來觀者不下五百人，并親至現場講評。觀衆凝神諦聽，直至閉門而散。

十五日，浙江省通志館余紹宋等舉辦勾山雅集，先生參與，并出歙硯二方爲余紹宋壽，始盡歡而散。

先生作《雁蕩二靈圖卷》稿，題曰：『中華大地，無山不美，無水不秀。』

十一月十七日，林散之因子昌午就讀藝專，得知先生赴杭執教，來函恭問，信中道：『今年秋光已去，寒來甚早，鄉間無可爲贈，謹將土産棉花製成破絮一床，由午兒親自帶來，用作吾師及師母二位大人禦寒之物，敬祈笑納。』劉海粟回憶，先生曾親口對他説：『侍吾畫學者林散之也。』（劉海粟《林散之序跋文集》序一）

十二月爲劉作籌作《江南春樹圖》。

冬，與王伯敏題畫：『古人畫訣有「實處易，虚處難」六字秘傳，老子言「知白守黑」。虚處非從實處極力用功，好學深思，心知其意，無由入門。』

本年冬，上海部分中國書畫家發起成立『藝舟社』，以『闡揚中國固有藝術，間介西士菁華』爲畫會宗旨。先生與余紹宋、鄭午昌、馮超然、吴湖帆、賀天健等列名發起人。次年四月出過一期《藝舟》期刊。

本年，歙詩人汪定執（允中）八十壽，先生畫梅寄祝，并題詩有『桃花千尺水，驛使一枝梅』句。

歙人程岳（嘯天）以書信方式，請教先生。爲函授弟子。

一九四八年秋，黄賓虹南下與滬上友人合影。（前排左起：錢君匋、鄧散木、黄賓虹、江振華、白蕉）

一九四八年秋，黄賓虹南下攝于上海大觀園歡迎會會所。（左起孫福熙、許士騏、黄賓虹、俞劍華）

一九四八年，黄賓虹與馬寅初等人合影于杭州靈隱寺。（右起第一人爲馬寅初，右起第三人爲黄賓虹）

一九四八年十月，黄賓虹與浙江省通志館同人合影。（前排左起金息侯、黄賓虹、章一山、章静軒，後排左起第三人为余绍宋。）

一九四八年黃賓虹贈汪孝文《渴筆山水》，時年八十又五。刊一九八五年浙江人民美術出版社、上海人民美術出版社合編出版《黃賓虹畫集》。

一九四八年黃賓虹作《仿米芾山水圖》。虛白齋藏。同年黃賓虹在致朱硯英書中曰：『近悟于古迹與游山寫稿，融會一片，自立面目，漸覺成就可期。然全以筆墨用功爲要。』

一九四八年南返，黄賓虹寓居西湖栖霞嶺，家右邊是岳廟，後面是紫雲洞，前面走幾步路就是西湖。從此他每天在書齋作畫後，經常到西湖孤山寫生。

公元一九四九年　民國三十八年　己丑　八十六歲　在杭州。

春，與舊識東陽人舒國華游靈峰探梅，歸寓作《梅竹雙清圖》贈舒。

五月三日，人民解放軍進杭州城。

八月，國立藝專校長劉開渠續聘先生爲教授，月薪（底薪）五百二十圓。市人民政府推舉先生爲杭州市各界人民代表會議代表。

十月一日，中華人民共和國成立。

中華全國美術工作者協會成立，先生爲委員。任全國第一届美術展覽會審查委員。本月，作《紅梅青竹圖》寄贈郭若愚。

作函勉諸弟子，有『今觀最高共産學説，主義道德，大公無私，坐言力行，上下一致，同心協力，克底厥成，誠人民之福，萬世之利也。……國畫爲工農兵服務，應多增研究；不急之務，只得擱開。况值民族復興時期，人民自當加意學習』云云。

冬，爲夏承燾作《月輪樓校詞圖》。

本年，諸樂三等時以畫理請益，先生暢談不息，并隨手作畫稿。重題《黄山圖》，寄贈王任之。跋云：『黄山自師林望始信峰，中途多古松，虬枝偉幹，高聳蟠鬱，與尋常生于崖巔石罅不同。余嘗坐對其下，流連不忍去，圖之作卧游。』

公元一九五〇年　庚寅　八十七歲　在杭州。

三月，出席杭州美術協會召開國畫座談會。

六月，贈夏承燾畫作《謝鄰圖》。

八月，被選爲省人民代表，出席浙江省第一届各界人民代表會議，先生講話，有『中國藝術事業，只有在共産黨領導下，才有真正的發展前途』。又謂：『中國千百年過去繪畫，雖未盡美善，取長捨短，尤在後來創造，特過前人，非可全弃原有而别尋蹊徑。』

作《耕穫圖》慶農業豐收，又作《漁樂圖》。以『和平』二字撰製填字格楹帖百副，用古籀文書寫，分贈海内外友好。

冬，北京國立藝專、杭州國立藝專、華北大學合并成立中央美術學院。杭州國立藝專爲中央美院華東分院。

本年作《富春山色圖》贈近鄰老農余炳如。

晚年黃賓虹銀髯飄灑、精神矍鑠，不遜當年。

一九五〇年黃賓虹作《栖霞嶺小景》。上海市美術家協會藏。

一九五〇年黃賓虹作《西溪紀勝》（局部）。黃賓虹定居西子湖畔後，曾去杭州西溪尋幽探勝，至于六橋、三竺、靈隱都是他足迹常到的地方。

新晴湖上游一葉漾扁舟極目尋源路溪山深霧樓 庚寅秋日 西溪紀勝 黃山山賓虹年八十七歲

一九五一年十一月，黃賓虹列席全國政協第一屆第三次會議時留影。黃賓虹以社會人士身份列席，爲參加會議代表最年長者。《夏承燾集·天風閣學詞日記》一九五二年一月二日記：『陰冷。午後訪賓虹翁。謂日前應北京政協會議之召，留京一月。會中高年，翁爲祭酒。毛主席躬來敬酒，問耆年好學，近爲何工作？翁答治戰國文字。主席自謂近好閱周秦諸子……』

公元一九五一年　辛卯　八十八歲　在杭州。

春，爲秦曼青作《歲朝圖》。

編撰《宣歙書畫家傳》《道咸畫家傳》《鉩印考釋》，逐日整理材料。

夏，擬自編年譜，開始編排歲次。嘗語人云：『自編年譜，不過以此追念故交，亦爲勉人勉己。』惜未成稿。

八月，續聘爲中央美院華東分院教授。

九月，鄧實病逝。

秋，所撰《古籀論證》脱稿。

十月九日，參加浙江省第一次抗美援朝代表會議。

十三日，列席在北京召開的中國人民政治協商會議第一屆全國委員

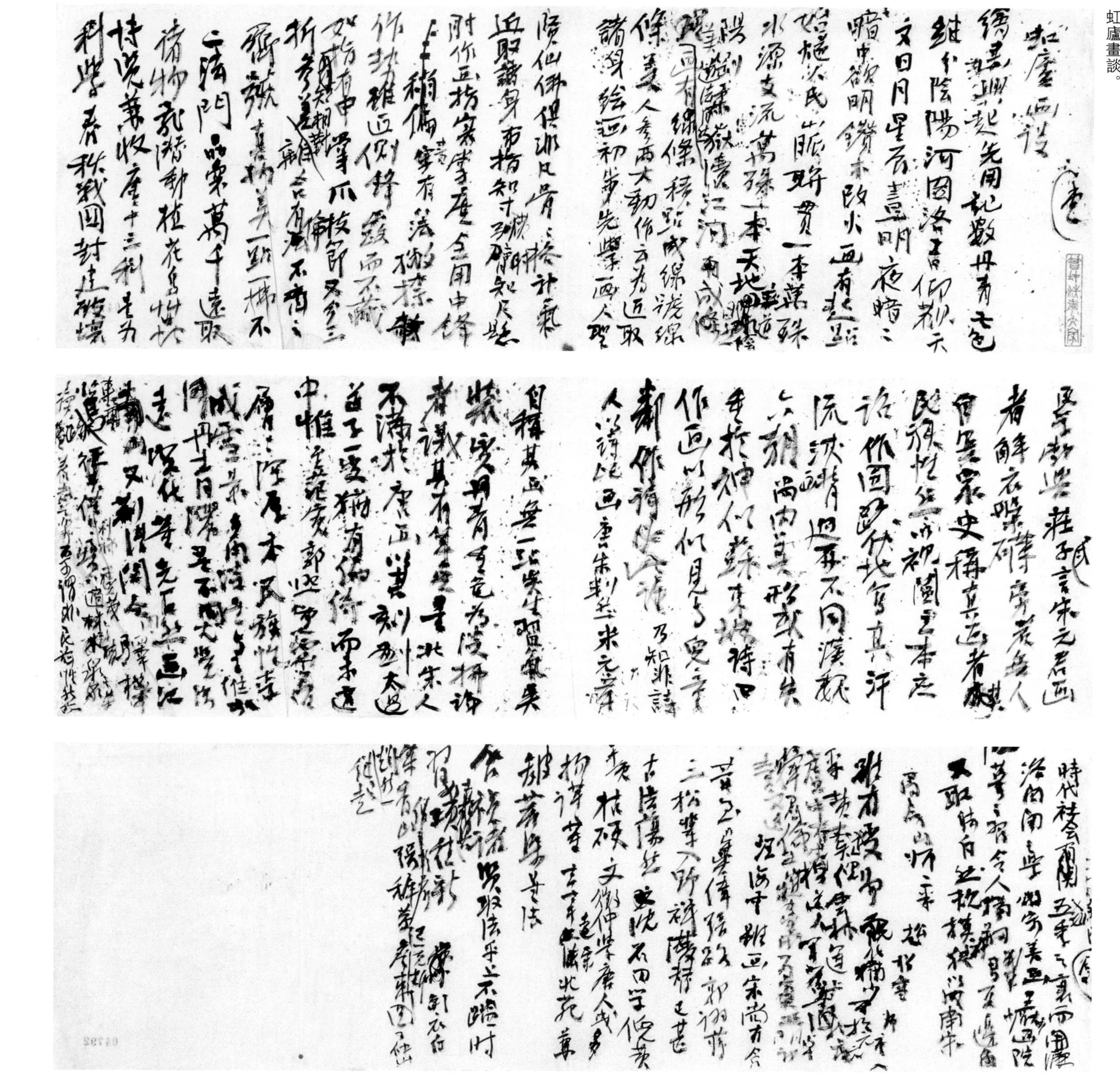

虹廬畫談。

會第三次會議，留京一月，是代表中最年長者，衆皆稱爲國寶。毛澤東主席和周恩來總理都與之敬酒并親切交談。

十一月，回杭途經上海時，曾專晤傅雷。

冬，作《湖山爽氣圖卷》，又作《臨安山色圖卷》。

本年，作大幅人物山水，題云：『余曩游青城山，遇樵者手執所采黄連，其大如李，言求售，有客以重值得之，喜若狂，稱鷄血黄連極不易購。生有涯而知無涯，不誠然哉。辛卯八十八叟賓虹重題。』

作《峨嵋洗象池》條幅（九龍錢學文藏）。

公元一九五二年　壬辰　八十九歲　在杭州。

春，由栖霞嶺十九號遷至栖霞嶺三十二號。按即今『黄賓虹先生紀念室』。

作小幅山水，題詩：『愛好溪山爲寫真，潑將水墨見精神。興來鹿木亭中坐，着意西湖萬柳春。』

初春，函女弟子朱硯英來杭。朱硯英在栖霞嶺小住三星期，筆録有關先生談畫心得爲《虹廬畫談》之一。

先生畫餘整理歷年珍藏印璽、玉器、瓦器等，有文字者均加注釋。患目疾白内障，每日仍繼續撰寫，除論畫史、畫理、畫法以及藝林掌故外，包括自述生平事略，後因範圍甚廣，改稱《九十雜述》，雖成粗稿，以目疾未及復閱。

按先生患白内障，早于一九四三年致友人信中提及。

秋，爲國家副主席李濟深作《夔門秋色圖》。

十二月，浙江省第二届各界人民代表會議召開，先生以代表身份出席。會議期間，先生曾陳述有四十萬言，歷叙生平，有前所未言者，泚筆書之，就正有道，公諸批判。當時譚啓龍省長面諭，言『四十萬言尚疑嫌不足，能得四百萬言寫出，如或力有不足，當請數人臂助之』。

本年，先生自題《山川卧游圖》：『細而不纖，粗而不獷，氣在筆力，韵在墨采。北宋人畫濃厚華滋，六法兼備，層層點染，常積數十百遍而成。此卷或作或止，今有年矣。』

作《黄山圖》，跋云：『黄山雄奇峭拔，面面清曠，一松一石，均有咫尺千里之致。』

作《湖舍晴初圖卷》。

四弟元秀卒于金華，年七十六，能畫梅竹。

吹萬先生座右：前誦 屬寫僕收到，鼓[illegible]印
手教，註惠佳什，迴環再四，感佩交集。[illegible] 現因世棣若
擬爲社會服務，來執教[illegible]的，將待機會。適自審
而畀改造，悃愫勒其用力，繪事整理，文學於
風詩雅選，御邦先哲加之記錄，近因明年將有
大規模發展古今文化，舉動矚目，近視纂集
羣衣，著臨關羅，夏堪嘔出心肝，如李長吉，悍然
降近益加，劇宋近理，[illegible]不可辨，蓋嘗學文詞
而退，力薄識淺，究心繪事，涉獵有作，益嘆國學
上下古今，縱橫萬里，格物致知，即是科學；
修身齊家，兼用哲學。畫務食古能化，
將來文科不廢，畫學有民族性，爲遺傳
法；有時代性，爲變易法。習畫者或理論
或記錄，宜備大眾參攷，方合遊覽。清
代自四王入徑，蹈入空疏，法度盡失，道咸
世有金石，畫如包慎伯、林少穆、趙之謙、張
度、鄭珍、何紹基、吳[illegible]老、翁松禪，合於正軌，
而相臣院體、江湖、市井，以及新習，所謂文人
畫，且理學一流，皆有畫偈，[illegible]
不足爲後人觀法。讀書述古，較不識
字者有勝，然改革不免陶汰，要爲[illegible]
近年傳從識字入手，學從前所作[illegible]
而又留讀去新人，可作貽人，後悔的是名言
道來，長沙發掘周秦西漢文物，浙江[illegible]
安陽等處，夏玉門有文字圖畫，[illegible]
以玉圭古文字根本，尚可攷釋，[illegible]
抄錄騰清，分致諸[illegible]，蛻老正[illegible]，此請撰祺
黃賓虹拜上
壬辰三月十一日由硯田樓奉

一九五二年，黄賓虹致高燮信中提出自己對畫學的深刻思考：『畫學有民族性，爲遺傳法；有時代性，爲變易法。』

仲鳴先生道席：頃誦
手教，屬補上款，聆悉
興居，廸吉。俱見心，祝日前承
惠厚貺，此有沈君來，興，抵[illegible]函，候[illegible]
對謝，悦，歉，又不恭受之有愧，[illegible]
作事，爲攜函，或轉贈友，極其[illegible]
自未念，悵不能之，益增慚悚。近今[illegible]

文化局北京古典藝術研究諸展覽
有新組會，另撰高國畫工作，[illegible]
文物大成，缺之如新藝人，又歷史風有[illegible]
徵所惜研之未深，致多[illegible]謝，免[illegible]
集拙撰畫談，解借攷，私以[illegible]
自加記，蓋[illegible]浙大教授，兼君眼科博士
隨時惠，肴云有遲，遲待寄，手續新作[illegible]
正快，微[illegible]，祗頌
文安 賓虹拜上

澳門新馬路
九號二樓
醫寓室
吳仲鳴先生 收啓
杭州西湖棲霞嶺卅二號
黃賓虹

黄賓虹致吴仲鳴書。

畫學起於河洛圖畫，[illegible]近取諸身，勤熟筆之法。指實掌虛，[illegible]
作有指，巨擘食指之尖相對，腕，次用肘，次用膀，大
合以成圓形，在上象天，在下者運以全身之力，指與
下象地，畫有鉤勒，以成渾圓，腕平，腕與肘平，肘與肩
圓，中指名指小指，分而為三，畫者筆平，成圓形
人成眾，眾多之數，莫如萬，[illegible]龍眼者，巨指與食中
物，遠取諸物，長短錯綜，[illegible]指相對，無名指與小指用
成三角美，術[illegible]不[illegible]後從之[illegible]書訣，即指在管
[illegible]三角成為大自然，[illegible]唐以前法，宋人用中
指[illegible]，手中執筆則五指，[illegible]側鋒之用[illegible]
皆齊，放之則[illegible]任[illegible]指眼，指實掌虛，巨指食
[illegible]天地萬物無不該備，指間執筆處，[illegible]
畫者知一指之屈伸，指節，圓形，其次則用鳳眼，
有三五指皆同，[illegible]如執筆與錢[illegible]
有[illegible]根於掌，握手[illegible]不合在此，然亦古法
萬化，而用筆[illegible]，[illegible]筆多而運筆少，[illegible]
法微妙，[illegible]書法中[illegible]

用筆之法，先一日磨一[illegible]
夠用為度，筆用全[illegible]
開或寫字後，以餘[illegible]
事作畫，用清水[illegible]
筆隨好[illegible]凌有[illegible]
[illegible]有[illegible]有佳[illegible]
[illegible]古人論法備，氣至
氣在力[illegible]劍拔弩張[illegible]
[illegible]是為上品[illegible]
法之中而超於法之外
者謂之[illegible]
[illegible]法則[illegible]
生[illegible]中[illegible]
[illegible]取[illegible]畫者有
謂明代文沈[illegible]
[illegible]
清道光咸豐[illegible]
之[illegible]道咸名畫[illegible]

[illegible]

九旬高齡的黃賓虹，雖患目疾，仍繼續撰寫論畫史、畫理、畫法以及藝林掌故。

一九五二年黃賓虹致朱尊一書。晚年黃賓虹，不管是在目疾嚴重失視，或者是在手術復明之後，他一直關心古文字研究，從他與諸家往來的手書中，可見其求知之心，尚未懈怠。

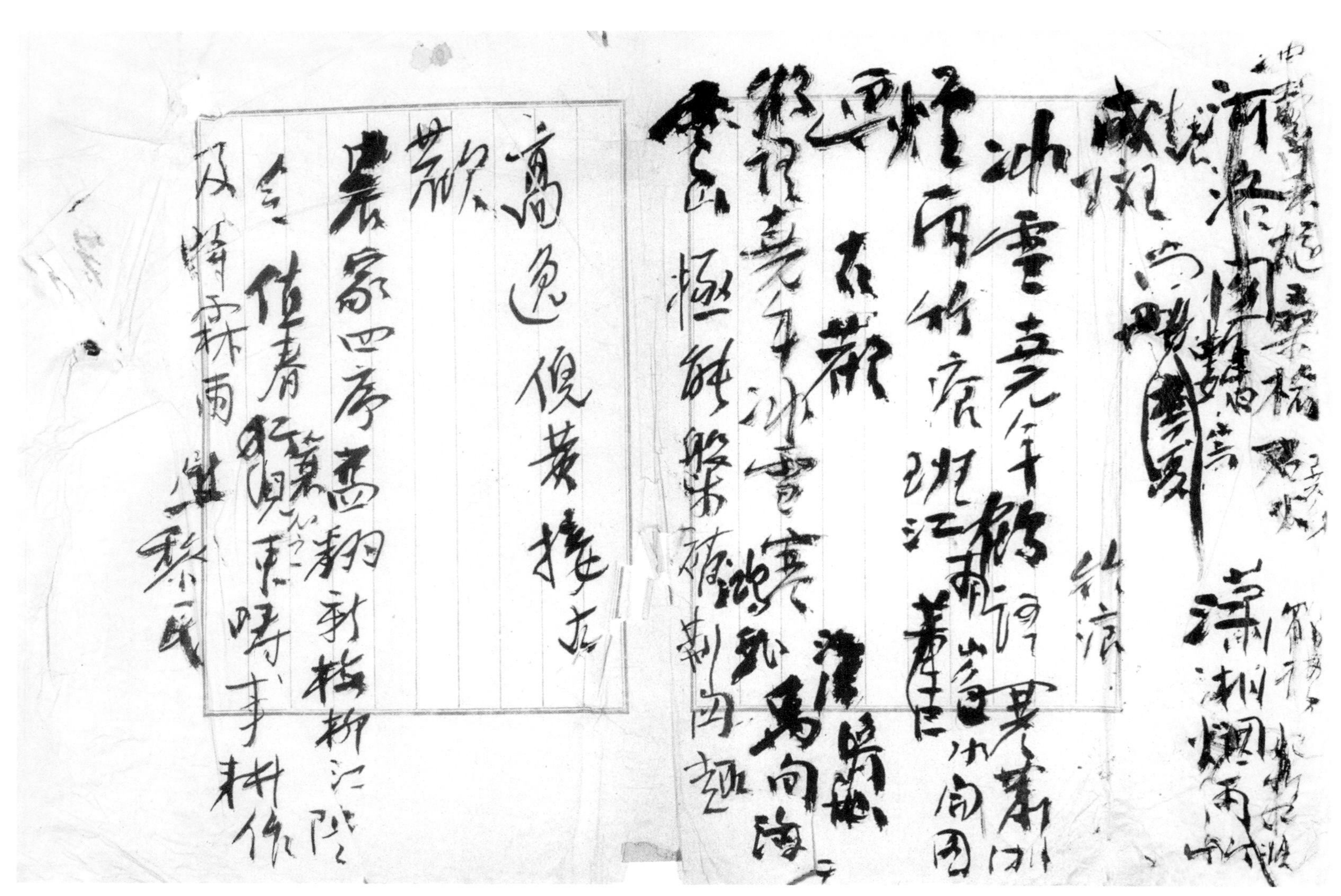

『字迹塗鴉』之説。黃賓虹于八十九歲寫信給高吹萬時就説過，『賤目近視，兼生内障，近益加劇，字迹塗鴉，幾不可辨……』。這是黃賓虹晚年詩稿一頁。

一九五二年，爲《洪世清印存》作序。

黄賓虹八十九歲至九十歲間，因目疾嚴重失視，但他仍未意氣消沉，反被激發出更激昂的創作熱情。這兩幅九十歲時作的山水，信筆縱橫，近看似不甚整飭，遠觀則層次分明，氣勢鬱勃，別有一種面目。

棲霞嶺下
癸巳 賓虹年九十

一九五三年，洪世清爲黃賓虹留影。

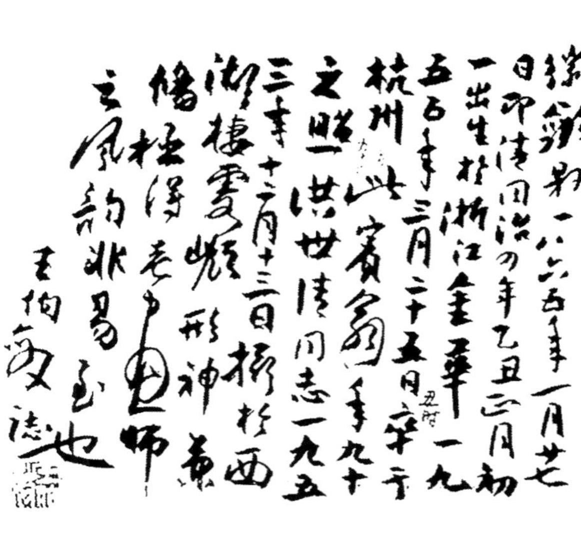

王伯敏爲黃賓虹肖像攝影題記。

公元一九五三年　癸巳　九十歲　在杭州。

二月二十八日，中華全國美術工作者協會杭州市分會與中央美術學院華東分院聯合舉行『畫家黃賓虹先生九十壽辰慶祝會』。賴少其代表華東行政委員會文化局授予『中國人民優秀的畫家』獎狀。會上并展出先生作品、文稿及所藏部分古書畫。先生出席并講話：『我經過三個朝代。清朝是腐敗，民國是混亂，萬事只有今朝好。新中國在中國共產黨的領導下，必將走上康莊大道。』

按先生是年實齡爲八十八歲。

三月五日，《解放日報》載《老畫家黃賓虹先生九十壽辰　華東文藝界舉行慶祝會》消息，并報道：『中華全國美術工作者協會杭州市分會與中央美術學院華東分院在二月二十八日聯合爲老畫家、中央美術學院華東分院教授黃賓虹舉行隆重的九十壽辰慶祝會。浙江省人民政府主席譚啓龍、中共浙江省委員會宣傳部副部長陳冰及浙江省人民政府文化教育委員會副主任宋雲彬都前往祝賀。華東文學藝術界聯合會、上海市文學藝術界聯合會、中華全國美術工作者協會上海市分會也派了上海文聯的副主席賴少其爲代表趕來祝壽并獻禮。參加慶祝會的還有浙江省和杭州市的文化藝術界人士及黃先生友好約一百人。此外，并有中央美術學院華東分院全體師生參加。黃賓虹老先生從十歲起就學畫，八十年如一日。賴少其代表華東行政委員會文化局在會上授予黃先生獎狀。譚啓龍、賴少其、宋雲彬在講話中，對黃先生在藝術創作上和考古、金石等學術研究上所達到的成就，以及八十年來嚴肅刻苦地從事學術研究、藝術創作和教育工作的精神都予以極高的推崇。慶祝會上并展出黃先生的畫作及其珍藏的歷史文物。』

作《九十自壽》詩，并歌頌新社會，其云：『和合乾坤人不老，平分晝夜日初長。寫將渾厚華滋意，民物欣欣見阜康。』

四月，當選爲中國美術家協會理事。

作《畫學篇》，分贈友好。

按先生手書《畫學篇》若干卷，就所知者，一先生當日自存；一贈陳叔通；一贈賴少其；一贈香港劉君量；尚有一卷，因目疾，書寫不便，由王伯敏協助抄録，成師生合書卷。後有陳叔通、夏承燾、沙孟海等題跋。

黄賓虹一生對金石、古文字的研究，加深了他對篆書的感悟，在他生命最後的歲月裏，篆書的整體氣象已入化境，天真自然，遒勁清剛。黄賓虹書法的最高成就當屬篆書。

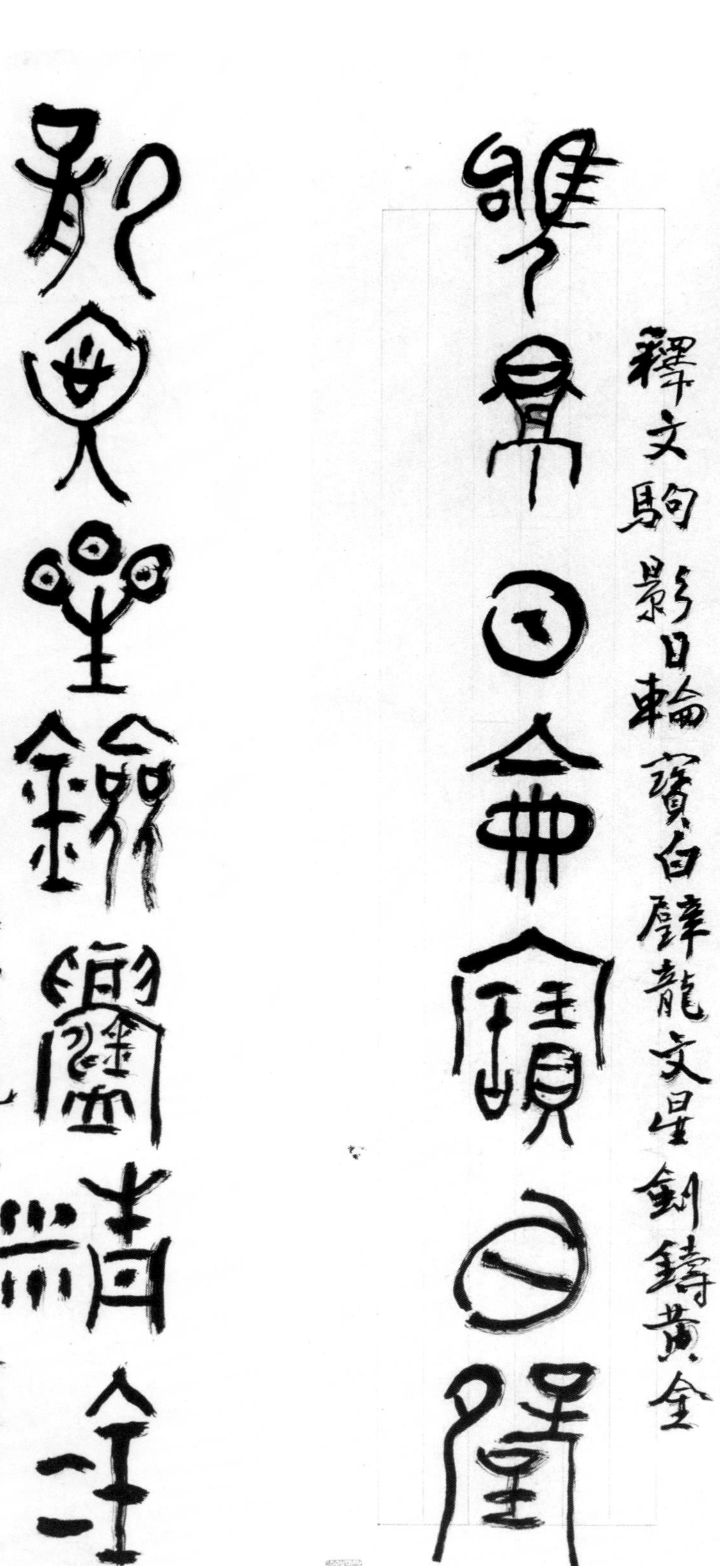

釋文駒影日輪賓白辟龍文星劍鑄黃金

釋文和聲風動竹樓鳳平頂雲鋪松化龍
癸巳之春 賓虹年九十

畫學篇

夂門鑽燧稽皇初丹成純青
火候爐女媧補天石五色平
章作繪開唐虞鳳皇來
儀有苗格龍馬應瑞呈河
圖夏璜殷契周金古國旌
標幟通魚鳥春秋封建既破
壞民學洙泗刪詩書優游暇
豫習六藝畫事坿傳書數餘
圖經訓詁有諸誤劃與西
旗分途顧愷之陸探微張僧繇展
子虔重內美不都
李唐君學書有奴丹青炫耀
閻立本李思訓吳道玄魏徵嫵媚
工應制王侯妃嬪宮廷娛王維
鄭虔作水墨詩中有畫三絕傳
以後共公子荊浩萬華

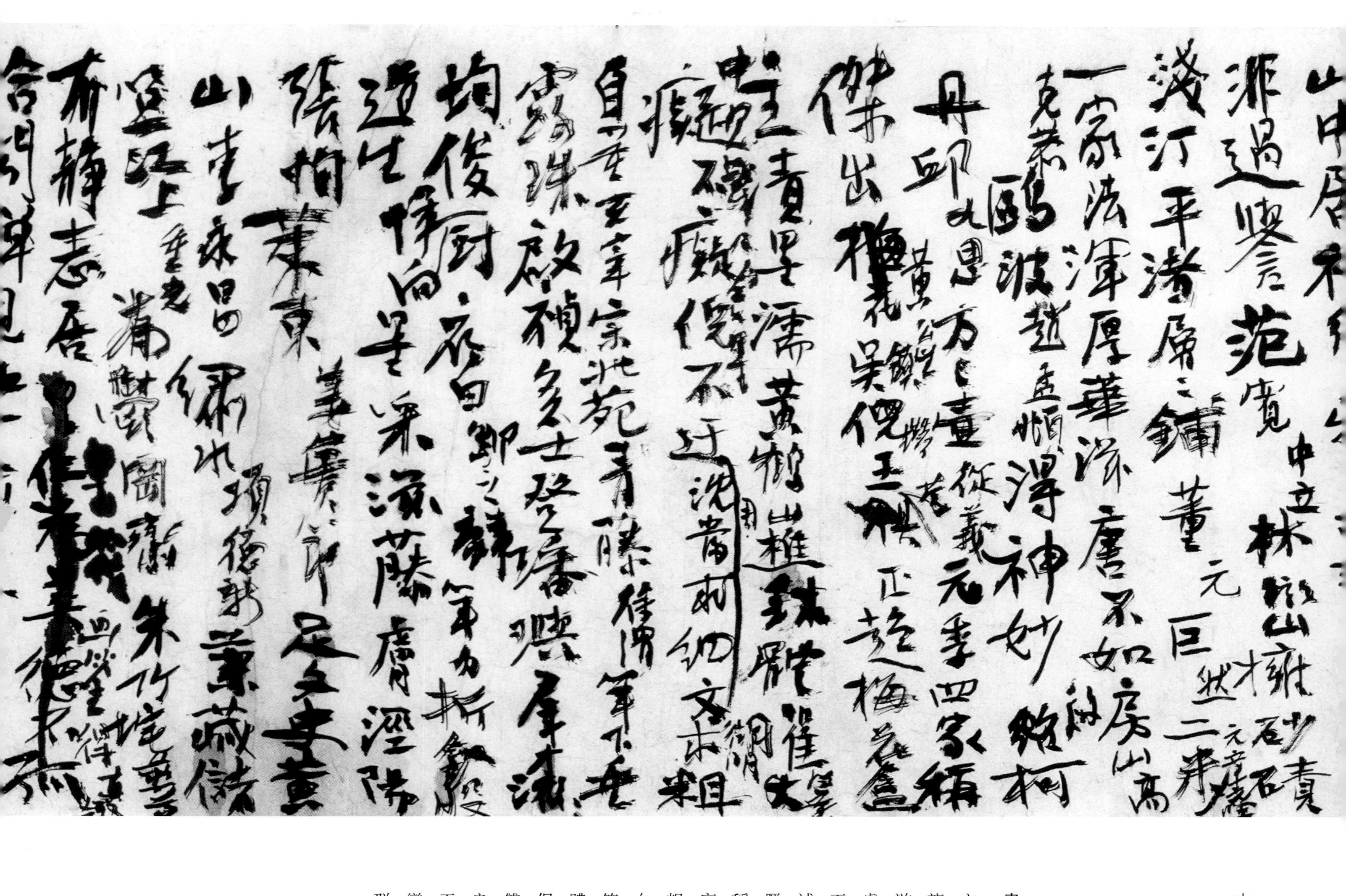

《畫學篇》爲黃賓虹于慶賀九十壽辰時所著，曾手抄未定稿多本，分贈友好，徵求意見。幾經修改方最後定稿。

畫學篇

文明鑽燧稽皇初，丹成純青火候爐。女媧補天石五色，平章作繪開唐虞。鳳凰來儀奏韶舞，龍馬應瑞呈河圖。夏璜殷契周金古，國族標幟通魚梟。春秋封建既破壞，民學洙泗删詩書。優游暇豫攻六藝，畫事附屬書數餘。圖經刻劃近匠作，士習重畫旋分途。顧愷之陸探微張僧繇展子虔真内美，齊而不齊三角觚。李唐君學畫有奴，丹青炫耀閻立本李思訓吴道子。魏徵嫵媚工應制，王侯妃嬪宫廷娱。鄭虔王維作水墨，詩中有畫三絶俱。集取衆長洪谷子荊浩，嵩華山中居結廬。補綴人物倩胡翼，闢仝出藍非過譽。范寬林巒壅砂磧，平汀淺渚層層鋪。董源巨然二米元章、元暉一家法，渾厚華滋唐不如。房山高彦敬鷗波趙孟頫得神妙，傳柯丹丘九思方方壺從義。元季四家稱杰出，黄公望吴鎮倪瓚王蒙皆正趨。梅花庵主漬墨濡，黄鶴山樵隸體癯。墨中見筆筆含墨，大痴不痴倪不迂。明初作者繁有徒，自弇軒冕甘泥塗。唐寅仇英繼起鮮真迹，沈周惟求細文徵明求粗。自董玄宰其昌宗北苑董源，青藤徐渭筆端露垂珠。啓禎多士登璠璵，群才濟濟均俊厨。鄒衣白之麟筆折釵股，惲香山道生墨滋藤膚。涇陽張恂萊陽姜實節足文史，黄山李永昌綉水項元汴兼藏儲。笪江上重光有鬱岡齋，朱竹垞彝尊爲静志居。《畫筌》《書筏》會真賞，殫見洽聞德不孤。朝臣院體寶《石渠》，漸由市井鄰江湖。婁東海虞入柔靡，揚州八怪多粗疏。邪甜惡俗昭炯戒，輕薄促弱宜芟除。道咸世險無康衢，内憂外患民嗟吁。畫學復興思救國，特健藥可百病蘇。《藝舟雙楫》包慎伯世臣，撝叔趙氏之謙石查胡義贊。金石書法匯繪事，四方響應登高呼。夏玉出土今良渚，斒斕色彩實若虚。古文奇字證岣嶁，舜禹揖讓無征誅。會稽和協集萬國，平成水陸通舟車。天然圖畫大理石，神工詭秘滇南無。文治光華旦復旦，月中走兔日飛烏。變易人間閱桑海，不變民族性特殊。箕裘弓冶緬矩矱，行之簡易毋躊躇。來軫方遒擁先導，負弩我願隨馳驅。群策群力加勤劬，功奪造化味道腴，永壽萬年當不渝。

一九五四年十一月初，傅雷最後一次來杭拜訪黃賓虹夫婦，并在栖霞嶺寓所小院拍攝了這張照片。

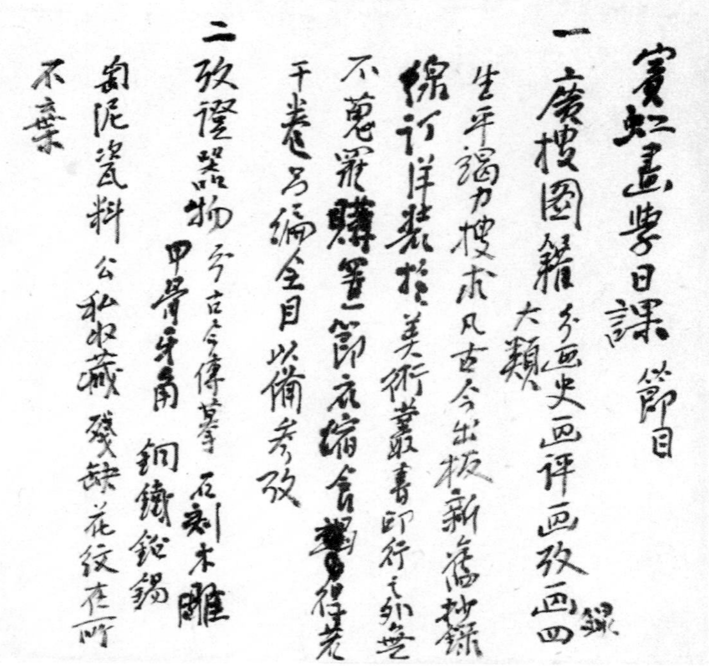

六月，目疾加劇，入杭州人民醫院施手術。

七月，病愈出院，變近視爲老花，配鏡一千度左右。作畫謝李挺宜醫師，題跋有云：『余憶髫齡從今先祖貢士公昆季兩業師讀書郡齋，得聞漢宋諸儒訓詁、性理之學，兼習文詞書畫。』

按今先祖昆季指李灼先、咏棠兄弟，參閱先生十二歲譜。

自訂《賓虹畫學日課節目》。依次爲：『一、廣收圖籍；二、考證器物；三、師友淵源；四、自修加密；五、游覽寫實；六、山水雜著，紀録備忘。』

先生曾寄信友人過旭初，談及治眼病前後情況：『自夏至秋，住人民醫院，約已延長三四個月之多，幸得華東文聯、藝協諸同志幫助，自行一切節約，勉力復原。近雖寫畫如常，而眼鏡以一千倍至五百倍二種爲合度，浙杭尚無適當材料。近用放大手携鏡工作，尚是吃力，然視日前朝夕黑暗中摸索已勝，解除苦悶多矣。』

九月，自檢所藏部分古書畫及銅器、竹器多件，贈中央美術學院華東分院。

畫贈冒鶴亭，補祝其八十大壽。

九月二十三日至十月六日，北京舉行中國文學藝術工作者第二次代表大會，與齊白石代表國畫界被選爲中國文學藝術界聯合會第二届全國委員。

一九五三年七月，黃賓虹眼疾手術復明後自訂了《賓虹畫學日課節目》手迹。

九月二十五日至十月四日，北京又舉行中華全國美術工作者協會全國委員會擴大會議，改組成立中國美術家協會，與齊白石等二十五人被推選爲協會理事。

九月二十六日，徐悲鴻病逝。

秋，傅雷來杭拜訪，先生選舊作《湖山晴靄圖》相贈。

十一月，因上半年已被聘爲中央美術學院民族美術研究所所長，北京文化界同志催促北行。

函招汪孝文代爲整理所藏書畫文物，編製目録，準備捐獻國家。

十二月，以華東美術家協會發起人身份，參加發起人會議。

本月，爲毛澤東主席作《南岳山水圖》。自題：『禹迹鎸南岳，星輝拱北辰。降靈天應瑞，周甲日維新。圖畫開文運，舟車萃德鄰。還看勒金石，共祝八千春。潤之先生主席壽慶。黃山賓虹，時年九十。』

冬，作《松柏同春圖》，爲近鄰老農余炳如祝壽。

本年，曾應京劇表演藝術家蓋叫天先生之請，爲其壽墓門匾題『學到老』三字。

《湖山晴靄圖》是黄賓虹當年題贈給傅雷的舊作。刊一九八五年浙江人民美術出版社、上海人民美術出版社合編出版《黄賓虹畫集》。

禹蹟鐫南岳
星輝拱北辰降
靈天應瑞週
甲日維新圖畫
開文運舟車萃
德鄰還看勒金
石共祝八千春
潤之先生主席
壽慶
黃山賓虹
時年九十

一九五三年冬，黃賓虹爲毛澤東主席作《南岳山水圖》。自題：『禹迹鎸南岳，星輝拱北辰。降靈天應瑞，周甲日維新。圖畫開文運，舟車萃德鄰。還看勒金石，共祝八千春。』

一九五三年四月，黃賓虹在杭州栖霞嶺寓所與孫子黃高讓合影。

高勤孫女見覽：今接到由青島寄來之
信，殷殷依戀之懷，至為快慰。新社會人民勞動建
設，一切漸次開展，承擾亂之後，遭際太平，最為可賞
為幸福。我來杭州，新舊親戚朋友少往還，因
不出門。你父兄來，我亦想到上海看看，大家相見甚
歡。然悍於行動，力不從心。青島市前經德國
租借，建設為中國都市第一。勞山名勝，古名不其
山，春秋我國已著名。我有不其從館銅印，此印頗
多見，前人皆無解釋。我以認識古文字為學，
每天研究，始不與丕原為一字，弥我丕丕基，注
丕，大也，古文作不，後人誤讀丕顯為不顯，丕基
為不基(其)，已二千餘年。勞山古書不其山，可證前
人所未諦。青島前有閩人黃曾源太守，以御史(官名)
參西太后，出為徽州知府。其子公渚，我熟人，久不通訊，住址在
青島，能詩畫，為我代覓當地畫家得小冊十餘紙。(其住址)
以時諒無此閒暇矣。宜有知之者，對我來畫作畫，加
題，可留觀，如古詩可多讀，寫畫信語不多寫，書不盡
言。高謙亦甚靜，心好學。你媽當因懷情，此復。祖父手書

一九五三年，黃賓虹致孫女黃高勤書。

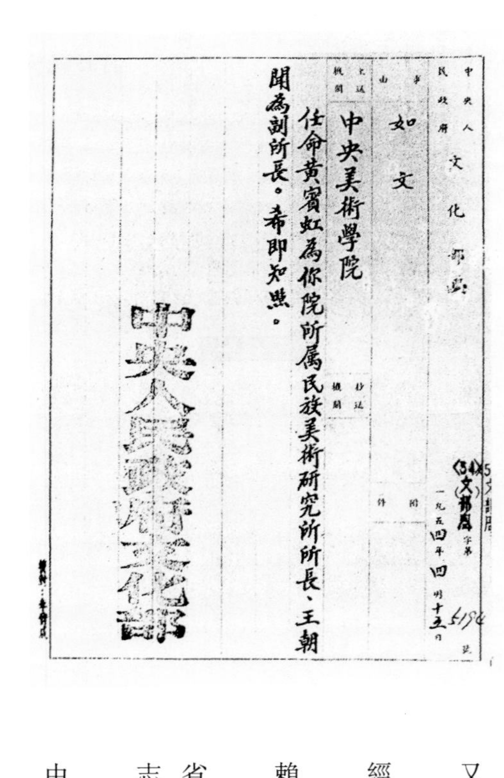
中央人民政府文化部

如文

中央美術學院

任命黃賓虹爲你院所屬民族美術研究所所長、王朝聞爲副所長。希即知照。

中央人民政府文化部

一九五四年四月十五日，中央人民政府文化部給黃賓虹的任命書。

一九五四年黃賓虹贈謝海燕《溪山訪友圖》。

公元一九五四年　甲午　九十一歲　在杭州。

二月五日，由宋若嬰夫人陪同參觀浙江名人書畫展覽會。得識籌備展覽工作的青年黃涌泉，遂有書畫上的忘年之交。二十年後，黃涌泉成爲浙江省博物館書畫研究員。

本月，作《畫學篇釋義》。按係先生口述，諸樂三筆録。後來先生又口述，由王伯敏筆録。

四月上旬，中央美院民族美術研究所派人迎先生北上，本擬北行，經體檢需住院治療，未能成行。

二十一日，在上海參加華東美術家協會成立大會。劉開渠爲主席，賴少其、豐子愷、黃賓虹等爲副主席。

四月中，致函周揚，因稿成，要求有專人協助整理謄寫，『昨日譚省長會場特約坐談，已將鄙見提出』，提出『由本校（美院）王伯敏同志約時分助』。

六月，《中華人民共和國憲法草案》公布，讀後振奮，欣然作《蒼松圖》，由人代筆發表《擁護中華人民共和國憲法草案——憲法使我這老人生活得更有意義了》一文，文載一九五四年《美術》雜志第九期。又撰文《讀憲法中領會有關畫學之感言》，表示喜悦。

七月，參加浙江省文學藝術工作者第一次代表會，被選爲主席團成員。

夏，挑出百餘幅作品，準備捐獻中國美術家協會。

李可染由北京來到江南黃山等地寫生三個月，其中有六天住杭州先生家。先生贈自作山水畫并陶器。

按一九六一年四月二十六日李可染撰《談藝術實踐中的苦功》一文中云：『在黃先生逝世前一年的夏天，我到杭州去看他，一天晚上他在燈下一口氣就勾了八張山水的輪廓。』

在這六天中，李可染每天皆看先生作畫。他後在《談學山水畫》一文中認爲：『黃賓虹論畫、論筆墨，以我淺見所知是古今少有的。黃老作畫，筆在紙上磨擦有聲，遠聽如聞刮鬚。我戲問黃師，他説行筆最忌輕浮順劃，筆重遇到紙的阻力則沙沙作響，古已有之，所以唐人有句詩「筆落春蠶食葉聲」。黃老師筆力雄强，筆重「如高山墜石」，筆墨功力達到了很高的境界。』

一九五四年冬天，黄賓虹在家中接受新聞記者采訪。

一九五四年，黄賓虹九十一歲時在杭州栖霞嶺的家中作畫。

黃賓虹出席華東美術家協會成立大會。（前排持手杖者爲黃賓虹）

一九五四年四月，黃賓虹出席華東美術家協會成立大會，當選爲副主席。

八月，參加浙江省第一屆人民代表大會第一次會議。

九月二十日到二十六日，華東美術家協會主辦『黃賓虹先生作品觀摩會』。先生赴滬參加開幕禮，并出席座談。中央華東局宣傳部負責同志于展覽會揭幕時致詞云：『黃賓虹先生繪畫，不媚古人，不落俗套，有革新精神，遍歷名山大川，對自然有深刻研究，因此胸有丘壑，勤勞謙虛，品質高尚。先生熱愛自然，熱愛祖國河山，充分表現愛國主義。』會後，先生將展覽作品一百十件，全部捐獻國家。座談會參加者有賴少其、林風眠、賀天健、張聿光、張石園、沈邁士、顏文樑等。

會後回杭，先生精神健旺，曾對上海美協來客說：『俗語以六十轉甲子，我九十多歲，也可說只有三十多歲，正可努力。我要師今人，師古人，師造化。』

傅雷在開幕式座談會應邀作有關先生繪畫的學術發言，次日在家書中寫：『開會之前，昨天上午八點半，黃老先生就來我家。昨天在會場中遇見許多國畫界的老朋友，如賀天健、劉海粟等，他們都說，黃先生常常向他們提到我，認爲我是他平生一大知己。』

會議期間晤朱屺瞻，作《梅花草堂圖》扇相贈。

秋，應書畫篆刻家錢君匋之請，作《君匋印選》叙言，曰：『方今長江、大河兩流域區，古物出土，方興未艾，時代蛻變，恢奇偉异，足供參考。君匋先生取法乎古，鍥而弗捨，力爭美善，克循先民矩矱而光大之，洵可知已。』先生作叙時曾笑謂君匋曰：『治印刀法猶書畫筆法，聚全身之力于臂，腕活指定，大食中指并重。衝刀宜中鋒直前，要留得住。新手可以無名指按印角，防刀行過度，流于浮滑；切刀則懸刃直下，要殺得清。其他刀法，名目繁多，亂人耳目。運用衝切二法既久，無法而百法生，巧易而拙原難。精讀史書，觀摩名作，日習篆書，書中求印，膽識過人，自不會蹈襲舊作。弟其勉之哉！』（錢君匋《賓虹印談．序》）

秋，上海市长陳毅將軍來訪，先生以山水一幅相贈。

十月，羅馬尼亞、捷克斯洛伐克、匈牙利、波蘭等國畫家至杭訪問先生，暢談中國畫理與畫法，先生對客揮毫，興趣倍濃。

上海人民美術出版社彩印《黃賓虹山水》單頁出版。

十一月初，傅雷從上海來杭拜訪先生，『連續在他家看了兩天畫』。十日，傅雷以自帶相機爲先生夫婦在寓所青竹前合影。

本月，撰《論畫長札》寄女弟子顧飛，共一千三百餘言，詳細論述明清兩代的畫派及畫家優缺點。係先生晚年有代表性的重要撰述。

十二月，全國政協二屆一次會議在京舉行，被選爲第二屆政協委員。

本年，黃涌泉一次去先生家，遇有來訪畫家稱頌先生，先生連聲說：『我的畫沒有什麽，只不過真東西裹裝點假東西罷了。我還沒有畫好。』

本年因陳叔通來函，先生回函曾談及家庭概況：『垂詢敝寓近況，旅杭家人子媳孫男八口，又兒子用明服務商務印書館工廠經三十餘年，接受港廠，繼而調渝，去冬結束廠務返申，最近供職上海五聯書業生産部，家屬六口。孫兒高謙今轉東北商科大學肄業。三兒映字，任上海徽寧小學教職。次兒映宇，就杭美術學院補習圖案織染。共計十四人。兒子用明擔任滬杭家務。』

一九五四年四月，黄賓虹赴滬出席華東美協成立大會，在自杭至滬的列車上所畫的寫生稿。

黄賓虹在杭州靈隱寫生。

虹廬

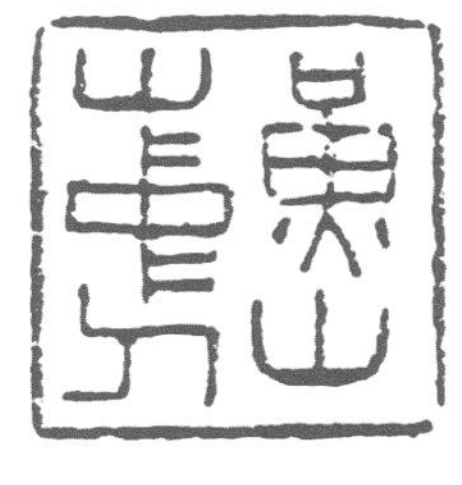

黃山山中人

黃賓虹

黃賓虹晚年常用自刻印。

黃賓虹晚年在西湖國立藝術院任教職，一九五四年作設色山水一幀，贈國立藝術院彩墨畫創作室。

黃賓虹晚年攝于栖霞嶺。

徐悲鴻致黃賓虹書。

黃賓虹致曹熙宇書。

賓虹先生道席：過旭初君回京，奉到
大教，至以為慰。名作已拜領，[illegible]
懸室中，[illegible]之心神俱
往。詩一、書畫名家[illegible]來[illegible]
而出[illegible]因[illegible]以[illegible]補助
以[illegible]生，[illegible]已向有關
方面提及，一俟決定，當[illegible]
問也。涂京居[illegible]健，足得
錦注。[illegible]
[illegible]禧
晚李濟深拜啟 九月十三日

賓虹老先生：
惠物妍麗，幸思若窮。道席
手書，具審目疾已瘳，至為忻慰。並聞於
風餘日麗中，行將蒲輪北上，甚合
光塵，毋任欽迎。乍暄，惟冀若時
珍攝，以慰良覿也。敬覆，順頌
著安 並頌
行祺
李濟深 一九五四、三、三〇。

李濟深致黃賓虹手書二通。

景昭先生大鑒：疊荷 注存，殷殷德意，感愿無似。鄙人療枕以
中央美術院華東分院藝協諸同志刮目相看，體恤周備，祗因賤目年來
內障，咫尺不見形影，幸得最高等醫師手術，重放光明，此誠意所未料。近日
雖愈，而軀體已弱，近日北京開會，各界念我病後衰弱，許不到會。但徵將平日數
十年有關文化詩文著述及書畫一切經驗，存稿師友，援受淵源，游歷山川記錄之文，出十餘
箱，麗攜出公諸人民觀看，諒承大眾過獎，兼荷北京會場推轂，俾聞中央美術院近
修書[illegible]遣同志南來訪問，我的意見，近謀再三，俾不獲辭，許以繼續整理古文字詩
詞理論之關藝術者四十萬言，浙省長譚公商領四百萬元，目下正擬入手，聞者[illegible]繪隨筆
北京因之寫畫[illegible]應暫將擱起，一面醫師常川來寓，[illegible]恤勞，無友護，復目力，每日按時工作，不得
太過，而且看書寫字，必用老件[illegible]花鏡，目下枕邊缺乏，無書可購，目前留得拙畫，千[illegible]隨正待
今借友二人合用之托[illegible]北京[illegible]回音
封寄付郵，竟被[illegible]者攫去，初意不得，繼而全杭城大醫俱為奔走，南北周知之，今諸[illegible]三兄
代人[illegible]者留有一帙，轉向嫡裔借出，奈事不知能否如願，伊以杭美分院教授住朱公祠在西湖為通[illegible]
又候不一 賓虹拜上 一月廿日

黃賓虹致陳景昭書。

大癡富春山
卷之宗旨北苑
開此宗一峰一狀
凡數峰一樹皆雄
秀蒼莽對後化
極沉悍道率
有蓽本渾其
六如郭書日有
拓本唐半園又
有油素本即蛋
住置一可以勿失誦
玄神趣　先師苑

高房山夜
山圖余游
黃山青城
皆于曾深
人靜中啟
戶獨立領
其趣

用作品來作畫史思考，是黃賓虹晚年創作特有的一種方式。九十一歲所作的十六頁山水册幾乎就是一部中國古典山水畫史的沉思録。

黃山自淵明故里經楊干寺至湯口萬壑松風清泉石壁處處引人入勝茲以北宋畫法寫之
黃賓虹 甲午年九十又一

黃賓虹在他生命最後時刻，還創作了一批意蘊博大、開合大氣的大幅山水，傳達出晚年黃賓虹更加神往追摹宋元經典的情懷。

這封長信是黃賓虹九十一歲時留下的論畫手書，信中娓娓而談，循循以教，文章流暢，質樸感人。尤其是他説的蝴蝶莊周的比喻，意味深長。這是他積七八十年國畫理論研究和國畫藝術實踐的經驗而悟得的妙喻，這是畫學的真境界。

昨得手書並近作畫，學校同人觀
覽者為稱贊，天資學力具有
優長，益加精進，洞明畫[illegible]原
件，仍由微處保留，現今研究
創造，先從古人遺跡
派別，參以造化，自
自己性靈，並從[illegible]
入手，駸駸而上，較有[illegible]
百年來海上名家，僅[illegible]
山及揚州八怪面目，或
老蓮、惟庸、作英、周[illegible]
之畫派，山水號粗率[illegible]
此外有陳若木、崇光[illegible]
何蝯叟紹基、翁松禪同龢[illegible]
精品稀如星鳳，直[illegible]
至慎伯世臣、周保緒濟[illegible]
雜珂羅版，俱無[illegible]
道及之者，文化隨之[illegible]
浩嘆，識不可不審[illegible]

[illegible]知畫據，又集前言，以他人論是非，為
是非，謂為無我，自以為是，而人言
畫非，謂為有我，我之者驕傲無我
者頗情中國學者自孔嘉來[illegible]
識之同，以高麗國王宗畫得
在周少白等無不東游日本，朝[illegible]
日本[illegible]氏著中國文人畫之研究
陳師曾譯出，商務館印行，次[illegible]
精確，所惜未見中國畫處，文人畫
僅及揚州八怪而止，然我國論畫之
有周保緒之析肱錄，其言文徵明
之非但枯硬，而且無筆墨之可言，雖
田猶多不滿，可為卓識名論
金[illegible]遍，託友訪求之，其自覺力進
人與董玄宰雖同惜，而玄宰[illegible]
宗派流弊，指王石谷[illegible]，極
失筆墨法，惲南田早年常為石谷
因之得名，後已嫌為所謂名為有名
將來為後世詬病，少及同時之友，其
此畫今存某處，石谷因借查梅壑同
日謁笪江上，請問筆法，知有積點成線[illegible]

石谷三百年盛譽，不若論者所攘斥，惟
此在當時王麓台以祖父之交已輕視
其畫，謂大江南北無識畫家皆以為師
第一，天下學者皆以[illegible]深厚生前陸[illegible]
不堪無毒之者，以粗率為多，用筆少
含蓄處，是其所短，花卉較勝，時代承平
古人遺跡多入豪貴之家，又心狡猾
應酬諸人，工書能詩，自謂文人，高出
石谷之上，而不及石谷尚得多見古畫，又
能臨摹真跡，況貧寒旅食都市，
安得搜求收藏真蹟，此文人作品有
大儒顏習齋稱詩文書畫為四蠹[illegible]
而揚州八怪亦不足重，道咸之間所稱
外患風濤雲起，常州學派易言革
命，至戴[illegible]趙[illegible]，翁松禪學
其流而變，尤不能不推崇鄭[illegible]
將來初生江上[illegible]，論公之文人即在近
之羅[illegible]振綺[illegible]，筆畫及畫錄，隨識論畫
與其自畫，求不可得，詞之友人已未知
自當與高郵宣古愚[illegible]首未見第其
載[illegible]若何，雖自為畫，然求入[illegible]

回憶我二十餘歲，初至揚州，時有[illegible]
戚何芷舠、程尚齋，兩匯轉官，隱
僑居家富收藏，出古今卷軸畫
親覽，因徧訪時賢所作畫，先游
觀市肆中，俱有李育、僧蓮溪
習尚，閱七百餘人，以畫為業外，文
人[illegible]者亦近三千計，惟陳若木、虛谷
所作最著名，已有極痴不
但亦最高，次則[illegible]攘之
包慎伯所傳學宋元遺
後多入石濤[illegible]中

既知理法，又莫為理法所縛束，莊
子逍遙遊言蝴蝶之為我，我之為蝴蝶
者，蠶之為蛾，蛾化以後三眠三起，吐
絲成繭，縛束其身，不能鑽穿
脫出，即甘自縛[illegible]，翩翩飛舞，何等自在
學畫者當作如是觀，自成一家，非超
出於古人理法之外，不似之似是為真
似，然必由入手古人理法之中研究得之
韓非子言畫鬼魅易，觀其虛處皆成龍
蛇。古人畫訣有實處易，虛處難
六字秘傳。老子言知白守黑，虛處
非先從實處極力用功，好學深思，心
[illegible]由入門。畫言寫意，意在理
學者得之於古理法之外，正謂
不[illegible]於書法、詩文悟出，其法
破墨二字，明人題畫往往及之
以筆法使墨，用之以取得其妙
惟蔣三松、郭清狂學之，失之墮
入邪道。咸中畫家每變換言此
而畫之墨法，始悟古法為勝明
賢，啟禎間畫亦不拘于古也

黃山湯口
三十六峰天都蓮花
前海勝景由湯口入
九十二叟賓虹

黃賓虹九十二歲作《黃山湯口圖》。從終極意義上看，繪畫是生命的表達方式，黃賓虹晚年的畫作，蘊藏着更具內涵的生命張力。黃賓虹曾說：『畫學有民族性，爲遺傳法；有時代性，爲變易法。』黃賓虹一生竭盡心力所做的一切，使他終于看到了中國古典山水藝術最後發展的可能性，爲後來者開闢了新的生機。

一九五五年二月二十四日，黃賓虹爲胡一川夫婦來訪作畫，這是黃賓虹生前作畫的最後留影，距逝世已不到兩個月。

公元一九五五年　乙未　九十二歲　在杭州。

一月，熱情接待來拜訪的藝專畢業生張文俊，據張回憶：『在拜望黃賓虹先生的三天中，不但聽了他的講話、教誨，還看了他的許多作品，有山水、花鳥；有極濃的，也有極淡的，如入寶山，美不勝收。黃老不吝指教，還不吝賜畫，他説：「你喜歡的，你拿吧！」我懷着既高興又不安的心情，選了大小四張請黃老賜畫。黃老在一幅畫上還題了上款。這次拜訪，給我留下了不可磨滅的印象。』（張文俊《回憶黃賓虹》）

二月，爲林志鈞作《設色山水圖》，又爲陳叔通作《設色山水圖》、作《黃山湯口圖》《栖霞雨霽圖》等山水軸。

同月，腸胃病復發，飲食日減，仍勉强回復各方友好來信。借助放大鏡作小幅山水若干幀，其中有《新安舟行》爲潑墨山水。床頭置紙筆，先生説：『詩可解病，畫可驅魔。』

二十五日，勉强起身，索讀報紙雜志。王伯敏趨前問疾，尚談畫理、畫法，并作小品畫以贈。此後未見作畫，竟成絶筆。

三月一、二、三日，時就床頭寫詩，僅有斷句。凡弟子臨床問病，即談畫理及畫法，并諄諄以『爲人民服務』爲勉。病中嘗作詩句及口述畫史、畫理等。病中談及譚嗣同，并念『千年萬里頌，不愧道中人』挽詩。

九日，先生偶作詩或熟睡，床邊有詩稿，字迹不清，可識得有『和平世界得來難』句。

十六日，因病入住杭州人民醫院，經醫生診斷爲胃癌。

二十一日晨，囑咐夫人宋若嬰，將家藏的一切文物，今後盡數捐獻國家。

二十四日，病情加重，睡夢中呻吟，并斷續念道：『何物羡人？二月杏花八月桂；有誰催我？三更燈火五更鷄。』

二十五日晨三時三十分逝世。

二十六日，上海《解放日報》報道：『著名畫家、中國人民政治協商會議第二届全國委員會委員、中國美術家協會理事、中央美術學院民族美術研究所所長、中國美術家協會上海分會副主席黃賓虹先生，本月二十五日晨病逝于杭州人民醫院，享年九十二歲。黃賓虹先生是著名畫家教授，所作山水畫有獨創精神。當其九十壽誕之際，前華東文化部曾發給奬狀。去年在滬舉行個人畫展，并將全部作品獻給國家。黃賓虹先

黄賓虹晚年在杭州居住的栖霞嶺寓所，今爲黄賓虹紀念室。

生一生勤勞謙虛，誨人不倦，熱愛祖國。黄賓虹先生不幸逝世，是文化藝術界的一大損失。黄賓虹先生逝世後，已組成治喪委員會，并擇期舉行公祭。黄賓虹先生治喪委員會由以下人員組成：沈雁冰、邢西萍、周揚、錢俊瑞、夏衍、陽翰生、黄源、齊白石、江豐、劉開渠、賴少其、豐子愷、莫樸、葉淺予、宋雲彬、葉恭綽、于非闇、沈尹默、邵裴子、余紀一、徐森玉、陳半丁、馬一浮、黄靄農、賀天健、彭瑞林、張宗祥、董聿茂、潘天壽、顔文樑。』

二十六日由沈雁冰、邢西萍、周揚、錢俊瑞、徐冰、夏衍、陽翰生、黄靄農、齊白石、陳叔通、劉開渠、賴少其、徐森玉、沈尹默、馬一浮、傅雷、黄源、張宗祥、潘天壽、莫樸等三十四人，組成『黄賓虹先生治喪委員會』，發布訃告。

同日，傅雷致函宋若嬰夫人：『昨晚忽接美協電話，驚悉賓老先生竟告不治；哀慟之餘，竟夕不能成寐。去年十一月到杭小叙，竟成永訣，實非始料所及。嘗以爲賓老先生精神矍鑠，老當益壯，必可壽享百齡，繼續爲吾國畫壇增光。孰知染此沉痾，遽歸道山，非但在個人失一敬愛之師友，在吾國藝術界尤爲重大損失。』

傅雷後曾在給友人信中道：『以我數十年看畫的水平來説：近代名家除白石、賓虹二公外，餘者皆欺世盗名；而白石尚嫌讀書太少，接觸傳統不够（他只崇拜到金冬心爲止）。賓虹則是廣收博取，不宗一家一派，浸淫唐宋，集歷代各家之精華之大成，而構成自己面目。尤可貴者，他對以前的大師都只傳其神而不襲其貌，他能用一種全新的筆法給你荆浩、關仝、范寬的精神氣概，或者是子久、雲林、山樵的意境。他的寫實本領（指旅行時構稿），不用説國畫家中幾百年來無人可比，即赫赫有名的國内幾位洋畫家也難與比肩。他的概括與綜合的智力極强。所以他一生的面目也最多，而成功也最晚。六十左右的作品尚未成熟，直至七十、八十、九十，方始登峰造極。我認爲在綜合前人方面，石濤以後，賓翁一人而已（我二十餘年來藏有他最精作品五十幅以上，故敢放言。外間流傳者精品十不得一）。』

二十七日，各界代表在杭州舉行公祭，宣讀中國人民政治協商會議第二届全國委員會主席周恩來、副主席李濟深及中國美術家協會唁電。中午十二時安葬于南山公墓。

按一九五六年三月，浙江省人民委員會決議以杭州栖霞嶺三十二號先生故居爲『黄賓虹先生紀念室』，陳列遺作，對外展覽。

二十九日《解放日報》報道：『杭州市各界在三月二十七日上午九時公祭著名畫家、中國人民政治協商會議第二届全國委員會委員黄賓虹先生。由浙江省省長沙文漢、中國人民政協全國委員會委員馬一浮和中國美術家協會上海分會理事賀天健主祭。參加公祭的有浙江省人民委員會、中共浙江省委員會、浙江省文學藝術工作者聯合會的代表和中央美術學院華東分院全體在杭教師、學生，以及黄賓虹先生生前友好等共三百多人。黄賓虹先生三子黄用明在公祭時，代表黄賓虹先生家屬宣布：決定遵照黄老先生遺志，把黄賓虹先生生前繪畫作品、手稿以及收藏的歷代字畫書籍、瓷銅玉器文物全部獻給國家，使這些文物得到更妥善的保存，發揮更大的作用。黄賓虹先生靈柩已于當日中午十二時在杭州市郊協山（南山）公墓安葬。』

一九五八年三月二十五日，浙江省文化局受中央文化部委托在西湖文瀾閣舉行『黄賓虹先生逝世捐獻遺物和授獎紀念會』，接受先生捐獻國家之全部文物，頒發先生家屬宋若嬰夫人及子女黄用明、黄映宇、黄鑒、黄映家獎狀與獎金。

捐獻文物計有：

一、古今名畫　一千〇三十八號
二、古印　八百九十三方
三、銅器（大、小）　九十八件
四、玉器（大、小）　二百十八件
五、瓷器（大、小）　一百四十二件
六、磚瓦硯　四十二件
七、書籍　一千八百〇四件
八、黄賓虹書畫作品　四千〇七件
九、手寫雜稿　一木箱
十、古印拓片　八百件
十一、碑帖　四十一本

同年秋，先生墓碑及雕像在南山落成。與蒼松翠柏、錢江流水，永爲長存。

年譜編後記

承蒙主編王伯敏先生的熱情指導，筆者得以完成編寫年譜。此譜以汪己文、王伯敏合編的《黄賓虹年譜》（上海人民美術出版社、浙江人民美術出版社一九八五年版）爲底稿，并廣泛參考有關資料撰寫而成。現將有關重要資料附録于後：

黄賓虹文集（上海書畫出版社一九九九年版）
黄賓虹先生年表（陳凡編著　香港萬竹堂版《畫法要旨》一九六一年版附録）
黄賓虹傳記年譜合編（裘柱常編著　人民美術出版社一九八五年版）
畫家黄賓虹年譜（趙志鈞編著　人民美術出版社一九九二年版）
黄賓虹年譜（王中秀編著　上海書畫出版社二〇〇五年版）
黄賓虹研究（朵雲六十四集　盧輔聖主編　上海書畫出版社二〇〇五年版）
上海辭典（上海市地方志辦公室編　上海社會科學出版社一九八九年版）
上海美術志（徐昌酩主編　上海書畫出版社二〇〇四年版）
二十世紀上海美術年表（王震編　上海書畫出版社二〇〇五年版）
二十世紀中國畫研究·現代部分（林木著　廣西美術出版社二〇〇〇年版）
民國篆刻藝術（孫洵著　江蘇美術出版社一九九四年版）
黄賓虹金石篆印叢編（趙志鈞編　人民美術出版社一九九八年版）
民國書法史（孫洵著　江蘇教育出版社一九九八年版）
姜丹書藝術教育雜著（姜丹書著　浙江教育出版社一九九一年版）
朱屺瞻年譜（馮其庸　嚴光華編　學林出版社一九九九年版）
傅雷書簡（傅敏編　生活·讀書·新知三聯書店二〇〇一年版）
譚藝書系·林散之卷·把生命溶入筆墨之中（唐成編著　海天出版社二〇〇一年版）
李可染論藝術（中國畫研究院編　人民美術出版社二〇〇二年增訂版）
余紹宋書畫論集（余子安編　北京圖書館出版社二〇〇三年版）
申報（上海書店影印本）

附録

黄賓虹常用印選

觀畫答客問 · 傅雷

五百年其間必有名世者——黄賓虹先生的繪畫 · 潘天壽

黄賓虹常用印選

臣質	黄璞丞詩畫印	黄質私印	片石居
樸臣	黄質之印	黄質書畫	緑烟紅雨閣
璞丞	樸丞	黄氏樸丞	緑雪軒
素心	樸丞翰墨	黄質之印	我愛其静

黄質	濱虹	黄質信印	黄質
潭上質	烟霞散人	黄質信印	黄質
黄質	賓䜣	樸丞詩畫	黄賓虹
黄質	黄賓公	樸丞	潭上質印

樸居士	賓鴻	黄賓虹	黄質私印
賓虹草堂	賓鴻	濵虹	黄質
黄冰鴻	黄賓公	賓弘	濵虹
賓鴻	黄賓鴻	賓弘	濵公

原名質 	賓公 	黄賓虹·黄賓虹印 	賓鴻 
黄賓虹 	賓虹之鉩 	賓虹 	青照臺 
 黄賓虹	片石居 	 黄	興到筆隨 
賓虹 	黄賓公 	賓公 	虹若 

予向

賓虹之鉨

竹窗

癸未年八十

予向

賓公

黄賓虹印

取諸懷抱

賓虹學人

黄質之鉨

甲子冬乙丑年元日生

黄賓虹八十後詩書畫印

蜀山紀游

黄賓虹

黄山予向

黄山予向八十以後作

賓叟九十以後作	虹廬	濱虹八十後作	竹北移
虹叟詩書畫印	掌印如褐	虹廬	竹北移
虹廬	賓虹	賓虹八十六作	乙酉年八十二
黃賓虹	賓公	秋月半窗	賓虹甲申年八十一歲

觀畫答客問

觀畫答客問*

傅雷

客有讀黃公之畫而甚惑者，質疑于愚，既竭所知以告焉；深恐盲人説象，無有是處，爰述問答之詞，就正于有道君子。

客：黃公之畫，山水爲宗，顧山不似山，樹不似樹，縱橫散亂，無物可尋。何哉？

曰：子觀畫于咫尺之內，是摩挲斷碑殘碣之道，非觀畫法也。盍遠眺焉。

客：觀畫須遠，亦有説乎？

曰：目視之物，必距離相當，而後明晰。遠近之差，則以物之形狀大小爲準。覽人氣色，察人神態，猶須數尺之外。今夫山水，大物也，逼而視之，石不過窺一紋一理，樹不過見一枝半幹，何有于峰巒氣勢？何有于疏林密樹？何有于烟雲出没？此郭河陽之説，亦極尋常之理。『不見廬山真面目，只緣身在此山中』，對天地間之山水，非百里外莫得梗概，觀縑素上之山水，亦非憑几伏案所能仿佛。

客：果也，數武外，凌亂者井然矣；模糊者燦然焉；片黑片白者，明暗背向耳，輕雲薄霧耳，雨氣耳。子誠不我欺。然畫之不能近視者，果爲佳作歟？

曰：畫之優絀，固不以宜遠宜近分。董北苑一例，近世西歐名作又一例。况子不見畫中物象，故以遠覘之説進。觀畫遠固可，近亦可，視君之意趣若何耳。遠以瞰全局，辨氣韵，玩神味；近以察細節，求筆墨。遠以欣賞，近以研究。

客：筆墨者，何物耶？

曰：筆墨之于畫，譬諸細胞之于生物。世間萬象，物態物情，胥賴筆墨以外現。六法言骨法用筆，畫家莫不習勾勒皴擦，皆筆墨之謂也。無筆墨即無畫。

客：然則縱橫散亂，一若亂柴亂麻者，即子之所謂筆墨乎？

曰：亂柴亂麻，固畫家術語，子以爲貶詞，實乃中肯之言。夫筆墨畦徑，至深且奥，非愚淺學所能知；約言之，書畫同源，法亦相通。先言用筆，筆力之剛柔，用腕之靈活，體態之變化，格局之安排，神采之講求，衡諸書畫，莫不符合。故古人善畫者多善書。若以縱橫散亂爲异，則豈不聞趙文敏『石如飛白，木如籀』之説乎？又不聞董思翁作畫以奇字草隸之法，樹如屈鐵、山如畫沙之論乎？遒勁處，力透紙背，刻入縑素；柔媚處，一波三折，婀娜多姿；縱逸處，龍騰虎卧，風趨電疾。惟其用筆脱去甜俗，重在骨氣，故驟視不悦人目。不知衆皆宗于盼際，此則離披其點畫；衆皆謹于象似，此則脱落凡俗。遠溯唐代，已晤此理，惟不滯于手，不凝于心，臻于解衣盤礴之致，方可語于縱橫散亂，皆成异境。若夫不中繩墨，不知方圓，尚未入門而信于塗抹，自詡脱化，驚世駭俗，　妄譬于八大、石濤，適自欺而欺人，不足與語矣。此毫厘千里之差，又不可不辨。

客：筆之道盡矣乎　？

曰：未也。頃所云云，筆本身之變化也。一涉圖繪，猶有關乎全局之作用存焉。所謂『自始至終，筆有朝揖，連綿相屬，氣脉不斷』，是言筆縱横上下，遍于全畫，一若血脉神經之貫注全身。又云：『意在筆先，筆周意内，畫盡意在，象盡神全。』是則非獨有筆時須見生命，無筆時，亦須有神機内藴，餘意不盡，以有限示無限。此之謂也。

客：筆之外觀，惟墨是賴，敢問用墨之道？

曰：筆者，點也，綫也；墨者，色彩也。筆猶骨骼，墨猶皮肉。筆求其剛，以柔出之；求其拙，以古行之，在于因時制宜。墨求其潤，不落輕浮；求其腴，不同臃腫，隨境參酌，要與筆相水乳。物之見出輕重、向背、明晦者，賴墨；表鬱勃之氣者，墨；狀明秀之容者，墨。筆所以示畫之品格，墨亦未嘗不表畫之品格；墨所以見畫之豐神，筆亦未嘗不見畫之豐神。雖有内外表裏之分，精神氣息，初無二致。乾、黑、濃、淡、濕，謂爲墨之五彩；是墨之用寬廣，效果無窮，不讓丹青。且惟善用墨者善敷色，其理一也。

客：聽子之言，一若盡筆墨之能，即已盡繪畫之能，信乎？

曰：信。夫山之奇峭聳拔，渾厚蒼莽；水之深静柔滑，汪洋動蕩；烟靄之浮漾；草木之榮枯；豈不胥假筆鋒墨韵以盡態？筆墨愈清，山水亦隨之而愈清；筆墨愈奇，山水亦與之而俱奇。

客：黄公之畫甚草率，與時下作風迥异，豈必草率而後見筆墨耶？

曰：噫！子猶未知筆墨，未知畫也。此道固非旦夕所能悟，更非俄頃所能辨。且草率果何謂乎？若指不工整言，須知畫之工絀，與形之整齊無涉；若言形似有虧，須知畫非寫實。

客：山水不以天地爲本乎？何相去若是之遠。畫非寫實乎？所畫豈皆空中樓閣？

曰：山水乃圖自然之性，非剽竊其形。畫不寫萬物之貌，乃傳其内涵之神。若以形似爲貴，則名山大川，觀覽不遑，真本俱在，何勞圖焉？攝影而外，兼有電影，非惟巨細無遺，抑且連綿不斷，以言逼真，至此而極，更何貴乎丹青點染？

初民之世，生存爲要，實用爲先，圖畫肇始，或以記事備忘，或以祭天祀神，固以寫實爲依歸；逮乎文明漸進，智慧日增，行有餘力，斯抒寫胸臆，寄情咏懷之事尚矣。畫之由寫實而抒情，乃人類進化之途程。

夫寫貌物情，攄發人思，抒情之謂也。然非具烟霞嘯傲之志，漁樵隱逸之懷，難以言胸襟；不讀萬卷書，不行萬里路，難以言境界；襟懷鄙陋，境界逼仄，難以言畫。作畫然，觀畫亦然。子以草率爲言，是仍囿于形迹，未具慧眼所致，若能悉心揣摩，細加體會，必能見形若草草，實則規矩森嚴；物形或未盡肖，物理始終在握，是草率即工也。倘或形式工整，而生機滅絶；貌雖逼真，而意趣索然，是整齊即死也。此中區别，今之學人，知者絶鮮；故斤斤焉拘于迹象，惟細密精緻是務，竭盡巧思，欲工轉絀，取貌遺神，心勞日絀，尚得謂爲藝術乎？

藝人何寫？寫意境、實物云云，引子而已，寄托而已。古人有云，作畫之道，掇景于烟霞之表，發興于深山之巔；掇景也，發興也，表也，巔也，解此便可省畫，便可悟畫人不以寫實爲目的之理。

客：誠如君言，作畫之道，曠志高懷而外，又何貴乎技巧？又何須師法古人、師法造化？黄公又何苦漫游川桂，遍歷大江南北，孜孜矻矻，搜羅畫稿乎？

曰：藝術者，天然外加人工，大塊復經熔煉也。人工熔煉，技術尚焉；二者相濟，方臻美滿。愚先言技術，後言精神，一物二體，未嘗矛盾。且惟真悟技術之爲用，方識性情境界之重要。

技術也，精神也，皆有賴乎長期修養。師法古人，亦修養之一階段，不可或缺，尤不可執著。繪畫傳統，垂二千年，技術工具，大抵詳備；一若其他學藝然，必接受古法，以免暗中摸索，爲學者便利，非爲學鵠的。拘于古法，必自斬靈機；奉模楷爲偶像，必墮入畫師魔境，非庸即陋，非甜即俗矣。

即師法造化一語，亦未可以詞害意，誤爲寫實。其要旨固非貌其峰巒開合，狀其迂迴曲折已也。學習初期，誠不免以自然爲粉本（猶如以古人爲師），小至山勢紋理，樹態雲影，無不就景體驗，所以習狀物寫形也；大至山岡起伏，泉石安排，盡量勾取輪廓，所以學經營位置也。然師法造化之真義，尤須更進一步，覽宇宙之寶藏，窮天地之生機，飽游飫看，冥思遐想，窮年累月，胸中自具神奇，造化自爲我有；是師法造化，不徒爲技術之事，尤爲修養人格之終身課業；然後不求氣韵而氣韵自至，不求成法而法在其中。

要之，寫實可，摹古可，師法造化更無不可。總須牢記爲學習階段，絶非藝術峰巔。先須有法，終須無法。以此觀念，習畫觀畫，均入正道矣。

客：子言殊委婉可聽，無以難也。顧證諸現實，惶惑未盡釋然。黄公之畫，縱筆墨精妙，仍不免艱澀之感，何耶？

曰：艱澀又何指？

客：不能令人一見愛悦是已。

曰：昔人有言：看畫如看美人，其風神骨相，有在肌體之外者。今人看古迹，必先求形似，次及傅染，次及事實，殊非鑒賞之法。其實作品無分今古，此論皆可通用。一見即佳，漸看漸倦，此能品也；一見平平，漸看漸佳，此妙品也；初看艱澀，格格不入，久而漸領，愈久愈愛，此神品也，逸品也。觀畫然，觀人亦然。美在表皮，一覽無餘，情致淺而意味淡，故初喜而終厭。美在其中，藴藉多致，耐人尋味，畫盡意在，故初看平平，而終見妙境。若夫風骨嶙峋，森森然，巍巍然，如高僧隱士，驟覯若拒人千里之外；或平淡天然，空若無物，如木訥之士，尋常人必掉首弗顧，斯則必神志專一，虚心静氣，嚴肅深思，方能于嶙峋中見出壯美，平淡中辨得雋永。惟其藏之深，故非淺嘗可能獲；惟其蓄之厚，故探之無盡，叩之不竭。

客：然則一見悦人之作，如北宗青緑以及院體工筆之類，止能列入能品歟？

曰：夫北宗之作，宜于仙山樓觀，海外瑶臺，非寫實可知。世人眩于金碧，迷于色彩，一見稱善，實則雲山縹渺，如夢如幻之情調，固未嘗夢見于萬一。俗人稱譽，適與貶毁同其不當。且自李思訓父子後，宋惟趙伯駒兄弟尚傳衣鉢，尚有士氣，院體工筆，至仇實父已近作家；後此庸史，徒有其工，不得其雅，前賢已有定論。竊嘗以爲，是派規矩法度過嚴，束縛性靈過甚，欲望脱盡羈絆，較南宗爲尤甚難；適見董玄宰曾有戒人不可學之説，鄙見適與暗合。董氏以北宗畫譬之禪定積劫，方成菩薩；非如董、巨、米三家，可一趨直入如來地。今人一味修飾塗澤，以刻板爲工緻，以肖似爲生動，以匀净爲秀雅，去院體已遠，遑論藝術三昧。是即未能突破積劫之明證。

客：黄公題畫，類多推崇宋元，以士夫畫號召。然清初四王，亦尊元人，何黄公之作，與四王不相若耶？

曰：四王論畫，見解不爲不當；顧其宗尚元畫，仍徒得其貌，未得其意，才具所限耳。元人疏秀處，古淡處，豪邁處，試問四王遺作中，能有幾分踪迹可尋？以其拘于法，役于法，故枝枝節節，氣韵索然。畫事至清，已成弩末。近人盲從附和，入手必摹四王，可謂取法乎下。稍遲輒仿元人，又只從皴擦下功夫，筆墨淵源，不知上溯；綫條練習，從未措意；捨本求末，求爲庸史，且戛戛乎難矣。

客：然則黄氏得力于宋元者，果何所表現？

曰：不外神韵二字。試以《層叠岡巒》一幅爲例，氣清質實，骨蒼神腴，非元人風度乎？然其豪邁活潑，又出元人蹊徑之外；用筆縱逸，自造法度故爾。又若《墨濃》一幀，高山巍峨，鬱鬱蒼蒼，儼然荆關氣派；然繁簡大异。前人寫實，黄氏寫意，筆墨圓渾，華滋蒼潤，豈復北宋規範？凡此取長補短風格，所在皆是，難以例舉。若《白雲山蒼蒼》一幅，筆致凝練如金石，活潑如龍蛇，設色妍而不艷，麗而不媚，輪廓燦然而無害于氣韵瀰漫，尤足見黄公面目。

客：世之名手，用筆設色，類皆有一定面目，令人一望而知。今黄氏諸畫，濃淡懸殊，獷纖迥异，似出兩手，何哉？

曰：常人專尊一家，故形貌常同。黄氏兼采衆長，已入化境，故家數無窮。常人足不出百里，日夕與古人一派一家相守。故一丘一壑，純若七寶樓臺，堆砌而成；或竟似益智圖戲，東撿一山，西取一水，拼凑成幅。黄公則游山訪古，閱數十寒暑，烟雲霧靄，繚繞胸際；造化神奇，納于腕底。故放筆爲之，或收千里于咫尺，或圖一隅爲巨幛，或寫暮靄，或狀雨景，或咏春朝之明媚，或吟西山之秋爽，陰晴晝晦，隨時而异；冲淡恬適，沉鬱慷慨，因情而變。畫面之不同，結構之多方，乃爲不得不至之結果。《環流仙館》與《虚白山銜璧月明》，《宋畫多晦冥》與《三百八灘》，《鱗鱗低蹙》與《絶澗寒流》，莫不一輕一重，一濃一淡，一獷一纖，遥遥相對，宛如兩極。

客：誠然，子固知畫者。余當退而思之，静以觀之，虚以納之，以證吾子之言不謬。

曰：頃玆所云，不過摭拾陳言，略涉畫之大較，所贊黄公之詞，猶屬皮相之見，慎勿以爲定論。君深思好學，一旦參悟，愚且斂衽請益之不遑。生也有涯，知也無涯，魯鈍如余，升堂入室，渺不可期；千載之下，誠不勝與莊生有同慨焉。

* 此文原是傅雷先生于一九四三年在上海與友人爲黄賓虹八十壽慶舉辦的『黄賓虹書畫展』而寫的，發表于畫展特刊，原署『移山』。

五百年其間必有名世者

——黄賓虹先生的繪畫

五百年其間必有名世者

——黃賓虹先生的繪畫*

潘天壽

黃先生原名質，字樸存，號賓虹，別署予向。中年後，以號行。安徽歙縣潭渡村人。祖德涵，字孟輝，經商浙東。父定華，字定三，喜吟咏，工書畫，長蘭竹。清同治三年（公元一八六五年）先生誕生于浙東之金華。幼穎异，勝衣就傅，篤學好問，曾延宿儒館于家，弱冠游學金陵揚州，得廣交時賢文藝之士。能琴劍，擅詩古文辭治印，兼攻經史與圖釋老氏及金石文字之學，均深有造詣。尤酷嗜書畫，六七歲時見有圖畫，必細心觀覽，記之心目，喜爲仿效塗抹。遇能詩畫者，必訪問窮其理法。并請書畫法于蕭山倪謙甫易甫兄弟，得『作畫當如作書法，筆筆宜分明，方不落畫家蹊徑』之心訣。又訪鄭雪湖前輩于皖公山。得『實處易，虛處難』經營位置之奧竅，因遍求唐宋名畫臨摹幾十年。繼北游，以求深造，時當辛亥之前，國是日非，心焉憂之，因研公羊氏之學，冀有所闡發，顧限于情勢，不久南歸，退耕于歙縣之故鄉，墾荒十年，興修水利，鄉人咸得其益。農學之暇，繼續悉心研討書畫，考其優劣，無一日間斷。宣統間旅滬，任《國粹學報》《神州時報》及商務印書館美術編輯，并主神州國光社編纂神州大觀。間兼各大學美術講座，先後凡三十年。至八十九歲時，患嚴重目疾，猶按時作畫及理論文字著述，未曾或輟，先生一生治學習藝之精勤如此。

先生特擅山水兼工人物花鳥草蟲。山水初攻沈石田、董香光、查梅壑，繼攻鄒衣白、惲香山、青溪、石谿，再攻元季四大家，宋之馬夏、二米、董巨，以及五季之荊關，唐代之王李，兼綜并蓄，旁收博采，以爲畫學堅實之基礎。然先生習畫之步驟，先從法則，次求意境，三求神韵。習法則：須從嚴處入、繁處入、密處入、實處入，道古循今，極力鍛煉，入而能出，然後求脱。求意境：須從高處入、大處入、深處入、厚處入，要窺見古人之深心，使意與法會，景隨情生，而得圓融無礙之妙諦。求神韵：要從讀萬卷書入、行萬里路入、養吾浩然之氣入，在元氣混茫間，純任一片天機，冥心玄化，自然神情氣韵都來腕底。然畫事除接受傳統技法外，尚須以自己之心性體貌，融會貫通于手中，深入自然，會心自然，并以手中技，寫我游觀中所得之自然，誠如張文通所謂『外師造化，中得心源』者也。故先生平生喜游歷，北至齊魯燕趙，南至閩粵香島，西至川蜀，中至荊楚以及江浙之天台、雁蕩、白鶴、九華、虞山、天目等諸名勝，無不踏遍其足迹。曾八上黃岳，猶感未能厭足，年近九十，定居西子湖畔，仍不時登栖霞，上葛嶺，以勾畫稿，步履輕健，畢生所得畫稿不下萬紙。

顧吾國清代畫學，多範圍于四王吴惲間，只知規矩功能，步趨古人，導致一味臨古仿古之弊，與明代詩壇七子，專倡復古之局面，有所相似。是後虞山、婁東、蘇松、姑熟諸派，陳陳相因，甜熟柔靡，空虛薄弱，每況愈下，不堪收拾。先生會心于此，思有以起而振之。其題畫云：『唐畫刻劃如綷絲，宋畫黝黑如椎碑。力挽萬牛要健筆，所以渾厚能華滋。粗而不獷細不纖，優入唐宋元之師。』蓋先生之所謂，習法求意者，要盡知古人法意之根柢與其精華糟粕之所在，既有所吸取，又有所批判，不至駁雜不純，遵循無軌轍。乾嘉以後，金石之學大興，一時書法如鄧完白、包慎伯等，均倡寫秦漢北魏之碑碣，蔚成風氣。金冬心、趙撝叔、吴缶廬諸學人，又以金石入畫法，與書法冶爲一爐，成健實樸茂、渾厚華滋之新風格，足爲虞山、婁東、蘇松、姑熟各派疲苶極度之特健劑。先生本其深沉之心得，以治病救人之道，引吭高呼，謂道咸間金石學興起，爲吾國畫學之中興，迭見書寫于諸繪畫論著中，爲後學指針，披荆斬棘，導河歸海，冀挽回有清中葉以後，繪畫衰落之情勢，其用心至重且遠矣。

原吾國繪畫，自隋唐以來，依據寫實之要求，日趨向于筆墨功能之發展，形成東方繪畫之特殊風格。于用筆言，以圓筆中鋒爲主。其圓也，如屋漏痕、如金剛杵，倍尋倍丈，圓渾不露鋒稜之迹。其重落也，如高山之墜石。其轉折也，如銀釵之折股。其堅實也，如萬歲之枯藤。其宛轉也，如蠹蟲之蝕木。其馳驟也，如渴驥之奔泉。其來往之無踪也，如陣雲之千里，天馬之行空。凡此種種均來自周秦之篆隸，鍾王之楷草，世所謂書與畫，异體而同源者是也。在先生之論畫中，每重三復四，言之詳焉。故所作書畫，隨筆揮掃，無不力能扛鼎矣。然畫事中，用墨每難于用筆，尤難于層層積纍，先生于此，特有創發，五彩六墨，錯雜兼施，心應手，手應筆，筆應紙，從三五次至數十次，出于米襄陽、董叔達諸大家墨法之外。一九四九年解放後，國事焕然一新，數十年憂時鄭重之心情，頓然冰釋，因之意緒極爲暢快愉悦，創作著述，尤勤奮不少息。繪事更深入于實中運虚、虚中運實、平中運奇、奇中運平之章法，以濃墨破淡，以淡墨破濃，寫其游歷之曉山、晚山、夜山與雨後初晴之陰山，每使滿紙烏黑如舊拓三老碑版，不堪向邇。然遠視之，則峰巒陰翳，林木蓊鬱，淋漓磅礴，絢爛紛披，層次分明，萬象畢現，只覺青翠與遥天相接，水光與雲氣交輝，杳然深遠，無所抵止。先生曾云：『我用重墨，意在濃墨中求層次，以表現山中渾然之氣趣。』先生獨特之風格，豈偶然哉？然有時或爲雄奇，或爲蒼莽，或爲閑静秀逸，或爲淡蕩空靈，或爲江河之注海，或爲雲霞之耀空，或爲萬馬之奔騰，或爲异軍之突起，千態萬狀，又非筆墨布置等所能概括之矣。間作梅竹雜卉，其意境每得之于荒村窮谷間，風致妍雅，有水流花放之妙，與所繪之山水，了不相似，白陽耶？復堂耶？新羅耶？其或顛道人之仲伯歟？孟軻云：『五百年，其間必有名世者。』吾于先生之畫學有焉。

先生學養淵博，著述宏富，就予所知者，著有畫談、印述、賓虹雜著、任耕感言、黄山前海記游、賓虹詩草、潭渡黄氏先德録、任德莊義田舊聞、黄山畫家源流考、虹廬畫談、古畫微、賓虹草堂印譜、蜀游雜咏、畫法要旨、賓虹畫語録、庚辰降生之畫家、周秦印談、古文字證、畫家軼事、古文字釋、宣歙畫家傳、道咸畫家傳、古籀論證、周秦古鉩釋文、畫學編等。

*本文爲一九八五年浙江人民美術出版社、上海人民美術出版社合編《黄賓虹畫集》序言。

編後記

《黃賓虹全集》經過八年的努力，終于與讀者見面了。回想一九九八年初秋開始的籌備階段，若不能順利地落實人力、經費和稿源的工作；若沒有黃賓虹先生家屬捐獻賓虹遺作及庋藏之舉；若沒有主編和分卷主編的敬業精神；若得不到以浙江省博物館爲代表的各文保單位、藝術院校和私人藏家的大力支持，以及有關領導的關注和支持，兩家出版社同仁的工作也就無從着力，全集的出版真是難以想像。當然，深圳華新彩印製版有限公司的敬業工作，也爲全集的出版提供了切實的保證。正如主編王伯敏先生所說，參與此項文化工程的『同志們付出的是生命中寶貴的心血，即使遇到疑難問題，總是依靠集體的智慧來解決』。他評價在編輯過程中的多次會議，『既是工作，也是學術研究，又是百家爭鳴的辯論會。在會上，有專家們不同的意見，也有十分和諧的共同語言，使大家進一步認識到，黃賓虹在書畫藝術上的造詣，確實是「仰之彌高，鑽之彌深，瞻之在前，忽焉在後」』。

因此《黃賓虹全集》的編輯過程，正是一個對黃賓虹藝術的理解由淺入深的過程，反過來使全集整體結構、內涵闡述的編輯工作，可以更加符合黃賓虹藝術的內在理路和存在價值。相信全集的出版對黃賓虹研究的深化具有添磚加瓦的作用。

黃賓虹生前曾說，他的藝術在五十年後方能被人理解。其實，在當時他就擁有不少的知音，不過限于當年的時風，更多的人難以接受他如『拓碑』『烏金紙』般的畫風，是不足爲奇的。五十年後的今天，世道大變，中西文化的頻繁交流，社會發展的否極泰來，透過時間的縱深，使人們對黃賓虹藝術的認識自然有了更新、更深、更廣的理解，不再局限于上世紀五六十年代只對其筆墨技法的研究，而是從歷史、社會、文化等不同的角度對黃賓虹其人其藝作了新的觀照。『五十年後識真畫』，宜其時也。

作爲曾經是社會改革者和一生都是傳統文化傳承者的黃賓虹，既有傳統士大夫知識分子的『濟世』精神，更有推動傳統藝術于新時代的不懈踐行，才造就了這位令人敬仰的『畫之大者』。

借助全集的編輯工作，僅從選定的三千餘幅作品和瀏覽黃賓虹二百餘萬字的著作，我們大致梳理出了組成黃賓虹藝術體系的幾個主要方面：

一、『大家』畫的內涵和『內美』的追求。

二、逸、神、妙、能『四品』的定位。

三、『民學』和『君學』的比照和揚貶。

四、『道咸金石學盛』對繪畫的振興作用。

五、『書畫同源』的再三强調和深入實踐。

六、對明末遺民畫家的關注。

七、溯源宋元經典與『渾厚華滋』美學思想的確立。
八、『丘壑内營』與師法造化的關係。
九、『絶似與絶不似』的象外超越。
十、『中西繪畫精神同也』的本質探求。

僅僅是粗淺的分類，也足够廣大的美術史論家與畫家思考、闡述一輩子了。

簡而言之，上述的十個方面，不外乎精神層面和藝術層面兩大部分。

『中國畫言成德，西畫言成功。故太上立德，德先志道，而後依仁據藝，精之足以濟世，與佛學同歸。』『百餘年來畫事知者已罕，好而樂此不疲者更難其選，有同志共與發明古人精神存在，非爲江湖市井之牟利，文人墨客之消遣，實欲遏人欲之横流。人人知有止足之樂，其功與孔、釋、耶教同崇。』黄賓虹説與友人的這些話，與蔡元培『以美學來代替宗教』的觀念可以相比。因此，雖然他無奈地放弃政治救國的行動，却熱切地寄希望于學術、藝術的人心救治功能，體現了崇高的宗教精神。與此同時，對藝術的教化、陶冶功能非常重視的黄賓虹，自然從内心裏卑視那些『自甘于取媚俗子』的畫壇末流。

在藝術層面上，黄賓虹欲救婁東、雲間畫派以來之弊，首先認定必須使畫壇重歸經典：『古畫寶貴，流傳至今，以董、巨、二米爲正宗，純全内美。是作者品節學問，胸襟境遇，包涵甚廣。』不僅僅要重温宋元的經典技法，更重要的是必須進行人文内涵的充實。對明末遺民畫家的推崇，可説也是出于這個目的。

由于重視對經典的重新回歸，黄賓虹對傳統藝術的生命延續作了提綱挈領的提示：『畫務食古能化，將來文科不廢。畫學有民族性，爲遺傳法；有時代性，爲變易法。』

我們可以用黄賓虹的另一段話來爲此解釋：『自古至今，由新而舊，舊而又新，去舊换新，如衣食住皆然。不過除弊興利，仍是穿布吃米蓋茅屋做起，不能别尋新的。』所謂『遺傳法』，即是一個民族賴以萬古生存的基因所在。『基因』變异，民族性何存？所謂『變易法』，即在長久傳承中的『除弊興利』，賴以優化『基因』，才能因『食古能化』而生命永續。中國畫的存亡繼絶，亦同此理。在此，黄賓虹與石濤所主張的『筆墨當隨時代』之説遥相呼應。

在中西文化的交流中，促使中國畫的『變易』，既可以是積極的，也可能是消極的。積極的，是促使中國畫的發展更加多姿多彩；消極的，是因民族性的淡化或喪失，導致畫種的蜕變而溷淪于『媚俗』『欺世』的所謂創新藝術之中。因此黄賓虹在藝術層面上維護民族性的核心措施，就是對筆墨的不懈論述和終生砥礪。

筆墨的功能，對中國繪畫來説，首先是運用墨綫和墨塊來發揮造型構景的工具功能。這對于同爲造型藝術的中西繪畫來説，其理相通。其次是具有一筆化萬筆，萬筆歸一筆的生發、整合的運動功能。這對于同屬于綫條藝術的中國書畫來説，正是進一步體現了『民族性』的特色所在。更重要的是，在綫條的運動中，承載着作者的情感和氣質，從而使筆墨具備了相當獨立的審美價值和象外超越的生命功能。因此，即使作者離開人世，依然是『千載之下，生氣勃勃』。造就黄賓虹『渾厚華兹』『剛健婀娜』畫風和『蒼雄深秀』書風的『五筆七墨』，正是由這樣的筆墨鑄成的。

那麽，這種具有生命内涵的筆墨，是如何鍛煉成功的呢？黄賓虹説『中國畫由書法見道，其途徑先明書法爲第一步』，『中國畫法在書訣』，『上古三代、漢魏六朝，畫先有法而不言法，參書法以見内美』，『王維、鄭虔求畫法，于書法詩意而悟得其法』。真是不厭其煩地强調書法作用于繪畫的積極功能。可見同樣作爲書法家的黄賓虹，他是極其深切地體悟到書畫之間的先天血缘和後天功能的。

在書畫領域中提出「君學」和「民學」的概念，是從舊歷史走向新歷史的黄賓虹的獨特視角。在對「君學」和「民學」的比照下，他熱情地肯定了不受「君學」羈絆的書畫藝術因超越功利、自由揮灑而更有「骨子裏的精神」和「個性美」，標示了「民學」在書畫藝術中的確立，由此，他甚至認爲，本着「民學」精神的發揚，「向世界伸開臂膀，準備着和任何來者握手」，體現了黄賓虹廓大的胸懷和「天下大同」的精神。從這個高度看，在繪畫的傳承上，他是一位堅定的「傳統派」，但對中西藝術在精神層面上相通的認知，他倒是一位真正的「融合派」。

鑒于上述的這些認識，我們在第十卷的編輯中，無論是選擇黄賓虹的主要論文、紀游詩稿、題畫和書信摘要，還是年譜，都力求符合黄賓虹藝術所具有的文獻本體意義。

對于全集的編輯工作，許多人士都付出了自己的熱忱和努力。中共浙江省委原副書記梁平波同志的關心，山東、浙江兩省出版集團領導的指導，黄賓虹研究會洪再新先生的關注，王中秀、舒士俊兩先生對前期編輯工作的參與，我們表示由衷的感謝。

與此同時，我們對熱情支持全集編輯工作的浙江省博物館、安徽省博物館、故宫博物院、中國美術館、中央美術學院美術館、榮寶齋、上海市美術家協會、上海博物館、中國美術學院、西泠印社、瀋陽故宫博物院、天津人民美術出版社、香港藝術館、香港緣山堂、日本京都博物館以及汪孝文、張仃、龍瑞、王中秀、壽崇德、郁重今、徐小飛等單位和藏家，表示再三的感謝。

另外，多年來，北京、廣州、合肥、金華、杭州等地舉辦的各種黄賓虹藝術研討會或紀念活動，都對我們的編輯工作提供了非常有益的幫助，使我們難以忘懷。《黄賓虹全集》行世之後，如有不當之處，敬請讀者指教。

《黄賓虹全集》編輯委員會　二〇〇六年十二月

策　　劃・姜衍波　奚天鷹　王經春
主　　編・王伯敏
執行副主編・王經春
副 主 編・王肇達　趙雁君
分卷主編・王肇達　毛建波　張學舒
文字總監・梁　江
導　　語・駱堅群
責任編輯・田林海　王勝華　俞建華　王肇達
釋　　文・俞建華　王宏理
文字審校・俞建華
裝幀設計・毛德寶　俞佳迪　王肇達　田林海　王勝華
責任校對・黄　静
圖片攝影・葛立英　鄭向農

圖書在版編目（CIP）數據

黃賓虹全集.10，著述年譜 /《黃賓虹全集》編輯委員會編.—濟南：山東美術出版社；杭州：浙江人民美術出版社，2006.12（2012.4重印）

ISBN 978-7-5330-2341-6

Ⅰ.黃… Ⅱ.黃… Ⅲ.黃賓虹（1865～1955）–年譜 Ⅳ.J222.7 K825.72

中國版本圖書館CIP數據核字（2007）第015679號

出品人： 姜衍波　奚天鷹

出版發行： 山東美術出版社

濟南市勝利大街三十九號（郵編：250001）

http://www.sdmspub.com

電話：（0531）82098268　傳真：（0531）82066185

山東美術出版社發行部

濟南市勝利大街三十九號（郵編：250001）

電話：（0531）86193019　86193028

浙江人民美術出版社

杭州市體育場路三四七號（郵編：310006）

http://mss.zjcb.com

電話：（0571）85176548

浙江人民美術出版社營銷部

杭州市體育場路三四七號十九樓（郵編：310006）

電話：（0571）85176089　傳真：（0571）85102160

製版印刷： 深圳華新彩印製版有限公司

開本印張： 787×1092毫米　八開　四十一·五印張

版　　次： 二〇〇六年十二月第一版　二〇一二年四月第二次印刷

印　　數： 二〇〇一冊—二八〇〇冊

定　　價： 柒佰捌拾圓